重讀二十世紀中國小說

許子東 著

商務印書館

重讀二十世紀中國小説 I

作　　者：許子東

責任編輯：蔡柷音

封面設計：涂　慧

出　　版：商務印書館 (香港) 有限公司

　　　　　香港筲箕灣耀興道 3 號東滙廣場 8 樓

　　　　　http://www.commercialpress.com.hk

發　　行：香港聯合書刊物流有限公司

　　　　　香港新界荃灣德士古道 220-248 號荃灣工業中心 16 樓

印　　刷：美雅印刷製本有限公司

　　　　　九龍觀塘榮業街 6 號海濱工業大廈 4 樓 A 室

版　　次：2022 年 3 月第 1 版第 3 次印刷 (平裝)

　　　　　2022 年 3 月第 1 版第 1 次印刷 (毛邊本)

　　　　　2022 年 3 月第 1 版第 1 次印刷 (精裝)

自 序

二十世紀・中國・小說

　　本書嘗試以文本閱讀為中心，重新梳理二十世紀中國小說史的一些發展線索，並討論「小說」與「中國」與「二十世紀」三者之間的關係。大致上按照作品發表或出版的時間順序，閱讀和研討中國近代、現代、當代文學史上比較知名、比較有代表性的九十三部（篇）中短長篇小說。從 1902 年梁啟超《新中國未來記》，一直到 2006 年劉慈欣的《三體》。大部分作品以前讀過，所以說是「重讀」，實事求是。分為上下兩冊，只為讀者方便，內容上連貫一體。這些「比較知名、比較有代表性」的篇目，並不完全依據我個人興趣選擇。首先會參考一些主流文學史的看法，例如王瑤、唐弢的現代文學史，夏志清的《中國現代小說史》，錢理羣、溫儒敏、吳福輝的《中國現代文學三十年》，吳福輝的《中國現代文學發展史》，洪子誠的《中國當代文學史》，王德威的《哈佛新編中國現代文學史》等，還有陳思和、陳曉明、許志英、丁帆、黃修己、朱棟霖、陳平原等人的當代文學史與小說史論著。其次會儘量參照錢谷融主編的《中國現當代文學作品選》。這套作品選已經出到

第四版,很多學校使用,我自己也是這套作品選的編委會委員,本書重讀的小說相當部分也選入這套作品選(或存目)。[1]第三,我還會參考《亞洲週刊》2000 年的「二十世紀中文小說一百強」評選名單。[2]「百強」中的名篇,大部分也都在本書「重讀」目錄中,除了三點不同:第一,1949 年以後臺灣和香港的小說暫時沒有列入,因為本書重點之一是探討「當代文學生產機制」,臺灣、香港的文學當時不在這個機制之內;第二,《亞洲週刊》「百強」名單裏,「十七年」小說只選了〈組織部新來的年輕人〉和《艷陽天》,而我以為「三紅一創」及《林海雪原》、《青春之歌》的文學史意義不應忽視。第三,本書還收入二十一世紀初才出版的閻連科和劉慈欣的兩部小說。其實近二十年來還有很多小說想讀,本書已經太厚,只能留待日後續集。而香港、臺灣的小說則另需專著研討。

黃子平、陳平原、錢理羣早在 1985 年就提出「二十世紀中國文學」的概念,近年來五四與晚清的關係又成為學術界熱點。事實上,閱讀二十世紀中國小說,從梁啟超、李伯元讀起,還是從魯迅、郁達夫讀起,有很大分別。順時態閱讀使我們重新認識近、現、當代的某些重要相同之處,比如學術界一向認為知識分子和農民是現代中國文學的主要人物形象,但如果聯繫晚清及當代,我們會發現「官員」(幹部)也是二十世紀中國小說的一條不可忽視的人物形象主線。如果說知識分子和農民的關係構成現代文學的「啟蒙救亡」主題,那麼知識分子與官場的「互相改造」以及民眾與官員的「矛盾依託」關係也都值得分別梳理。

近現當代文學相通連貫之處甚多,但是按年份重讀小說,

同時又會更加證實三個歷史階段的不同文學生態，從晚清的報人文學，到現代文學與學校教育制度的聯盟，再到五十年代以後獨特的當代文學生產機制（作家幹部化、稿費代替版稅、作協系統的文學批評）等等。簡而言之，二十世紀中國小說，三個階段文學相通，三個學科界線仍在。

　　本書雖然側重經典作品閱讀，但也試圖梳理作品背後的文學史線索。每一個十年，我們都會抽樣討論某位作家的一天日常生活，依據作家的日記、書信或其他第一手材料，目的是抽樣檢討幾十年間中國作家生態的具體變化。一些關鍵的文學史場景，比如二十年代末的「批判魯迅」，三十年代兩個口號之爭，四十年代延安文藝座談會，五十年代當代文學生產機制，八十年代的劇本創作座談會與杭州會議等，本書都有專章討論。百年間最難處理的當然是 1966 到 1976 年，雖然沒有找到合適（合乎二十世紀中國小說平均水平）的代表作，但我們還是儘量從文學角度「艱辛探索」，不留空白。總體上，從作品出發而不是從作家或理論出發，是本書的寫作原則。

　　當然，九十三部小說，並不能代表整個二十世紀中國文學，只能代表我個人理解的九十三部作品。這些作品的題材、篇幅、主題、人物、風格、方法、精神、技巧都不一樣，如果一定要概括其共通點，那就是幾乎（幾乎）所有作品，有意無意都在努力講述作家個人心目中的「中國故事」。這些故事有時互相補充，有時互相矛盾，有時互相印證，有時互相衝突，每個作家都可能表現他的洞見和局限，但讀者卻可以看到這些洞見和局限，如何匯合並置成一個大的「中國故事」。在「二十世紀」、「中國」、「小

說」之外，本書的另一個關鍵詞就是「革命」。「革命」這個關鍵詞，雖然不應被神化、濫用，卻也不能躲避、忘卻。二十世紀中國小說，紀錄了革命的不同階段，描繪了革命的不同方式，當然也包括革命的經驗教訓。一百年了，中國怎麼會走到今天？會走向怎樣的明天？我們雖然缺乏梁啟超的「神預言」能力，至少也可以回頭看看——《老殘遊記》有句話：「眼前路都是從過去的路生出來的，你走兩步回頭看看，一定不會錯。」

注

1　以下是錢谷融主編《中國現當代文學作品選》（第四版，華東師範大學出版社，2020）中的小說目錄：〈狂人日記〉，〈阿 Q 正傳〉（存目），〈在酒樓上〉，〈傷逝〉（存目），〈鑄劍〉，〈沉淪〉，〈遲桂花〉（存目），〈綴網勞蛛〉，〈海濱故人〉（存目），〈酒後〉，〈潘先生在難中〉，〈竹林的故事〉，《橋》（存目），〈拜堂〉，〈莎菲女士的日記〉，〈夜〉，《太陽照在桑乾河上》（存目），〈為奴隸的母親〉，〈春蠶〉，《子夜》（存目），〈上海的狐步舞〉，〈春陽〉，〈邊城〉，《長河》（存目），《啼笑因緣》（存目），《家》（存目），〈寒夜〉（存目），〈山峽中〉，〈九十九度中〉，〈菉竹山房〉，《八月的鄉村》（存目），〈斷魂槍〉，《駱駝祥子》（存目），〈鶯鶯湖的憂鬱〉，《死水微瀾》（存目），《風蕭蕭》（存目），〈華威先生〉，〈在其香居茶館裏〉，《呼蘭河傳》（存目），〈小城三月〉，〈受苦人〉，〈北望園的春天〉，〈小二黑結婚〉，《李有才板話》（存目），〈封鎖〉，〈金鎖記〉，〈傾城之戀〉（存目），〈識字班〉，〈荷花淀〉，《伍子胥》（存目），《財主底兒女們》（存目），〈果園城〉，《圍城》（存目），〈暴風驟雨〉，〈山地回憶〉，〈我們夫婦之間〉，〈初雪〉，《保衛延安》（存目），〈組織部新來的青年人〉，〈紅豆〉，《紅旗譜》（存目），《青春之歌》（存目），〈百合花〉，〈「鍛煉鍛煉」〉，《創業史》（存目），〈永遠的尹雪艷〉，《射雕英雄傳》（存目），〈愛，是不能忘記的〉，〈人到中年〉（存目），〈陳奐生上城〉，〈海的夢〉，〈受戒〉，〈大淖記事〉（存目），〈對倒〉，《芙蓉鎮》（存目），〈黑駿馬〉，〈哦，香雪〉，〈美食家〉（存目），〈鈴鐺花〉，〈綠化樹〉（存目），〈棋王〉，〈命若琴弦〉，〈岡底斯的誘惑〉，〈透明的紅蘿蔔〉，〈爸爸爸〉（存目），〈訪問夢境〉，《古船》存目，《平凡的世界》（存目），〈十八歲出門遠行〉，〈頑主〉（存目），〈洗澡〉，〈黃金時代〉（存目），〈哀悼乳房〉（存目），《刺青時代》，《白鹿原》（存目），《廢都》（存目），《豐乳肥臀》（存目），〈長恨歌〉（存目），《馬橋詞典》（存目），《塵埃落定》（存目），《永遠有多遠》（存目），《城邦暴力團》（存目），〈流浪地球〉，《花腔》（存目），〈地球上的王家莊〉，〈駄水的日子〉，〈戒指花〉，〈大老鄭的女人〉，〈那兒〉，〈婦女閒聊錄〉（存目），〈穿堂風〉，〈驕傲的皮匠〉。

2　二十世紀中文小說一百強，是《亞洲週刊》於 1999 年 6 月仿效西方的「二十世紀百大英文小說」而提出的二十世紀中文小說書單。但兩者不同之處在於，「二十世紀百大英文小說」只評選長篇小說，而《亞洲週刊》書單則將短篇小說集涵蓋在內一同評等。

《吶喊》，魯迅；〈邊城〉，沈從文；《駱駝祥子》，老舍；《傳奇》，張愛玲；《圍城》，錢鍾書；《子夜》，茅盾；《臺北人》，白先勇；《家》，巴金；《呼蘭河傳》，蕭紅；《老殘遊記》，劉鶚；《寒夜》，巴金；《彷徨》，魯迅；《官場現形記》，李伯元；《財主的兒女們》，路翎；《將軍族》，陳映真；〈沉淪〉，郁達夫；《死水微瀾》，李劼人；〈紅高粱〉，莫言；〈小二黑結婚〉，趙樹理；〈棋王〉，阿城；《家變》，王文興；《馬橋詞典》，韓少功；《亞細亞的孤兒》，吳濁流；《半生緣》，張愛玲；《四世同堂》，老舍；《胡雪巖》，高陽；《啼笑因緣》，張恨水；《兒子的大玩偶》，黃春明；《射鵰英雄傳》，金庸；〈莎菲女士的日記〉，丁玲；《鹿鼎記》，金庸；《孽海花》，曾樸；《惹事》，賴和；《嫁妝一牛車》，王禎和；《異域》，柏楊；《曾國藩》，唐浩明；《原鄉人》，鍾理和；《白鹿原》，陳忠實；《長恨歌》，王安憶；《吉陵春秋》，李永平；《狂風沙》，司馬中原；《艷陽天》，浩然；《公墓》，穆時英；《舊址》，李銳；《星星·月亮·太陽》，徐速；《臺灣人三部曲》，鍾肇政；《洗澡》，楊絳；《旋風》，姜貴；〈荷花淀〉，孫犁；《我城》，西西；〈受戒〉，汪曾祺；《鐵漿》，朱西甯；《世紀末的華麗》，朱天文；《蜀山劍俠傳》，還珠樓主；《又見棕櫚，又見棕櫚》，於梨華；《浮躁》，賈平凹；〈組織部新來的年輕人〉，王蒙；《玉梨魂》，徐枕亞；《香港三部曲》，施叔青；《京華煙雲》，林語堂；《倪煥之》，葉聖陶；〈春桃〉，許地山；《桑青與桃紅》，聶華苓；《藍與黑》，王藍；《二月》，柔石；《風蕭蕭》，徐訏；《芙蓉鎮》，古華；《地之子》，臺靜農；《城南舊事》，林海音；《古船》，張煒；《酒徒》，劉以鬯；《未央歌》，鹿橋；《沉重的翅膀》，張潔；《果園城記》，師陀；《人啊，人！》，戴厚英；〈黃金時代〉，王小波；《狗日的糧食》，劉恆；《棋王》，張系國；《賴索》，黃凡；《妻妾成羣》，蘇童；《霸王別姬》，李碧華；《殺夫》，李昂；《楚留香》，古龍；《窗外》，瓊瑤；《沉默之島》，蘇偉貞；《白髮魔女傳》，梁羽生；《古都》，朱天心；《尹縣長》，陳若曦；《四喜憂國》，張大春；《喜寶》，亦舒；《男人的一半是女人》，張賢亮；《將軍底頭》，施蟄存；《藍血人》，倪匡；《二十年目睹之怪現狀》，吳趼人；《活着》，余華；《岡底斯的誘惑》，馬原；《十年十意》，林斤瀾；《北極風情畫》，無名氏；《雍正皇帝》，二月河。

目　錄

1902-1916

二十世紀中國小說的起點

以梁啟超（1873-1929）的《新中國未來記》，作為《重讀二十世紀中國小說》的開端，至少有四個理由：第一，發表時間比較早，1902 年，刊於中國早期小說期刊《新小說》[1] 上。第二，梁啟超是當時最重要的思想家、政治家、文學家之一。就在《新中國未來記》發表前一年，梁啟超發表了〈中國史敘論〉，提出「中華民族」這個概念。[2] 第三，政治幻想小說這個文類在中國十分罕見，梁啟超之後傳承者也不多，可謂稀有品種，今天亦少有實驗，特別值得保存。第四，也因為梁啟超的小說理論，對後來百年中國文學的發展有着無可比擬的影響。

一、二十世紀中國小說的開幕禮

梁啟超為二十世紀中國小說準備的開幕禮是非常戲劇性的，序言之後，《新中國未來記》正文第一句：「話表孔子降生後二千五百一十三年，即西曆二千零六十二年……正係我中國全

國人民舉行維新五十年大祝典之日。」[3] 這一句中的「2062 年」是筆誤，梁啟超太激動了，他想的是 1962 年，也就是小說寫作的六十年以後。「其時正值萬國太平會議新成，各國全權大臣在南京……恰好遇着我國舉行祝典，諸友邦皆特派兵艦來慶賀，英國皇帝、皇后，日本皇帝、皇后，俄國大統領及夫人，菲律賓大統領及夫人，匈加利大統領及夫人，皆親臨致祝。」「那時我國民決議在上海地方開設大博覽會……竟把偌大一個上海，連江北，連吳淞口，連崇明縣，都變作博覽會場。」這個世博會場地比後來 2010 年真的上海博覽會還要大。

二十世紀中國小說的開篇，竟然是一個政治幻想，不能不令人感慨萬千。1898 年，百日維新失敗，清廷下令通緝康有為、梁啟超。在逃亡日本的軍艦上，艦長送了一本日本政治小說《佳人奇遇》給梁啟超消磨時間。沒想到，梁啟超喜歡上了日本作家柴四郎的政治幻想小說。明治維新時期，日本有很多這類小說。到日本後，梁啟超創辦《清議報》，翻譯《佳人奇遇》。幾年以後，他試筆寫了小說《新中國未來記》。梁啟超思想不如康有為有系統，革命又不如譚嗣同那麼有決心，但是，文筆、文風、文才卻是當時第一人。毛澤東後來和友人談起梁啟超，說他有點虎頭蛇尾。[4]「蛇尾」大概是指梁啟超後來在北洋軍閥時期政治立場搖擺，「虎頭」顯然就是佩服梁啟超辦《清議報》、《時務報》時候的書生意氣，揮斥方遒，指點江山。《新中國未來記》雖然小說本身未完成，也有點虎頭蛇尾，但寫在梁啟超生龍活虎的前期，和他的理論一起，替二十世紀中國小說開了個「虎頭」。

除了上海博覽會以外，小說中對於後來中國社會的發展有

很多「神預言」。寫中華民國 1912 年成立，比辛亥革命晚了一年（宣統帝頒佈退位詔書，確是 1912 年）。民國定都南京，實行共和制，完全正確。領袖人物叫黃克強，本意大概是炎黃子孫克敵自強。正好辛亥革命領袖黃興，字克強。至於還要和後來其他中國的領導人同名，那更是純屬巧合。當然，預言巧合並不是我們重讀這個小說的主要理由。政治幻想小說看似神奇，其實非常難寫。假如邀請今天的一線作家，請他們每個人寫一部小說，描寫十年、二十年以及六十年以後的中國，看看他們怎麼寫？難度太高了。梁啟超自己也很清楚，所以事先聲明，「茲編之作，專欲發表區區政見，以就正於愛國達識之君子」，但是，「國家人羣，皆為有機體之物，其現象日日變化，雖有管葛，亦不能以今年料明年之事，況於數十年後乎！」政治幻想，不可能料事如神，而且自己政見也在變化之中：「人之見地，隨學而進，因時而移，即如鄙人自審十年來之宗旨議論，已不知變化流轉幾許次矣。」小說發表時，梁啟超其實也只有二十九歲。但是之前他已有很多驚天動地之舉：考科舉、拜康有為為師、公車上書、維新救世、變法見皇帝、「頂層設計」、主張君主立憲等等。為人為文轟轟烈烈，與時俱進充滿變化。梁啟超也料到自己「前後意見矛盾者，寧知多少」，所以小說開篇他先說明，「故結構之必凌亂，發言之常矛盾，自知其決不能免也」。凌亂矛盾如首句就把 1962 年寫成了 2062 年。這個「2062」，象徵中國二十世紀小說開端的慌亂青春和粗糙熱情。認真讀下去，人們會發現梁啟超的政治寓言，有的天真可愛、可笑可嘆，有的卻會令人笑不出來。

　　回到 1962 年的上海博覽會，博覽會不同尋常，「不特陳設商務、工藝諸物品而已，乃至各種學問、宗教皆以此時開聯合大會是謂大同」，博覽會中心會場，是京師大學校文學科內的史學部（真是抬舉文科地位）。中心會場講者很多，單表其中一科，現任全國教育會會長文學大博士孔老先生，講《中國近六十年史》。每週講三次，每次三小時。第一天，「聽眾男男女女買定入場券來聽者，足有二萬人」，（兩萬人等於演唱會或足球場，怎麼演講文學歷史？）兩萬人中間「有一千多係外國人，英、美、德、法、俄、日、菲律賓、印度各國人都有」。「看官，這位孔老先生在中國講中國史，一定係用中國話了」（「係用」—— 廣東官話）。「外國人如何會聽呢？原來自我國維新以後，學術進步甚速，歐美各國紛紛派學生來遊學，據舊年統計表，全國學校共有外國學生三萬餘名」。原來希望外國人能聽能說國語，從晚清到春晚，一直是中國夢的一部分。「閒話休提……諸君欲知孔老先生所講如何，請看下回分解」：「孔覺民演說近世史，黃毅伯組織憲政黨」。小說沿用舊式章回體，敍述中加入小字，是作者點評，有點張竹坡加布萊希特的效果。

二、梁啟超的神預言：一個政黨，一個領袖

　　主講的孔先生，字曲阜，身穿國家制定的大禮服，胸前懸掛國民勳章與各國所贈勳章 ——「我們今日得擁這般的國勢，享這般的光榮，有三件事是必要致謝的。第一件是外國侵凌壓迫已甚，喚起人民的愛國心。第二件是民間志士為國忘身，百折

不回，卒成大業。第三件是前皇英明，能審時勢，排羣議，讓權與民。這三件事便算是我這部六十年史的前提了。」我們今天站在廣場上，也是第一感謝人民愛國，第二感謝烈士奮鬥，只有第三感謝有點不同，不是「君主立憲」。孔曲阜（或者說梁啓超）回顧中華民族興盛六十年：「三件裏頭，那第二件卻是全書主腦。諸君啊，須知一國所以成立，皆由民德、民智、民氣三者俱備，但民智還容易開發，民氣還容易鼓勵，獨有民德一椿，最難養成。」孔覺民將 1902 年到 1962 年中國歷史，分成六個階段。一是預備時期，從八國聯軍破北京到廣東自治，之後清朝滅亡。下面還有五個階段：自治，設全國國會；第一個大統領時期，影射光緒的退位；黃克強任大統領時期；之後又有殖產時代、外競時代、雄飛時代。孔老先生面對兩萬人做演講，也不只是喊口號煽情，而且逐條排政治流水帳：「諸君啊，你道我們新中國的基礎在那一件事呢？其中遠因、近因、總因、分因雖有許多，但就我看來，前六十年所創的『立憲期成同盟黨』算是一椿最重大的了。」

所有的成功，全靠一個黨 —— 雖然這個黨的名字很長而且繞口：「立憲期成同盟黨」，孔老先生解釋，「原是當時志士想望中國行立憲政體，期於必成，因相與同盟，創立此黨，合眾力以達其目的。」後來梁啟超真的做過中國民主黨的領袖，又加入共和黨，又合併成進步黨，就是沒有這個預言中的「立憲期成同盟黨」。他的小說裏也有幾個不同的黨，主張中央政權勢力有國權黨，主張地方自治有愛國自治黨，主張民間事務有自由黨，但都不如「立憲期成同盟黨」重要，為甚麼？「諸君啊，第一件，須

知道那黨是個最溫和的，最公平的，最忍耐的。……第二件，須知道那黨是最廣大的，最平等的。第三件，須知道那黨是個最整齊嚴肅有條理的，他仿照文明各國治一國之法以治一黨」。仿照文明各國之法治黨，這是關鍵，而且還有種種具體方法：職務設定、民主投票、幹部體制。孔博士說這個「黨初辦時，不過百數十人，在上海創始」（精準吧，1902 年寫的，不得不服）。說該黨到了廣東自治時代，相當於北伐時期，已有一千四百萬人。《新中國未來記》的藝術性如何先不論，二十世紀第一部中國小說對後來百年中國的預見性，不得不令人震驚。

　　「諸君，且說這憲政黨到底用甚麼方法，能夠做成如此隆盛、如此鞏固呢？老夫也不能細述，只把他初立黨時公擬的辦事條略背誦一回罷。」然後是「（子目一）擴張黨勢……（子目二）教育國民……（子目三）振興工商……（子目四）調查國情……（子目五）練習政務……（子目六）養成義勇……（子目七）博備外交……（子目八）編纂法典。」孔老先生把這些冗長的子目念完以後，歇了片刻，重複開講，讚歎幾聲道：「諸君啊，你看當時諸先輩謀國何等忠誠，辦事何等周密，氣魄何等雄厚！其實我新中國的基礎，那一件不是從憲政黨而來。」小說在「十年後清朝結束」，「共和定都南京」，「俄國會有革命」等等「神預測」後，最關鍵一條預言，就是有一個黨對中國百年發展這麼重要。而且孔先生說，這個轉移中國的黨，是由一位英雄豪傑造就。是誰呢？且聽下回分解。

三、兩個朋友，兩條道路

小說第三回全是孔老先生複述黃克強和李去病兩人對話（兩萬聽眾現場耐心傾聽）。黃克強是廣東人，父親是個儒生。據說在甲午海戰後，看定中國前途要有大變動，因此打發兒子，和他一個得意門生李去病，一起到英國讀書。兩人進了惡斯佛大學（Oxford，牛津）。三年後，黃克強、李去病在英國聽到了戊戌政變失敗的消息，一起痛哭。兩人曾想回鄉救國，但又想到要喚醒民眾，先要把自己的預備功夫做好。說到這裏，小說裏面加了一行小字，「愛國青年聽着」，這是梁啟超小說在章回體之中的另一種敘事策略，敘事者直接插入點評。值得學習。

兩人分別去了德國、法國，一兩年後，再一起從俄國搭火車經西伯利亞回國，途中眼見關外變成哥薩克殖民地的樣子（日俄戰爭前，東三省一度被俄國侵佔），「正是石人對此，也應動情，何況這滿腔熱血的英雄」。接下來就是兩人在西伯利亞火車上有一場關於中國未來前途的冗長的對話和辯論。事關重大，我們必須抄幾段：

> 李君說：「哥哥，你看現在中國還算得個中國人的中國嗎……我中國的前途，那裏還有復見天日之望麼？」
>
> 黃君道：「可不是嗎！但天下事是人力做得來的……我想凡是用人力可以弄壞的東西，一定還用人力可以弄好轉來（至理）……但是我們十年來讀些書是幹甚麼的？（青年讀書諸君想想）難道跟着那些江湖名士，講幾句慷慨激昂的口

頭語，拿着無可奈何四個字，就算個議論的結束嗎？（青年讀書諸君想想）」

黃君的意思，責任再大，四萬萬人分擔就不吃力。但國人多數還在睡夢裏邊，所以我們要盡自己力量去做，做得一分是一分，「安見中國的前途就一定不能挽救呢？」後來「五四」關於黑房子開不開窗的對話，梁啟超早就預見了，而且黃君一個人把魯迅、錢玄同兩個人的話都說完了。

李去病和黃克強，救國之心一樣，但是方法不同。他們有三個分歧。第一，對當時統治者看法不同。李去病說：「哥哥，你看現在中國衰弱到這般田地，豈不都是吃了那政府當道一輩民賊的虧嗎？（是是）……這樣的政府，這樣的朝廷，還有甚麼指望呢？……不到十年，我們國民便想做奴隸也夠不上……替那做奴才的奴才做奴才了。」這裏提到「奴才」與「奴隸」兩個概念，後來都是魯迅的關鍵字。

黃克強認為：「中國人做中國事，不能光看着外國的前例……看真我們的國體怎麼樣，才能夠應病發藥的呀！」中國人做中國事，要適合中國自己國情的（沒看錯，這是梁任公說的，不是近年報紙社論。）李去病強調，我也不是要以暴易暴，而是要以仁易暴，可「那十九世紀歐洲民政的風潮，現在已經吹到中國，但是稍稍識得時務的人，都知道專制政體是一件悖逆的罪惡。」（人人都知道？）孔老先生說到這裏，作家梁啟超沒忘記讓滿堂拍掌如雷，兩萬人一起拍手。兩人又繼續談論法國革命的成功和代價，拿破崙的功過。黃克強認為：「現在朝廷，雖然

三百年前和我們不同國，到了今日，也差不多變成了雙生的桃兒，分擘不開了……漢人、滿人亦差不多平等了……中國今日若是能夠一步升到民主的地位便罷，若還不能，這個君位是總要一個人坐鎮的。」

從怎樣看「君位」，便引出第二個分歧：民主大眾政治，還是頂層精英治國。李去病傾向前者，認為政權總歸是要歸多數人的手，國家才比較安寧。而黃克強認為，盧梭他們那些理論在歐洲都已經過時了，議會裏面說到底也是少數人決定（今天一些權威「新左派」學者亦如是說）。李去病說，盧梭理論在現在歐洲自然變成擺設，但是在今天的中國卻最合用。黃克強不同意，他說「必須依靠干涉政策」。甚麼叫干涉政策？「若能有一位聖主，幾個名臣，有着這權，大行干涉政策，風行雷厲，把這民間事業整頓得件件整齊，椿椿發達，這豈不是事倍功半嗎？」「兄弟，你看現在英國的民權和法國的民權，那一個強的啊！」看來黃克強的意思就是說，法國雖然革命，英國更有民權。頂層設計比民粹民主更有實效。

英法模式選擇，革命或者改良，當然是兩個人爭論的核心，也是當時（何止當時）中國思想界、政治界討論的關鍵問題。有趣的是，梁啟超本人在理論上其實更傾向於黃克強（君主立憲），但是在小說的辯論當中，更佔上風的卻好像是李去病。

李去病痛責晚清的官員，「你看現在政府，要是一個外國人放的屁，它沒有不香的。」有些事情「雖然利在國民，怎奈要害到他這個烏紗帽，你叫我怎麼能捨去呢」。「我已經在上海租界買了幾座大洋房，在滙豐銀行存有幾十萬銀子，還怕累得到我

不成?(官場諸公,試自己捫心想一想,李去病君到底是罵着我不成)」所以他認為一定要有激烈的革命。而黃君擔心若革起命來,一定玉石俱焚。李去病堅信不自由毋寧死,我們爭取文明政府。黃克強懷疑:「今日世界上那裏有甚麼文明野蠻,不過是有強權的便算文明罷了。(萬方同概)」

到這時,討論進入第三個層次,涉及政治背後的道德層面。李去病說的是浪漫激情,黃克強看的是殘酷事實。最後,李去病勃然大怒,讀了一首叫《奴才好》的古樂府:「奴才好,奴才好,勿管內政與外交,大家鼓裏且睡覺。古人有句常言道:臣當忠,子當孝,大家切勿胡亂鬧。滿洲入關二百年,我的奴才做慣了。」整個小說第三回,數萬言、四十多個回合,全部是兩個人的對話論爭。從小說體例上來看,古今罕見。不用理論家批評,梁啟超早有自知之明,「似說部非說部,似稗史非稗史,似論著非論著,不知成何種文體,自顧良自失笑。雖然,既欲發表政見,商榷國計,則其體自不能不與尋常說部稍殊」。

辯論中李去病言辭更激烈、更有氣勢,但小說情節大綱裏,最後成功者是黃克強,就是那個黨。而在真實中國百年歷史中,情況又有些相反:成功的是李去病的大眾革命理論,晚近才有黃克強的「精英頂層治國」論。所以,梁啟超預言的未來和我們經歷的過去,中間有些非常弔詭的對比。

終於兩個人爭完了,沒有結論。小說第四回漸漸有點像新派章回小說。黃李回國,經過東三省,路上聽人講述俄國在東北的殖民行徑,對華人酷苛,俄官貪腐更甚。但小說議論,說比起英、法、美、日等,俄國是最容易抵抗的 —— 因為俄國人自己

是專制政體，由於國內內亂才出外侵略，專制政體民力斷不能發達——又是「神預言」，十五年後俄國果然爆發革命。

兩個知識分子在回國列車上氣憤民眾如何被官府（包括洋官府）欺負，這一種「士見官欺民」的三角關係，後來經晚清四大譴責小說詳細演繹，逐漸成為二十世紀中國小說三種最主要人物形象的基本關係模式，而努力「警世」之「士」後來成為救民之「新官」，這種五十代革命文學的模型，居然也已在梁啟超筆下率先出現雛形。

小說第五回，黃李來到了北京、上海，見到了當地革命黨人，參加一些政治集會。黃李倆人用嘲諷的眼光看待晚清上海各色人等，輪番出場的有買辦、洋奴、交際花、洋場少年、革命黨人等等，就像一場大戲剛剛要開場。但這已經是梁啟超小說的最後一回了。現實當中他要去美國考察，所以停筆。夏志清說，小說的基調找不到了。[5] 大概梁啟超想，我與其寫小說，不如自己來做。

小說發表前三個月，梁啟超發表過一個情節大綱（全書結構）：南方一省獨立，後來成立共和政府，和全球平等。之後就有了聯邦大共和國，東北也改成君主立憲，加入了聯邦，所以舉國國民都齊心，文學、國力富強，冠絕全球。後來，因為西藏、蒙古跟俄羅斯打仗，外交上聯合了英、美、日三國大破俄軍，然後又煽動了俄國革命。美英諸國又虐待黃種人，因此中國作為盟主，聯合日本、菲律賓等等與歐洲開戰。最後是匈牙利人出面調停，所以就有了中國京師開了萬國平和大會，中國宰相是這個世界大會的議長，從此黃白兩類人權利平等，全書結束。

從大綱看，五回《新中國未來記》只是剛剛開頭。

四、欲新一國之民，不可不先新一國之小說

梁啟超後來很忙，辦《清議報》、《時務報》、《新民叢報》，又和孫中山同盟會論戰，又被光緒派到海外考察。辛亥革命時，他一會和袁世凱合作，一會又在段祺瑞下面做官。梁啟超自己的政治活動，成為他小說的一個極為反諷的注解。比起他不太成功的政治生涯來說，梁啟超作為學者，其實有更大的貢獻。他是近代新史學的奠基人，在目錄學方面也有成就，對圖書館學亦有獨特見解。作為小說，梁啟超的《新中國未來記》的缺點和價值都很獨特。缺點是議論多、概念化，談不上性格刻畫，而且沒寫完。價值方面，一是很多「神預言」。二是中國罕見的烏托邦幻想小說，基本上前無古人，似乎也無來者。三是主人公身兼知識分子和政治家（官員）雙重身分，想像政事，設計國體 —— 知識分子和官員形象後來在二十世紀中國小說中，有時身分重疊，有時互相改造，但是再也沒有像在梁啟超身上這般高度統一。後來的文學史對這部未完成小說的重要性估計不足，認為小說「採取的是將演說詞、新聞報導、章程、論文與幻想虛構混雜記敘的方式」、「不按照文學的規律來搞文學」[6]。其實這部小說的價值，不僅是神預測清朝滅亡、定都南京、上海世博等，更在於超前提出了一些甚至是二十一世紀的政治問題：精英治國還是大眾民主？專制為甚麼會限制國力（以俄羅斯為例）……

魯迅《中國小說史略》將清代小說細分成七類，包括擬晉唐

傳奇小說、諷刺小說、人情小說、才學小說、狎邪小說、俠義與公案小說，以及第七種譴責小說。[7] 王德威則把晚清小說歸納成四類：狎邪青樓、俠義公案、醜怪譴責、科幻奇談。[8] 范伯羣、陳伯海、夏曉虹、袁進等學者，對晚清文學也有類似的分類。雖然「五四」以後譴責小說批判寫實成為主流，但並不代表其他文類就必然被壓抑。

第一類青樓小說傳統，往上可追溯到《品花寶鑒》、《花月痕》、《青樓夢》，以及《九尾龜》等等，往後則演變成「鴛鴦蝴蝶派」，如《玉梨魂》、《啼笑因緣》、《秋海棠》。但是這種才子與風塵女子的文學傳統，也對二十世紀的主流文學，比方說郁達夫、張愛玲、張賢亮、賈平凹等人的作品，隱隱產生影響。晚清的「青樓家庭化」（「長三堂子」）如何悄悄轉化成革命時代的「家庭青樓化」（「美國飯店」），再如何滲透在知識分子與大眾的關係演變史中，都是很值得探究的文學史現象。

第二類俠義公案小說，本來兩個文體互相矛盾：「儒以文亂法，俠以武犯禁」，俠客總是用武藝做好事的搗亂分子；清官斷案或者現代偵探，都要維護法律秩序，李逵怎麼跟包公合作？可是晚清小說，俠義與公案居然並存，強盜和法官有共謀關係。比如《施公案》、《三俠五義》、《七俠五義》、《彭公案》，以及改寫自《水滸》的《蕩寇志》等等。「五四」以後中國的偵探公案小說雖不發達，但金庸、梁羽生等人的現代武俠小說，因為契合中華民族心理（包括集體無意識），一度擁有最多的讀者人口。即使革命文學中也有俠義精神傳承，從《林海雪原》模擬土匪的英雄到〈紅高粱〉土匪真的成為英雄。

　　第三類所謂政治幻想小說，除了梁啟超未完成的小說以外，還有吳趼人《新石頭記》、老舍《貓城記》等，文本不是很多，神魔奇幻大規模復興要到二十世紀晚期的科幻小說。但梁啟超的小說革命理論，比他的小說更加著名。在《亞洲週刊》「二十世紀中文小說一百強」中，《官場現形記》、《二十年目睹之怪現狀》、《老殘遊記》、《孽海花》全部入選。在某種意義上，晚清四大名著都受到梁啟超小說革命論的直接間接影響。晚清小說革命的動因，一是時局刺激，二是印刷工業，三是租界環境。在 1895 年《馬關條約》之前，全中國只有五種期刊，全部在上海。梁啟超發表《新中國未來記》的 1902 年，是一個重要的時間點。在 1902 年到 1911 年這十年當中，中國有了一百七十家出版社。[9] 僅在梁啟超提倡新小說以後，就出現了至少三十家小說出版社，有二十一家以「小說」作為名字的期刊。[10] 最著名的四種就是《新小說》（1902-1906）、《繡像小說》（1903-1906）、《月月小說》（1906-1908）、《小說林》（1907-1908）。晚清時代一共有九十種期刊，上海有七十五種，佔百分之八十三。上海是當時中國的文化中心，梁啓超無疑是中心人物之一。

　　其實在《新中國未來記》之前十年，韓邦慶在 1892 年已創辦了中國第一本專業小說雜誌叫《海上奇書》。[11]《海上花列傳》[12]雖然是那個時期最好的中文小說（後來也只有《老殘遊記》可以比較），但以吳語寫成，讀者範圍有限。張愛玲晚年，曾將小說從吳語譯成國語。[13] 另一個與中國新小說起源有關的事件是十九世紀末，1895 年 6 月英國傳教士傅蘭雅（John Fryer）在上海的《萬國公報》上刊登徵文啟事：「竊以感動人心，變易風俗莫如小

說，推行廣速，傳之不久，家喻戶曉，習氣不難為之一變。」原來梁啟超提倡的小說革命論，這位傳教士說得更早。「今中國積弊最重大者計有三端：一鴉片、二時文、三纏足，若不設法更改，終非富強之兆……茲欲請中華人士願本國興盛者，撰著新趣小說……述事務取近今易有，切莫抄襲舊套。立意毋尚稀奇古怪，免使駭目驚心。」傅蘭雅一生翻譯過數百種著作，號稱是「半生心血，惟望中國多興西法，推廣格致，自強自富」。徵文小說後來收到一百六十二卷，但是沒有一卷完全符合傳教士的理想，所以勉強發了獎，小說沒有印出來。1896 年，傅蘭雅去了美國，擔任加州大學東方文學語言教授。王德威主編的英文版（《哈佛新編現代中國文學史》(*A New Literary History of Modern China*) 中有韓南教授 (Patrick Dewes Hanan) 的文章，說那些徵文稿現在加州大學柏克萊分校的圖書館。[14] 那是真正的第一批中國「新小說」，很有意思。

簡而言之，二十世紀初的大背景是，晚清四類小說，青樓狎邪、俠義公案、社會譴責、政治幻想，後來貌似僅社會譴責成為主流，其實不同文類傳統各自發展互相滲透，而且都受到梁啟超小說革命理論的影響 ——

> 欲新一國之民，不可不先新一國之小說。故欲新道德，必新小說；欲新宗教，必新小說；欲新政治，必新小說；欲新風俗，必新小說；欲新學藝，必新小說；乃至欲新人心，欲新人格，必新小說。[15]

這段名言，膾炙人口。不管贊同與否，文章氣勢、排比格局鏗鏘有力、震撼人性。主張「我手寫我口」的同時代人黃遵憲讚歎說：「驚心動魄，一字千金，人人筆下所無，卻為人人意中所有……從古至今，文字之力之大，無過於此者矣。」[16] 毛澤東後來形容梁啟超的文風是，立論鋒利，條理分明，感情奔放，痛快淋漓。[17] 僅就文字、文風、文章氣勢，已經先聲奪人。

梁任公把小說抬到那麼高的位置 —— 新國民、新道德、新宗教、新政治，新風俗、新學藝、新人心、新人格，都要新小說 —— 一方面，他的小說革命論對後來魯迅等人用小說啟蒙救亡、感時憂國有直接的影響。另一方面，梁啟超表面激烈反傳統，內心還是延續了儒家「文以載道」的精神。梁啟超的內在精神矛盾，也構成了一百年中國小說的內在精神矛盾。就像黃克強李去病的思想矛盾，貫穿了一百年中國社會的政治變遷。

在大力宣傳新小說的同時，梁啟超對中國古典小說採取了激烈否定態度。他認為舊小說「述英雄則規劃《水滸》，道男女則步武《紅樓》。綜其大較，不出誨盜誨淫兩端」。[18]〈論小說與羣治之關係〉批評中國國民有幾個要不得的思想 —— 狀元宰相思想、佳人才子思想、江湖盜賊思想、妖巫狐鬼思想，皆來自舊小說。所以，「舊小說是中國羣治腐敗之總根源」。雖然梁啟超在理論上把小說抬得這麼高，但他自己的創作實踐卻更看重詩歌。以夏曉虹的書名概括，梁啟超早先為文覺世，後來卻以學問傳世。[19]

受他影響的日後中國小說的發展，是否也會一直存在着「覺世與傳世」的艱難選擇？還是說，只有覺世者才可能傳世？

　　重讀《新中國未來記》，我們一方面欽佩梁啟超在一百多年前就能在小說裏規劃二十世紀中國革命的大綱，另一方面也感嘆百年中國革命的曲折歷程，又始終繞不開梁啟超提出的一些基本問題：精英治國還是大眾民主？如何以黨治國，又以國法治黨？學習法國革命還是借鑒英國模式？中國究竟需要改良還是革命？……

注

1　1902年10月15日梁啟超於日本橫濱創辦《新小說》雜誌，次年遷至上海。《繡像小說》（李伯元、歐陽鉅源編，1903年）、《月月小說》（吳趼人、周桂笙編，1906年）、《小說林》（徐念慈、曾樸編，1907年），都是在《新小說》的影響下創刊。後來「新小說」一詞亦成為概括在小說界革命中產生的一批小說作品的專有名詞。

2　1901年，梁啟超在〈中國史敍論〉中首次提出「中國民族」觀念，用以指稱「華夏族」或總稱有史以來中國各民族。而「中華民族」這一概念，目前學界多認為首次出現於1902年的〈論中國學術思想變遷之大勢〉一文：「上古時代，我中華民族之有權思想者厥惟齊，故於其間產生兩種觀念焉，一曰國家觀，二曰世界觀」之中，但該文並未闡釋「中華民族」的具體含義。1905年，在〈歷史上中國民族之觀察〉一文中梁啟超比較正式地使用了「中華民族」概念。受時代局限，該文提出「今之中華民族，即普通俗稱所謂漢族者」，有把「中華民族」窄化為漢族的傾向。但通過溯源「中華民族」的歷史由來，梁啟超也敏銳地提出了「中華民族」的多民族混合性：「現今之中華民族自始本非一族，實由多數民族混合而成」。參見梁啟超：《飲冰室合集》（北京：中華書局，1989年）；〈中國史敍論〉，見《飲冰室合集第一冊‧文集六》，頁1-12；〈論中國學術思想變遷之大勢〉，見《飲冰室合集第一冊‧文集七》，頁21；〈歷史上中國民族之觀察〉，見《飲冰室合集第八冊‧專集四十一》，頁2-4、頁13。

3　梁啟超《新中國未來記》1902年發表於小說期刊《新小說》。本文中的引文則依據《海上文學百家文庫16梁啟超卷》，李天綱編（上海：上海文藝出版社，2010年）。下同。

4　中央文獻研究室編輯部編纂：〈聽毛澤東談文史 —— 吳冷西回憶片段〉，《治國與讀史 —— 領袖人物談歷史文化》（北京：中央文獻出版社，2008年），頁298-305。

5　夏志清：〈新小說的提倡者：嚴復與梁啟超〉，《人的文學》（福州：福建教育出版社，2010年），頁91-96。

6　吳福輝：《中國現代文學發展史》（北京：北京大學出版社，2010年），頁38。

7　魯迅：《中國小說史略》，《魯迅全集》第九卷（北京：人民文學出版社，2005年）。

8　王德威：《被壓抑的現代性：晚清小說新論》（臺北：麥田出版，2003年），頁26。

9　時萌：《晚清小說》（上海：上海古籍出版社，1989 年），頁 11。

10　陳伯海、袁進主編：《上海近代文學史》（上海：上海人民出版社，1993 年），頁 60-69。

11　《海上奇書》為第一本近代小說刊物，1892 年 2 月於上海創刊，辦至第十五期停刊。其中第一至十期為半月刊，十一至十五期為月刊。

12　《海上花列傳》最早連載於《海上奇書》雜誌，每期刊登兩回。該雜誌停辦時《海上花列傳》連載至三十回（胡適在〈《海上花列傳》序〉又稱共出版十四期，共刊二十八回）。之後韓邦慶繼續寫作新回目有三十四回並於 1894 年成書。參見魏紹昌主編：《中國近代文學大系・史料索引集一》（上海：上海書店出版社，1996 年），頁 46-47。

13　張愛玲 1967 年着手翻譯《海上花列傳》英文版本，1975 年完成，但直到張愛玲 1995 年過世，都未完成定稿。1982 年張起靈（張愛玲）英譯版本《海上花列傳》的前兩章，刊登在香港中文大學《譯叢》(Renditions) 期刊。2005 年，哥倫比亞大學出版經由孔慧怡 (Eva Huang) 修編的英譯本《海上花列傳》，The Sing-song Girls of Shanghai (New York: Columbia University Press, 2005)；1982 年 4 月至 1983 年 10 月，張愛玲譯注國語版本在《皇冠》雜誌連載，1983 年 11 月出版專書。韓邦慶著，張愛玲注釋：《海上花開：國語海上花列傳一》、《海上花落：國語海上花列傳二》（臺北：皇冠出版社，1983 年初版）。參見單德興：〈含英吐華：譯者張愛玲 —— 析論張愛玲的美國文學中譯〉，《翻譯與脈絡》（臺北：書林出版有限公司，2009 年）。

14　Patrick Dewes Hanan: "The 'New Novel' Before the Rise of the New Novel", A New Literary History of Modern China, (England: The Belknap Press of Harvard University Press, 2017), pp. 139-143.

15　梁啟超：〈論小說與羣治之關係〉，《新小說》創刊號，1902 年 11 月 14 日。

16　黃遵憲：〈致梁啟超函〉，陳錚編，《黃遵憲全集》（上）（北京：中華書局，2005 年），頁 441-442。

17　同注 4，頁 304。

18　任公：〈譯印政治小說序〉（1898 年 12 月），原載於《清議報》第一冊。參見陳平原、夏曉虹編：《二十世紀中國小說理論資料》（第一卷）（北京：北京大學出版社，1997 年），頁 37。

19　夏曉虹：《覺世與傳世 —— 梁啟超的文學道路》（北京：中華書局，2006 年）。

貪腐是官場的「剛需」？

　　李伯元（1867-1906），字寶嘉，別號南亭亭長。江蘇武進人。他在二十世紀初期的小說毀譽參半。隨着時間推移，人們可能發現以前對他重視不夠。

　　李伯元的祖父、伯父都是科舉出身，家裏有官場背景。雖然少年有才，但他只考上秀才沒有中舉。仕途失意進不了官場，對他後來創作有很大影響。1897 年，三十歲的李伯元到上海創辦《指南報》，[1] 後來改辦《遊戲報》。[2] 這是中國最早的小報，比較像雜誌的形式，又改為《繁華報》，[3] 又受商務印書館之聘編雜誌《繡像小說》。[4] 1903 至 1905 年，《官場現形記》六十回開始連載發表於《世界繁華報》。二十世紀中國小說的早期陣地，主要依靠租界環境和現代印刷工業的興起。李伯元小說對「官本位」的中國社會的全面嘲諷批判，在文學史上，少有前人，罕見來者。《遊戲報》上的嬉笑怒罵文章雖然都是讓租界市民出出氣，但魯迅說：「命意在於匡世」，[5] 動機還是療救社會。寫《官場現形記》時，李伯元住上海六合路，當時叫勞合路。附近很多妓院，作家

就在門口掛一個對聯:「老驥伏櫪,流鶯比鄰」—— 形象概括了一個都會職業文人的筆耕生態,產量很多,勞累過度,四十歲就去世了。

「官場」這個名詞從何而來?杜牧《冬至日寄小姪阿宜詩》就有所謂「朝廷用文治,大開官職場」的說法,[6] 這裏的「官職場」有點像今天講的職場。《宋史・食貨志下八》對「官場」的定義是:「買物至者,先入官場,官以船運至京。」[7] 意思是政府或者國企的倉庫。到《辭海》查「官場」,會直接引用《官場現形記》:「京城上中下三等人都認識,外省官場也很同他拉攏」。[8]「百度」解釋說,「官場」舊時指官吏階層及其活動範圍(貶義,強調其中的虛偽、欺詐、逢迎、傾軋等特點)。這是否意味,「官場」作為帶有貶義的現代社會學和文學概念,一定程度上和李伯元的小說有關?本來官職場、官府倉庫,或者考場、職場都不帶褒貶。本書中討論官員、官場、幹部等,除特別說明,也都是中性概念。

一、兩個藝術特點

《官場現形記》有兩個藝術特點,一是無中心人物,全書六十回,幾十萬字,由幾十個獨立故事構成。有的故事可能是登報徵集而來,並非純虛構。在一回或數回中有一二主要人物,比方說 A 是主角,A 的故事中有 B、C、D 等人物;然後 D 去了某處吃飯見到了 E,E 的兒子轉去某省做官,於是故事就轉到某省,E 或 F 成了主角……又過了幾回,F 的一個親戚 G 到了

京城，故事又以 H、I 為主角展開了。讀者如果忘了之前的人物也沒關係，因為幾十回中，之前出現過的 A 也好，F 也好，完全可能不會再出現。

　　古典小說《水滸》、《金瓶梅》都有情節主線，主要人物遲早有呼應。《官場現形記》卻是故事不離題，「跑人跑不停」。這個寫法也受《儒林外史》的影響。《官場現形記》可以說是一系列中短篇，讀者追看的不是某一兩個中心人物，而是追看一個不變的場景 —— 官場。第二個藝術特點，作家對故事裏的種種人物，持一種無差別的描寫態度。嘲諷也好、理解也好、批判也好，總之一視同仁。最簡單的說法就是沒有完全的好人，也沒有絕對的壞人。小說裏有各級不同官員，知縣、臬司、藩台、巡撫，直至軍機處的中堂，按今天的說法就是縣級、地委、省部級，甚至到中央。各種不一樣的計謀、策略、胸懷、韜略，無數不同的風度、舉止、對話、神態，但就是沒有明顯的「好人」、「壞人」之分，沒有明確的道德批判或同情。好像人人都在做壞事，但人人又都有做壞事的理由。既有做壞事的合理性，是否就不算是絕對邪惡？明明描寫很荒謬的事情，但否則應該怎麼辦呢？（潛台詞是：「假如是你，你又能怎麼樣呢？」）作家無差別地對待他筆下所有人物，大官或小官，官員或僕人，跟班或百姓，男人或女人。後來百年的中國小說很少出現這種情況，直到二十一世紀初，比如《第七天》、《炸裂志》等作品裏，好像又出現李伯元式的「無差別批判」，值得討論。

二、官場的「一國兩制」：科舉和捐官

　　小說第一回，趙家與方家都是鎮上有地位有財產的士紳，一直較勁。突然趙家兒子趙溫中舉，方家覺得受了重大打擊 —— 這個故事只是引子，後來也沒下文，卻很唯物主義地解釋了人們為甚麼要參加科舉並做官。剛剛中舉的趙溫少爺進京會考，考前拜見老師吳贊善。不想老師不見。原來「這些當窮京官的人，……指望多收幾個財主門生，好把舊欠還清，再拖新帳。」[9]吳老師知道趙溫家裏是朝邑縣的土財主、暴發戶，所以他想學生送禮物至少兩三百兩。不料趙溫少爺不懂事，「贄見」只拿了二兩。（也許認為送重禮，等於侮辱師生關係。）但吳老師是不再幫忙了，於是趙溫的進士就考得不好。此時，他父親和爺爺來信，匯上二千兩銀：「倘若聯捷，固為可喜，如其報罷，即趕緊捐一中書，在京供職……所以東拼西湊，好容易弄成這個數目。望你好好在京做官，你在外面做官，家裏便免得人來欺負。千萬不可荒唐，把銀子白白用掉。」

　　這封家信有點重要。第一說明家中有人在京做官，地方士紳在鄉鎮就比較安穩。這就是官場為甚麼熱鬧的經濟基礎原因。第二說明官場存在「一國兩制」，或科舉或捐官。中國從秦代商鞅開始就有捐官現象，但都是特殊情況。朝廷有嚴重經濟困難，蝗災瘟疫或者和異族打仗，這時賣一些官籌款，唐憲宗也曾經說「入粟助邊，古今通制」。[10]南宋是「歲收谷五百石免本戶差役一次，至四千石補進武校尉」。[11]明代「賤商」，不准商人科舉，但通過納捐可以成為監生、貢生，也是一種彌補。中國歷史悠久的

捐官文化，只有到了清代，才變成了跟科舉一樣重要，變成了一種合法的常規的官員升遷制度。乾隆剛剛即位的時候，曾經一度要停捐，可是到了 1774 年，為了打仗，為了開運河，又開放捐官，且明碼標價，一個郎中是九千六百兩銀子，那是五品。知府一萬三千三百兩，四品。知縣七品，官低一點，四千六百二十兩。所以也很公平，多大的官賣多大的錢。有統計說地方官員用錢捐的，乾隆二十九年佔 22.4%，到了同治、光緒年間達到 50% 左右。[12]

《官場現形記》第二十回，曾經借一個官員之口總結捐官有三類：

> 頭一等是大員子弟。世受國恩，自己又有才幹，不肯暴棄，總想着出來報效國家，而又屢試不售，不得正途。於是才走了這捐班一路。於是走了捐官一路，這是頭一等。

> 第二等是生意買賣人，或是當商，或是鹽商，平時報效國家已經不少；獎敍得個把功名，出來閱歷閱歷，一來顯親揚名，二來也免受人家欺負，這種人也還可恕。

> 第三等最是不堪的了，是自己一無本事，仗着老人家手裏有幾個臭錢，書既不讀，文章亦不會做；寫起字來，白字連篇。在老子任上當少爺的時候，一派的綺袴習氣；老子死了，漸漸的把家業敗完，沒有事幹了，然後出來做官，不是府，就是道。你們列位想想看，這種人出來做了官，這吏治怎麼會有起色呢？[13]

嚴重的制度問題還不僅在捐官。捐官得到的只是一個名義，府、道、台等，等於一個級別，處級、局級、副部級等，名義上的官很多，實際上的職位少。很多人捐官以後，還要去爭取實際的官位 —— 叫「實缺」。「有油水」的實缺就是「肥缺」。這個「缺」怎麼來的呢 —— 這才是官場，或者說《官場現形記》裏邊最關鍵的地方。

小說裏有不少世家，為十幾歲的兒子捐官。甚至有位老爺，為大太太的成年兒子、大姨太太的七歲兒子捐了官以後，懷孕的二姨太太跟另一個還未懷孕的新姨太太，也吵着要讓自己兒子捐官（不能輸在起跑線上）。最關鍵的是，正式捐官的錢歸朝廷歸國家，謀求實缺的錢卻大部分入了官員私人口袋。所以捐官或對國家有益，謀缺卻對社會有弊。運用公共權力謀取私人利益，這就是「貪腐」的現代定義。小說裏沒有這個定義，但是整部長篇都是這個定義的注釋與例證。

三、貪腐是一種「剛需」？

小說第三回，趙溫少爺為了買官轉託徐都老爺寫推薦信，徐本不願意，但「家裏正愁沒錢買米，跟班的又要付工錢，太太還鬧着贖當頭，正在那裏發急，沒有法子想，可巧有了此事。心下一想，不如且拿他來應應急。」第二天，答應的錢遲遲沒送來，徐都老爺心下發急：「不要不成功！為甚麼這時候還不來呢？……原來昨日晚上，他已經把這話告訴了太太和跟班的了。大家知道他就有錢付，太太也不鬧着贖當，跟班的也不催着付工

錢了。誰知第二天左等不到，右等不到，真正把他急的要死。」這段文字，說明在某種意義上，受賄已經成為官員的一種「剛需」。當一個官員的正常收入不能應付他的支出時，貪腐就成為「剛需」。不論哪個時代，官員都需要收支平衡。晚清官員的「支出」至少有三項。一是生活開銷，做了官，花銷會增加。二是捐官成本，官如是買來，買來多少錢，之後必須賺回來。第三還有日後的保險。趙溫少爺身邊的錢典史調任江西，故事轉到江西黃知府。初見黃知府趾高氣揚，錢在椅子上只敢坐半個屁股。但不久黃知府受「軍裝案」調查，驚恐萬狀。此時誰也不理他，最後靠輸送銀子，才得以解脫。說明為官的有事沒事，總得保持一些向上送錢的管道。按現在經濟學的概念，叫政治生命的保險金。平常好像沒用，緊要關頭要靠它。

所以官員的支出有三項，是鐵項。一、生活開銷；二、捐官本錢；三、政治保險。應付這樣三項支出，官俸常常不夠。這時就要靠或明或暗的受賄。（所以要公開官員財務狀況一向有困難。）麵包總要貴過麵粉，樓價總要高於地價。既然捐官投資這麼多（金錢投資外，還有才能、人格、情感方面的投資），為官怎能虛度年華？小說第一至七回，把「貪腐成為剛需」的經濟學理由講得十分清楚。第四回有兩位賣官的官員，不僅算收入和官位的關係，而且考慮時間因素。這個官如果一年多可以賣多少錢？做兩年又值多少錢？所以有效期、年齡在官場遊戲規則中也極其重要。

小說雖由一連串不大相關的故事勉強串接，卻從官場角度展現了晚清社會的方方面面，有對外經貿，有軍事行動，有官府

整頓,有救災搶險,還有慈善事業、文化建設、外交問題等等,可以讀成晚清政治領域的清明上河圖。

　　第七到十一回,主角是山東官員陶子堯,因為得到山東撫院賞識,拿了兩萬銀子到上海買外國機器。這是美差。陶子堯一到了花花世界的上海,地方官員人傻錢多,馬上就被姓魏姓仇兩個仲介,帶到四馬路花天酒地。叫局來了個女人叫新嫂嫂,外帶一個十幾歲女生陸蘭芬,搞不清楚怎麼玩法。很快陶先生陷入情網,要娶新嫂嫂(晚清小說裏青樓與家庭的界線常常不太嚴密,以後詳論),買機器的錢在四馬路用掉很多。只好通過經紀和外國人簽約,「兩萬銀子」買便宜次貨。不料此時山東改了指令,說不要買機器,此款轉給另一官員出洋考察。該官員馬上就到上海,可想而知陶子堯慌了手腳。偏巧這時他浙江老家的原配夫人又打鬧到上海。折騰了好幾回,最後經紀給他建議偽造合同,讓洋人轉請山東洋總督出面。結果洋人一出面,山東官方就認帳,還追加錢款。這麼一個花心糊塗的貪官從事外貿經濟,安全解脫有驚無險。陶子堯之後就消失了。作家解釋:「做書的人到了此時,不能不將他這一段公案先行結束,免得閱者生厭」。[14] 原來「跑人跑不停」還是為了照顧讀者趣味(租界期刊現代連載文化制約)。接着陶的助手周果甫轉到杭州做官。周果甫和浙江劉中丞,還有胡統領,便成為後面一系列「軍事行動」故事的主角。

　　小說寫官場人事鬥爭十分微妙。周果甫與劉中丞助手戴大理面和心不和。中丞本來想給戴一個肥缺,「他辛苦了多年,意思想給他一個缺,等他出去撈兩個。」(含蓄一點的講法,應該

是「下去地方鍛煉鍛煉」？）一旁周果甫不悅，便猛誇戴大理非常能幹，省裏少他不得。表面是抬，實際壞人一肥缺。戴也知道被姓周的坑了，不久，嚴州地區有匪患，戴就向劉中丞建議，「姓周的厲害，辦事妥當，讓他去協助胡統領去剿匪」。（官場之中的「好話」、「稱讚」，不一定就是好話和稱讚。）接下來第十二到十七回，是全書（也是晚清小說）中罕見的描述軍隊的故事。第六回曾鋪墊：「中國綠營的兵，只要有兩件本事就可以當得：第一件是會跑。大人看操的時候，所有擺的陣勢，不過是一個跟一個的跑……第二件是會喊。瞧着大人轎子老遠的來了，一齊跪在田裏……要一齊張嘴，不得參差。」[15] 跑步要整齊，喊口號要整齊，都不是為了打仗，而是為了給上司檢閱，能檢閱的部隊就是好部隊。軍隊從杭州出發，兩天的水路，在錢塘江上居然走了六天 —— 因為軍官們都上了「江山船」。「江山船」上有歌伎，有宴會，等於浮動的夜總會。還沒有打仗，胡統領和眾將官已在船上花天酒地。作者描寫這支剿匪部隊，筆調卻並無嘲諷，好像非常正常。或者是嘲諷不露痕跡，或者是小說也寫出軍官上「江山船」的合理性：想想不少軍官也是捐來的，投資總應有回報？

軍隊開到嚴州，才知匪情是虛報的。胡總正想向上級彙報，周果甫說沒土匪，就沒有戰功，錢也報不了。只有誇大匪情才算凱旋。（誇大敵情從來是很多官員的政治技巧，有時敵情被「誇」以後真會變大）。小說裏的「軍事行動」，主要是軍官在船上丟失財物，錯怪船女，害人投河。士兵也不閑着，沒有土匪，士兵自己去擾民，搶劫強姦等等。地方官員，再想辦法來平息民憤。最後胡總回省城時，十二江山船一字排開慶功。但慶功領賞分配

不均，周果甫不滿意，暗地裏找人寫揭發信去北京。最後省官和首領都受處罰，周果甫自己請假回鄉。這個人物後來也不見了。

因為有人檢舉，上面派來欽差，第十八至二十二回就寫清廷內部審查機制如何反貪腐以維繫王朝和官場運作。來了兩個欽差，查了二百多個人。欽差由一個地位很高的太監推薦，說某人做官苦了很多年，就派他去，也好叫他撈回幾個。於是在佛爺面前把差事求了下來。欽差非常感激，問「我這個案該怎麼辦呢？」回答說佛爺有話，「通天底下一十八省，哪裏來的清官？」太監解釋：「我教給你一個好法子，叫做『只拉弓，不放箭』。」原來，買機器、剿匪是肥缺，調查貪腐也是肥缺。

這時小說已經寫到慈禧，奇怪怎麼還能發表？原因等會再討論。

欽差「只拉弓，不放箭」，抓了官員，就談銀碼。開口兩百萬，劉中丞不服：這樣的事情就來敲兩百萬，那以後敲兩千萬怎麼辦？結果就真的給判了。佩服李伯元寫這些事情，內容離奇，筆調平淡。不論職位高低，佛爺也好，公公也好，知縣、師爺、店主、僕人……人與人之間的主奴關係、金錢關聯式結構都是相同的。對官員的教育規勸，「法」不管用，那麼強調「德」呢？傅欽差以身作則，不喜華服，看到別人穿好衣服他也反感。欽差接替做杭州省官，很快他的屬下官員全都流行破舊衣服。有的一時來不及換，來不及買，就把衣服反穿。反穿以後受表揚，還被人模仿。一時間內，杭州城裏舊衣比新衣貴（和上司同僚穿同款衣服，屬於叢林保護色？）傅欽差覺得官場風氣不好，要求所有捐官的都要重新考試，不及格的就刷。有個官員衣着太好，眼

看要倒楣，最後找到了一個外地的裕記票號。原來那個票號就是幫傅撫院（傅欽差）存錢的。[16] 中丞自己的確堅決不收錢，要送就要送他姨太太，送他兒子。

賈桌司負責一省司法，卻講究孝道，每次辦案都要當着眾人的面，跪在老母面前聽指示，甚至斷案決定不了，也讓母親來定犯人生死。他兒子不願只做官二代，主動要求去黃河決堤處任地方官。原來救災也是官場熱門肥缺——誰都知道黃河決堤後，自己總會合攏，所以誰合攏，誰就會升官。從第二十五回到三十回，主角就是黃河救災立功的賈大少爺，情節不是治水患，而是如何晉京認識更高的官員。「跑部進京」，學問很深。

黃胖姑是層次比較高的財經人士，辦事有技術含量，打通了軍機處的幾位中堂，華中堂、徐中堂等。小說偶然還寫官員被今上（光緒）接見，輕輕一筆，沒有貶義。《官場現形記》初版本一共兩卷，各三十回。上卷講官場、科舉、經貿、軍事、吏治整頓，下卷寫賑災、捐款、慈善、官員交接制度，還有外交問題。第三十三回，小說裏出現了一個書局。總算有知識分子了，推銷勸善書，還收集了幾百種該禁的淫書。「申義甫立刻擺出一副憂國憂民的面孔，道：……」，「擺出一副憂國憂民的面孔」，李伯元也用嘲諷語氣。果不其然，書局找省官支援，目的是借官方名義賣書。寫到這裏，作家比較客氣：「辦捐的人能夠清白乃心，實事求是，不於此中想好處的雖然也有；至於像這回書上所說的各節，卻亦不能全免。」這是全書裏最筆下留情的一段，是一個無差別批判中的一個小小例外。總體上，小說的主角是官員，民眾是虛的背景，知識分子幾乎缺席。

　　《官場現形記》沒有貫穿始終的中心情節，只有一系列故事碎片串接。在作家自己，可能是零星收集（甚至登報徵集）資料匆忙趕稿。在研究者如陳平原看來，將笑話、軼聞（等於今日的段子）及日記、遊記等傳統文體融入在長篇結構裏，「協助完成了中國小說敍事模式的轉變與過渡。……大量小插曲的介入使中國長篇小說結構解體。」陳平原惋惜，「新小說家幾乎沒有創作出一步結構完整的長篇小說，要麼寫不完，要麼勉強收場可又變成軼事的集合，不在於新小說家沒能力講述完整的長篇故事，而在於缺乏一個把握全面的哲學意識和整體框架。」[17] 其實，自以為有了「把握全面的哲學意識和整體框架」，比如《子夜》、《創業史》等，也未必必然保證藝術價值。僅就文體結構而言，《官場現形記》獨立一格，後來也有《生死場》、《我城》等作品延續這種以背景為中心的敍事結構。

　　李伯元在租界寫，在租界發表，上卷寫到洋人比較客氣。下卷第三十三回，寫一個省官到上海滙豐查帳，老土省官出洋相，洋人和中國職員公事公辦。到第三十九回，講官員瞿耐庵摔壞腿，看病也是外國大夫比較靈。但是，下卷連載，外國人形象開始轉差。或因為讀者反應，或由於作家態度變化。第五十二回，徐中堂女婿偽造丈人簽名，將安徽礦產賣給洋人。顯然是洋人勾結貪官掠奪中國財產。第五十五回，不明國籍外國軍艦停泊海邊，軍紀還嚴明，抓了強盜交還地方。但是到第五十七回，洋人在湖南街上打死小孩激起民憤。當地判他五年，外國領事還不服，告到北京。公使找王爺，找到了幾位中堂，書裏描寫中堂大人們都支支吾吾不敢表態：「張大人看了搖搖頭，王大人

看了不則聲,李大人看了不贊一辭,趙大人看了仍舊交回給司員。」這樣寫朝廷大臣,雖然有點漫畫化,但當時官場「不怕百姓,只懼洋人」,大概也是真有其事。

　　百姓怕財主,財主怕官,官怕洋人,但洋人是否怕中國的百姓呢?小說最後一回,作家正面表述為甚麼寫這本書:「上帝可憐中國貧弱到這步田地,一心想救救中國。……中國一向是專制政體,普天下的百姓都是怕官的,只要官怎麼,百姓就怎麼,所謂上行下效……中國的官,大大小小,何止幾千百個。至於他們的壞處,很像是一個先生教出來的。因此……編幾本教科書教導他們……等到到了高等卒業之後,然後再放他們出去做官,自然都是好官。」[18] 這段話非常重要,可以視為晚清譴責小說的共同聲明。李伯元的意思,此書應是官場教材。現在發表的只是前半部分,批評官員,後半部分才是正面教育。可是他後半部分也沒寫出來,過幾年就去世了。這段話的重要之處,一是知識分子旁觀官欺民(這個三角關係基本格局後來延續百年)。二是作家認為「官本位」是中國種種社會矛盾的癥結。「官怎樣,百姓就怎樣,上行下效。」李伯元理解的官,既是士農工商之外的一個特權階級,又是從士農工商之中產生,如果「士廢其讀,農廢其耕,工廢其技,商廢其業,皆注意於官之一字。蓋官者,有士農工商之利,無士農工商之勞者也。」[19] 就是說,士農工商各個行業的「精英」,都想做官;可是一旦做官,其業便廢。

　　作者以無差別的冷酷筆觸,從官場角度觀看晚清社會的方方面面,經濟活動、軍事行動、內部整頓、慈善事業、外交動態等等。按學者袁進的統計,《官場現形記》寫了三十多個官場

故事，涉及十一個省市，大小官吏百餘人，上至太后、皇帝，下至佐雜、小吏。期間軍機大臣、太監總管、總督、巡撫、知府、知縣、統領、管帶應有盡有。就官場題材而言，歷代文學寫官場的面這麼之廣，層次這麼之多，確實空前。

四、官場的規則與貨幣

李伯元筆下的官場，有自己的遊戲規則，也有官場流通貨幣。第四十六回，欽差童子良，討厭洋貨，銀元不收。本來鴉片進口也要抵制，但下面的人改稱雲南土熬，他便開始享用。銀元不收，銀票可用，家裏有個房間專貼銀票。出門隨身帶一盒，每晚點數多少張。後來他兒子發現他只點張數，便以小額換大額的。之後每天點數，錢卻大部分被偷走了。

古董文物也是官場流通貨幣。第二十四回，賈大少爺買了一個珍貴的鼻煙壺，送軍機處華中堂。賣煙壺的文物店，也是華家的背景（甚麼店或公司有甚麼人的背景，這是官場入門知識）。送禮後，中堂回話說煙壺非常好，很喜歡，要是再有一個湊成對就好了。怎麼辦呢？賈少爺又到那家文物店，果然還有一模一樣的，但是價錢貴了好幾倍。賈少爺奇怪了，旁邊仲介黃胖姑說：「馬上買，好機會」。其實是同一個文物，多次買賣，循環流通，促進內需。

另一種官場貨幣是藝術。賈制台喜歡畫梅。他熱愛藝術，不求賣畫，只要有人欣賞。下屬知道了，來了不用送禮，只求他畫畫。某候補知縣說您送我的畫，有個東洋人一定要買。制台

一聽特別興奮，接着幫知縣再畫，公事也停了，外邊的人都等着，而且事後特別提拔這位知音。

資訊也是流通貨幣。第四十一回瞿耐庵老婆認了一個比自己年輕二十歲的乾媽，因為她是上峰喜歡的丫頭。委曲終於換來官位，但瞿耐庵新上任，不知原來舊官有個帳簿記下各種潛規則：甚麼人來送禮要收多少，甚麼官甚麼時候要送多少等等。資訊本是要另花錢買的，少了這個先遣圖、密電碼，結果就鬧出很多麻煩。

除了藝術品、貨幣、帳簿以外，還有一種流通貨幣就是女人。官員辦事，吃飯「叫局」是必須的。兵營統領，兵馬未動，女人先行。女人被當作禮物是常見橋段，但也有些特例。第三十回冒得官犯了過失，為求上司楊統領包涵，就想把自己年輕的女兒作為禮物。這事不能明說明做，怎麼辦？冒得官當着太太、女兒的面，假裝吃鴉片尋死。家人一看他吃鴉片，馬上拿糞給他吃，好讓他吐出來（「狗血」情節樣板）。這時冒得官才說他已處於絕境，辦法只有女兒給統領做小。一番折騰以後小姐說：「罷罷罷！你們既不容我死，一定要我做人家的小老婆，只要你老人家的臉擱得下，不要說是送給統領做姨太太，就是拿我給叫化子，我敢說得一個不字嗎？現在我再不答應，這明明是我逼死你老人家，這個罪名我卻擔不起！橫豎苦着我的身子去幹！但願從今以後，你老人家升官發財就是了！」這是一個典型範例，李伯元可以把極荒唐事寫得也有理由。之後統領果然接受了這份禮物，也提拔了他的丈人。

湖廣總督旗人湍多歡已有十個姨太太，還有人拍馬屁，替

老爺在上海歡場買了兩個新人，送過去就是十一、十二姨太太。某晚淵制台正批公文，剛要寫上某新官名字，突然十二姨太打了他一下，筆都掉了。怎麼回事？十二姨太說有個蚊子 —— 其實是十二姨太受人之託，想制台把此「缺」給另一官員。制台發火，搞甚麼搞，我給人家做官，你們插甚麼嘴！但是這個女人，因為受寵，一番胡攪蠻纏，最後制台也沒辦法，好吧，那我就換了他吧。這時女人不僅是貨幣，貨幣可以異化倒過來管制主人。《官場現形記》中有官員與女人兩段精彩對話，尤其精彩。

一是山東陶子堯睡着四馬路新嫂嫂，說「我們做官的人，說不定今天在這裏，明天就在那裏，自己是不能作主的。」新嫂嫂道：「那末，大人做官格身體，搭子討人身體差勿多哉。」陶子堯問了半天才知「討人」就是歡場女子，也叫小姐，也叫「先生」。新嫂嫂說：「耐勿要管俚先生、小姐，賣撥勒人家，或者是押帳，有仔管頭，自家做勿動主，才叫做討人身體格。耐朵做官人，自家做勿動主，阿是一樣格？」不料這個陶子堯沒有幽默感：「你這人真是瞎來來！我們的官是拿銀子捐來的，又不是賣身，同你們堂子裏一個買進，一個賣出，真正天懸地隔，怎麼好拿你們堂子裏來比？」說着，那面色很不快活。

另一處精彩對話在第十五回。周老爺問起船上小妹鳳珠是不是「清」的。她姐姐龍珠回答：「我們吃了這碗飯，老實說，哪裏有甚麼清的！……我想我們的清倌人也同你們老爺們一樣。」周老爺聽了詫異說：「怎麼說我們做官的同你們清倌人一樣？你也太糟蹋我們做官的了！」那龍珠便詳細敍述她們認識的一個官員，從杭州來，行李只有幾個箱子，但是回去時帶的東西拿都

拿不動，民眾還要送傘，拼命說他是清官，不要錢。「做官的人得了錢，自己還要說是清官，同我們吃了這碗飯，一定要說清倌人，豈不是一樣的嗎？」周老爺氣得一句話也說不出，倒反朝女人笑了。

清官，清倌人，不僅有「身不由己」的象徵意義，而且在寫實層面，也證明官員民眾之間，主要溝通途徑就靠風塵女子。不像後來大部分現當代小說，總有一個「士」的角色或角度旁觀官民關係。

五、政治批判小說的歷史背景

錢杏邨（阿英）在《晚清小說史》中分析當時政治批判小說興盛的三個原因。

> 第一，當然是由於印刷事業的發達，沒有前此那樣刻書的困難……。第二，是當時知識階級受了西洋文化影響……。第三，就是清室屢挫於外敵，政治又極窳敗，大家知道不足與有為，遂寫作小說，以事抨擊，並提倡維新與革命。[20]

阿英把印刷工業技術原因放在首位。生產力改變生產關係，現代印刷工業製造市民讀者羣（猶如二十一世紀智能手機又在製造新一代後浪讀者羣）。知識界受西方影響，還有清室腐敗，當然也都是歷史原因。但更具體的，租界也是重要原因。從朝廷

到縣官全都批判，顯然小說是在租界發表，讀者也首先是租界的中國市民居多。

有意思的是，清廷雖然腐敗，卻沒有想辦法來禁止李伯元的小說。顧頡剛〈《官場現形記》之作者〉一文記載：「《現形記》一書流行其廣，慈禧太后索問是書，按名調查，官交有因以獲咎者，致是書名大震，銷路大廣。」[21] 李伯元竟然用小說參與了清廷的反腐。

胡適後來為《官場現形記》寫序，基本同意魯迅對晚清政治小說的批評：「雖命意在於匡世，似與諷刺小說同倫，而辭氣浮露，筆無藏鋒，甚且過甚其辭，以合時人嗜好，則其度量技術之相去亦遠矣。故別謂之譴責小說。」[22] 魯迅有兩層意思，一是寫的太露，二是投時人所好。可能是和《儒林外史》比較，魯迅才說它筆無藏鋒。其實和三十年代後很多批判現實的小說比，李伯元寫官場千奇百怪，文字卻若無其事，並非「筆無藏鋒」。今天回頭看，是李伯元看得太穿了？寫得太現實了？還是胡適、魯迅太理想主義了，只將晚清官場看成中國社會的一種病例？

投時人所好，迎合讀者需求，倒是可以從文學場域解釋。李伯元既是作家也是報人，1896 年到上海不久幫人打文字工，後來自己辦報。小報要八卦、要趣味，要考慮讀者趣味，曾因報導江蘇官員嫖娼，差點被封掉。之後《遊戲報》兼辦「艷榜之科」（妓女選美），被人指責。還被懷疑有人代筆。王德威也有批評：「譴責小說的盛行是政治動機與經濟動機混合的結果。雖然譴責小說家口口聲聲說要表達對當下現實的關注，然而只有在有利可圖的前提下，他的才，才顯得興致勃勃。為迎合市場需求，他

們以駭人的速度粗製濫造，急速發展的印刷和出版事業是晚清小說迅速興起的主因之一。」[23] 可是努力迎合讀者追求產量的李伯元，半生拼命寫作，去世時還欠了人家的錢。《官場現形記》也被人盜版。

魯迅在《中國小說史略》中評《官場現形記》，「況所搜羅，又僅『話柄』，聯綴此等，以成類書，官場伎倆，本小異大同，匯為長編，即千篇一律。」[24] 陳平原認為「其中『話柄』與『類書』兩個詞下的很重，帶有明顯的褒貶色彩……也體現出論者奇特的思路，不只是從小說史的發展線索上為《官場現形記》的結構形式找根源，同時也涉及其他文類的編撰形式——可惜這一點沒有深入展開。」[25] 的確，胡適在〈官場現形記・序〉說這「是一部社會史料」，等於政界段子（話柄）大全，且有資料庫（類書）的功能價值。小說成了中國官僚文化的資料庫，問題就在於讀者怎麼去閱讀，以甚麼視野、目光和興趣去閱讀。1941 年日軍轟炸香港，張愛玲躲在港大馮平山圖書館怎麼都要將《官場現形記》看完，不知是對「官場規則」還是對小說寫法更感興趣。

胡適和魯迅將《官場現形記》與《儒林外史》比較，不只因為敍述結構類似。「吳敬梓是個有學問，有高尚人格的人，他又不曾夢想靠做小說吃飯……他的人格高，故能用公心諷世。……近世做譴責小說的人大都是失意的文人，在困窮之中，借罵人為糊口的方法。」[26] 在胡適看來，職業寫作並且自己辦報（後來金庸也邊辦《明報》邊寫武俠），就不完全是公心。魯迅、胡適對李伯元小說的批評，雖有道理，但要求太高。李伯元辦小報格調不高，長篇小說整體上欠結構，缺人物主線，對世界好像沒有善惡

之分，無差別批判。但無論如何，《官場現形記》是一部未完成
的、誇張的晚清官場百科全書。中國的官場文化，歷史悠久，生
命力很強，歷經異族統治，也能調節轉型。也許魯迅、胡適在批
評李伯元時，認為小說裏的官場都要過去，甚至一去不復返。他
們對李伯元小說的重要性估計不足，因為他們對中國的前景有
些過分樂觀。他們或許想像不到，百年以後的中國讀者，仍然需
要研究小說中的種種官場遊戲規則。

　　閱讀現當代中國文學，從魯迅、胡適讀起，還是從梁啟超、
李伯元讀起，有很大分別。

注

1　《指南報》於 1896 年 6 月 6 日創刊，終刊日期不詳。李伯元於 1896 年至滬辦報，《指
　　南報》是否由其創辦，或只是在該報社工作，尚待考證。魏紹昌：《李伯元研究資料》
　　（上海：上海古籍出版社，1980 年），頁 4-5。

2　《遊戲報》由李伯元於 1897 年 6 月 24 日創刊，約於 1910 年終刊，共出五千號。魏
　　紹昌：《李伯元研究資料》（上海：上海古籍出版社，1980 年），頁 5。

3　《繁華報》全稱《世界繁華報》，於 1901 年 4 月 7 日創刊，1910 年 3 月 13 日停刊，
　　屬「消閒」小型報紙。內容約分為諷林、藝文志、野史、小說等。其中，李伯元參
　　與辦報約五年。魏紹昌：《李伯元研究資料》（上海：上海古籍出版社，1980 年），
　　頁 5。

4　《繡像小說半月刊》於 1903 年 5 月創刊，1906 年 4 月停刊，共出七十二期。每期刊
　　登文章十種左右，約八十餘頁。李伯元為主編。魏紹昌：《李伯元研究資料》（上海：
　　上海古籍出版社，1980 年），頁 7。

5　魯迅：《中國小說史略》，《魯迅全集》第九卷（北京：人民文學出版社，2005 年），
　　頁 291。

6　[唐] 杜牧撰、吳在慶校注：《杜牧集系年校注・樊川文集 第一卷》（北京：中華書局，
　　2008 年），頁 81。

7　[元] 脫脫等撰、中華書局編輯部點校：《宋史》（卷一百八十六・志第一百三十九・
　　食貨下八・商稅）（北京：中華書局，1985 年），頁 4,544。

8　上海辭書出版社編輯：《辭海・詞語分冊》（上冊）（上海：上海辭書出版社，1977
　　年），頁 1,069。

9　1903 年，李伯元《官場現形記》發表於《世界繁華報》。本文的引文來自《海上文學百家文庫 12, 13 李伯元卷》（上下冊），袁進編，（上海：上海文藝出版社，2010 年）。下同。

10　[唐] 李純：〈令定州入粟助邊詔〉，周紹良主編：《全唐文新編 》（第一部第三冊）（長春：吉林文史出版社，2000 年），頁 748。

11　[清] 畢沅：《續資治通鑒・卷一二九宋紀一二九 》（第三冊）（北京：團結出版社，1996 年），頁 1,961。

12　統計數據來自清代的《爵秩全覽》，何炳棣：《明清社會史論》（臺北：聯經出版有限公司，2013 年），頁 54。

13　同注 9，頁 258。

14　同注 9，頁 132。

15　同注 9，頁 67。

16　同注 9，頁 247。

17　陳平原：《中國小說敘事模式的轉變》（北京：北京大學出版社，2010 年），頁 164。

18　同注 9，頁 839。

19　同注 9，頁 5。

20　阿英：《晚清小說史》（北京：東方出版社，1996 年），頁 1-2。

21　顧頡剛：〈《官場現形記》之作者〉，魏紹昌：《李伯元研究資料》（上海：上海古籍出版社，1980 年），頁 16。

22　同注 5。

23　王德威：《被壓抑的現代性 —— 晚清小說新論》（北京：北京大學出版社，2005 年），頁 216-217。

24　同注 5，頁 283-284。

25　陳平原：《二十世紀中國小說史・第一卷 1897-1916》（北京：北京大學出版社，1989 年），頁 131。

26　1927 年胡適在亞東圖書館版的《官場現形記》所寫序文，參見胡適：《中國章回小說考證》（上海：實業印書館，1934 年），頁 453。

第一人稱的出現

晚清四大名著中，吳趼人《二十年目睹之怪現狀》（以下簡稱《怪現狀》）與李伯元的《官場現形記》都是通篇嘲笑、諷刺官場社會種種現象，書裏都少有令人同情或讚賞的人物。《官場現形記》1903 至 1905 年在上海《世界繁華報》上連載；《怪現狀》最初在日本橫濱《新小說》月刊連載（1903 年第八期至 1904 年第二十四期），1906 年由上海廣智書局出版排印本。李伯元和吳趼人私下也是朋友，他們的經歷比較相似，或被拒絕或主動拒絕考試入仕途，他們都是上海（也是中國）最早的報人。雖然多產暢銷，也被人詬病，說是政治動機與經濟動機混合，作品已然是他們要批判的社會腐敗現象的一部分。但實際上，李伯元四十歲去世的時候，還欠了吳趼人兩萬塊，吳趼人為他付了醫藥費，燒了借據。幾年以後，吳趼人去世的時候，身上據說只剩下四角小洋。

這兩部小說相似之處比較明顯，但一些不大被人重視的差異，其實卻有文學史意義上的重要性。

一、從「話說」到「我道」

　　兩部小說的差異，最簡單的概括，就是從「話說」到「我道」。《官場現形記》延襲中國章回小說傳統，很多章節第一句都是「話說……」。敘事者偶然也會冒個泡，故事講到一半，插一句「此乃作書的人持平之論」等等，但總體上是第三人稱全知。《怪現狀》除引子外，全篇絕大部分由第一人稱「我」敘述。研究者袁進認為吳趼人的第一人稱敘事方法受到外國文學影響：「以『九死一生』的見聞為線索，顯然是從林紓翻譯的《巴黎茶花女遺事》的敘述視角得到啟示，故而小說也用第一人稱敘事。只是《茶花女》的『余』是整個故事的主要人物，而《怪現狀》的『我』則是所有事件的旁觀者耳聞者，第一人稱敘述的優越性並未在小說中充分顯示出來。不過小說有了幾個時隱時現、貫穿始終的人物，畢竟有了一點連貫性，較之《官場現形記》是一個進步。在中國小說的近代變革上，也起過一定的作用。」[1] 第一人稱是不是一定比全知敘述進步？其實也難說。更何況袁進認為《怪現狀》只是「旁觀者第一人稱」，如符霖的《禽海石》才是「投入者」的第一人稱。[2] 以李伯元、吳趼人這兩部長篇為例。前者沒有中心人物，只有中心場景；後者以「我」及幾個旁觀者串聯數百個故事，有點像現代連續劇，接近文化工業的生產方式。除了人稱變換，《怪現狀》還有新舊白話的過渡痕跡。

　　新舊白話最明顯的區別之一，就是「說」與「道」。舊白話通常是「張三道」、「李四道」，「道」的表情、姿態、動作，均由「道」的內容體現。新白話會形容「說」的姿勢表情動作：「他又

憤憤地說」,「他又懷疑地慢聲地說」,「又領悟地說」,「用堅決
的聲音說」[3]等等,是比較歐化的新文藝腔,像話劇劇本中給演
員的提示。當然,在「道」與「說」之間,也有一些折衷,比如
張恨水、張愛玲在「五四」以後還是用「道」,或「笑道」、「低聲
道」。李劼人在《死水微瀾》裏,有「愕然道」,「雙手一拍道」,
「生氣道」等等。吳趼人小說裏的典型場面是「我道⋯⋯」。既
用舊白話「道」,又用新白話「我」。所以「我道」就成了過渡形
態的標誌 —— 標誌以第一人稱敘事來達到(或達不到)「全知目
睹」效果。

「全知」與「目睹」當然自相矛盾。從「話說」到「我道」有
三個結果:第一個是既擴展又局限了小說的批判視野;第二個
是作家後來忍不住違反第一人稱的局限來講故事,等於用「我
道」來「話說」;第三個是全書的基調因為「我」的存在,便從無
差別批判轉為有選擇的嘲諷。都是形式影響內容,三種情況需
要一層一層討論。

第一回是引子。「死裏逃生」在上海豫園買了部手抄本。賣
者並不講價,只看是否知音。手稿署名「九死一生」,死裏逃生
後來把手稿改成小說,拿到橫濱《新小說》發表。賣書者叫文述
農。接下去有一百多回,都是九死一生「我」的講述。

「我」十五歲時,經商的父親去世。之後二十年,「我」主要
在幫一個年長十歲的舊同窗吳繼之做事。吳繼之又做官又經商,
因為官員身分不便經商,所以就由「我」來出面做「白手套」(代
理人)。吳繼之被稱之為「我國小說裏最早出現的新興資產階級
形象」。[4]小說上部,吳繼之官位商機上升,「我」的事業也興盛。

到第五十九回，吳繼之不願意給上司多送禮，仕途開始受挫，後來「我」和吳家的生意都失敗。但他們的命運起伏只是一條串聯線索，小說裏的主要篇幅，是他們所目睹所議論的各種各樣社會現象，共有一百九十多個「怪現狀」故事。

試把書名拆開，二十年・目睹・怪現狀。第一個關鍵字是時間，大約 1883 到 1902 年。主人公性格和背景，二十年間並無太大變化。第二個關鍵字是「目睹」，因為要「我」親眼目睹或至少親耳聽說，所以視野就和《官場現形記》不同。李伯元能以全知角度寫官場各個領域：經貿、軍隊、反腐、黃河、外交、慈善以及京城內幕，批判「級別」很高，寫到中堂、公公，甚至老佛爺還有「今上」。可吳趼人筆下的「我」，一個年輕生意人，不可能見到那麼多高官，視角受身分限制，但相對比較接地氣。「高度」上有限制，「廣度」上倒有擴展，不僅寫官場政界，還寫洋場商界，寫世俗百態。不僅寫府台、藩台、臬台，還寫惡棍、騙子、狂徒、巡捕、強盜、煙鬼、秀才、文盲、江湖醫生、人口販子等等。基本上，除了工農和「高幹」，社會各階層的故事都被九死一生「目睹」一遍。

第三個關鍵字「怪現狀」更重要，甚麼是「怪」？以甚麼標準覺得怪？王德威把這一類小說稱之為「醜怪現實主義」，並總結成魅幻價值觀、荒誕和狂歡三個特點，概括成一種以醜怪為能事的敘事方式。[5] 但問題是，人們今天重讀九死一生目睹的怪現狀，有時反而並不特別感覺醜怪、荒誕。這種閱讀感受令人感到有點害怕。到底是作家、研究者誇大了晚清的醜怪荒誕，還是讀者日積月累，習慣現狀，以至於見怪不怪？

二、「怪現狀」之五種騙局

所有一百九十多個故事，最基本的共通點就是虛假或欺騙。細細分類，又可分成至少五種——商業欺騙、人際欺騙、男女欺騙、科場欺騙，還有官場欺騙。合在一起，成為二十世紀中國小說中的騙術大全。

第一種「商家之騙」很普遍。第四十九回上海道讓兒子做買辦，開洋行被外國人騙。第五十五回寫一個叫勞佛的遼東人，和賭博起家的富翁合辦藥行，醫藥師真懂外文，但賣的藥水是假，滙豐存摺也假。小說第三十一回還有插圖教人操作很多實用的江湖騙術。也有些騙局有技術含量。比如第五回，南京有個大珠寶店掌櫃，告訴「我」（九死一生），店裏有租客寄賣文物，明明值三千卻要賣兩萬。竟然真有客人願買，付了五千定金。租客突然要奔喪，名義上文物已賣，店家便先給租客一萬九，結果買客也再不出現了。也就是說，串通起來一個局。「我」又興奮又憤怒地把這個精心騙局告知吳繼之，不想到繼之卻淡淡地說：你知道吧，騙子就是這家珠寶店的東家 —— 原來一切都是編出來的，兜了一個大圈子，目的就是要店裏的眾夥計分攤損失。

也有一些比較另類的騙局。第五十四回寫某窮縣縣官的少爺，無處刮錢，找個當地當鋪，搬去一個箱子，要當幾百塊錢。當鋪問裏邊裝了是甚麼財物，少爺說不許打開 —— 其實裏面裝的都是石頭。還有第八十一回，某官員利用職權囤積了大量的煤，人家問他幹甚麼，他說有人勸他從煤裏提煉煤油，可以賺錢。煤油是從煤裏來的嗎？騙局也可以很弱智。

　　小說寫制度性的騙局，比較詳細。比如議價處，很多商人串通壓價，與官府商業政策配合。「那賣貨的和那受貨的聯絡起來，那個貨卻是公家之貨，不是受貨人自用之貨，這個裏面便無事不可為了……官場中的事情，只准你暗中舞弊，卻不准你明裏要錢。」[6] 這幾種騙局，當鋪當石頭，煤油與煤，還有議價處，其實都跟官府權力有關，也可以歸在第五類官場政治之騙。

　　第二種「人情之騙」，最不引人注目，見怪不怪，細思極恐。吳繼之的根據地在南京上海，派九死一生各處料理生意。「我」到了北京琉璃廠，「一隻腳才跨了進去，裏邊走出一個白鬍子的老者，拱着手，呵着腰道：『您來了（您，京師土語，尊稱人也。發音時唯用一「您」字，「你」字之音，蓋藏而不露者。或曰：『你老人家』四字之轉音也，理或然歟），久違了！您一向好，裏邊請坐！』我被這一問，不覺棱住了，只得含糊答應，走了進去。」這個店「我」其實從未來過，完全不認識這個老者。因為對方推薦，便買了一些貴價紙張，說賣一張少一張。後來又進到一個書店，「劈頭一個人在我膀子上一把抓着道：『哈哈，是甚麼風把您吹來了！我計算着您總有兩個月沒來了。您是最用功的，看書又快，這一向買的是誰家的書，總沒請過來？』」「我」當然也不認識該店主，本來不想買書，被人這麼熱情拍着肩膀，不好意思了。事後想起來總結說，在京城做買賣的人未免太油腔滑調了。

　　把「套近乎」說成是欺騙，當然言重了。但是不是某種程度上功利虛偽已經滲透世俗鄉情？有時你知道人家在說假話，也當做是真的；說的人也知道你知道他是假話，他還照樣說；你也知道他知道你已經知道他是假話，你還照樣……循環下去，小

說裏各種官方訓辭，親人電報，明知是假，照樣接受。生人叫欺騙，熟人就是友情，「生／熟」是關鍵。有些騙局還和親情人倫有關，比如「我」回家鄉，族人說修祠堂要一百兩；「我」想帶母親姐姐離鄉進城，賣地時親戚們又趁機殺價……現在叫「宰熟」，騙人先從自己人下手。

　　第三種「男女之騙」，處處可見。第六十五回，上海總辦叫局，喜歡一個叫金紅玉的女人，可是金紅玉聽人說嫁官有種種壞處，先答應後反悔，怎麼辦？仲介人舒淡湖獻一妙計，找人在報紙上編了一段金紅玉和馬夫的緋聞，故意讓總辦看報，總辦看了以後就主動撤退。這是利用現代傳媒的騙局，結局各有所得，誰也不虧。

　　《怪現狀》前四十五回在橫濱《新小說》連載，基本上每回由「我」和繼之、文述農等人議論一兩個故事。等到了下半部在上海廣智書局出版時，有些情節需要跨越好幾回。比如第八十一到八十四回，詳述侯總鎮娶府台千金前後過程。侯總鎮原名朱狗，因和福建巡撫侯中丞同性戀而被提拔。另一官員言中丞，看到總鎮深得領導賞識，便提出要把女兒嫁給他。不料言夫人反對把女兒嫁給「兔崽子」（結合上下文，應該是歧視同性戀）。一邊太太堅決不肯，一邊已答應上司，言中丞進退兩難，參謀陸觀察說：您女兒不願意？這麼着，我女兒頂上。其實也不是他女兒，是他自己玩過的一個丫環，假扮他女兒，再假扮言中丞女兒，嫁給了侯總鎮。小說裏這樣寫：「此刻武、漢一帶，大家都說是言中丞的小姐嫁鄖陽鎮台，大家都知道花轎裏面的是個替身，侯統領縱使也明知是個替身，只要言中丞肯認他做女婿，那

怕替身的是個丫頭也罷，婊子也罷，都不必論的了。就如那侯統領，哪個不知他是個兔崽子？就是他手下所帶的兵弁，也沒有一個不知他是兔崽子，他自己也明知自己是個兔崽子，並且明知人人知道他是個兔崽子。」

騙人本來是要隱瞞事實，但在中國，騙局的較高境界是大家明知是騙，依然有效。（以假為真是智商水平，認假為真是情商水平。）作家這樣概括：「說的是侯統領一個，其實如今做官的人，無非與侯統領大同小異罷了。」點睛之筆。

第四種「科場之騙」，也很重要。第四十二回「我」隨繼之做考官評分，關在科場幾天不能出來。帶了支獵槍，無聊打下了一隻鴿子，發現鴿子腿上綁着試題。「我」和吳繼之一方面在「目睹」議論嘲笑種種「怪現狀」，另一方面他們也在參與科場很多作弊的潛規矩，並不敢揭穿。第四十八回還有個文書情節更加奇妙。某富家之子，犯了死罪解脫不了。家人就買了幾個女人送進牢裏，希望留下一點血脈。可是刑期快到，怎麼辦？這時要靠「秘書黨」，不是改檔案，只是故意發錯地方，廣東檔案去了雲南，雲南去了山東。這樣搞錯兜圈回來，「留種」的時間就爭取到了。

小說裏九死一生的家人也替他買過官照，就是考官位用的檔案。官照會過期，有時名字也會錯。第七十五回寫有人身邊存了多本官照，為了嫖妓萬一遇到「掃黃」，交出官照就不必當場被打屁股。文化積澱深厚，文書各種妙用。

當然，以上幾種騙局：金錢、世俗、婚姻、文書，其實都關連第五種最關鍵的「官場之騙」。小說第五回，「我」和吳繼之看到了江蘇全省各縣不同官位的詳細價目，完全可以和《官場現

形記》的捐官制度和貪腐剛需對照呼應。最離譜的個案，是第八十回四川某官員一次販賣七、八十個女孩，在茶樓裏明碼標價，小女孩七、八歲的，就八吊、十吊錢，十六、七歲的閨女就四、五十吊。後來官員帶了七、八十人坐長江輪時被截下來問：你有這麼多妻妾嗎？最荒誕的笑話是八十回，一富翁碰到騙子，說府上千金要嫁皇上。這樣的謊話居然也會迷人。騙子還找來一個樵夫冒充真命天子。最寫實的官場故事是葉伯芬的「仕途」，從第九十回到九十三回，很多全知角度細節，早已超出第一人稱「我道」。大舅到海外做使官，葉伯芬私自跟去求職，但被拒絕，大舅廉潔。回國以後，葉又巴結一個趙姓官員，叫局時犧牲自己心上人也要討好上司。尤其精彩的是，大舅回來了，他變換方法再去討好。經過官場歷練，技術含量提高了，不僅跟着談畫論字，請教學問，絕對不送禮，而且在說話姿態上做文章——

> 每說到甚麼世受國恩咧、覆命咧、先人咧、皇上咧這些話，必定垂了手，挺着腰，站起來才說的。起先一下子，大舅爺還不覺得；到後來覺着了，他站起來說，大舅爺也只得站起來聽了。只他這一番言語舉動，便把個大舅爺騙得心花怒放，說士三日不見，當刮目相待，這句話古人真是說得不錯。這也是葉伯芬升官的運到了，……所以一個極精明、極細心、極燎亮的大舅爺，被他一騙即上。

表忠心不僅靠語言措詞，還要配合肢體動作。我們注意到，小說中詳細描述的葉伯芬、苟才、侯總鎮等人的仕途起伏規律，

成敗均取決於能否獲得上司的好感，和他們的政績表現沒甚麼關係。所以官場規則是，水向低處流，眼向上面看。

三、第一人稱的限制與擴展

九死一生一面批判官場：「這個官竟不是人做的！頭一件先要學會了卑污苟賤，才可以求得着差使，又要把良心擱在一邊，放出那殺人不見血的手段，才能得着錢」。但另一方面，他自己又幫官員吳繼之做生意，是官商勾結的代理人，所以才能二十年間，京、滬、杭、廣東，到處來去做生意，才能夠在局外來目睹各種怪現狀。（真實生活當中，作家吳趼人當時在江南造船廠做抄寫員。）吳繼之和九死一生，身處讀書人、商人與官府之間，既看不慣怪現狀，又難免參與妥協，一種「互相改造」的過程就發生在他們的身上。

凡是涉及人倫底線的故事，比如苟才向上司獻媳婦，或者他兒子設計把父親害死，或者李景翼把弟媳秋菊賣去妓院等等，小說就寫得非常詳細，這時第三人稱代替了「我道」。敘事者因此會自省：「你怎麼知道得那麼清楚？」王德威如此概括陳平原對晚清小說技巧的研究，「這些作家玩弄（從第一人稱視角到笑料趣聞等）舶來與本土的資源，從而在此過程中更新了傳統的敘事模式」。[7] 更新傳統過程中，第一人稱既限制又擴展了作家的社會視野；也因為第一人稱，吳趼人就比李伯元更多情感議論。九死一生開宗明義說，二十年來回過頭想，所遇見的只有三種東西：第一種是蛇蟲鼠蟻，第二種是豺狼虎豹，第三種是魑魅魍

魁。同樣批判社會，李伯元比較像案件調查，列出事實，偶然演示一下深層原因。吳趼人就更似旁觀者議論，感慨、嘲笑、憤怒，其實自己也有牽連。

從無差別批判到有選擇譴責，既是兩部作品敍事方式差異，也有兩個作家觀察世界方法不同，一個是看欺騙行為，一個看實際原因。魯迅批評譴責小說「辭氣浮露，筆無藏鋒」，[8] 應該主要講的是吳趼人。在《亞洲週刊》的二十世紀中文小說一百強裏，《官場現形記》排在第十三名，《怪現狀》排在第九十名，這個排名並不是沒有道理的。

注

1　袁進：〈編後記〉，《海上文學百家文庫・吳趼人卷》（上海：上海文藝出版社，2010 年）。

2　袁進：《鴛鴦蝴蝶派》（上海：上海書店出版社，1994 年），頁 26。

3　巴金：《家》（臺北：遠流出版公司，1993 年），頁 242。

4　見「百度百科」，《二十年目睹之怪現狀》詞條，「形象分析」。

5　王德威：《被壓抑的現代性》（臺北：麥田出版，2003 年），頁 253。

6　吳趼人：《海上文學百家文庫・吳趼人卷 下》（上海：上海文藝出版社，2010 年），頁 416。以下引文同。

7　王德威：《被壓抑的現代性》（臺北：麥田出版，2003 年），頁 247。

8　魯迅：《中國小說史略》，《魯迅全集》第九卷（北京：人民文學出版社，2005 年），頁 291。

讀書人、名妓與官場

《孽海花》成書過程比較複雜，最早的作者是金松岑，筆名愛自由者，小說前二回 1903 年在東京的留日學生雜誌《江蘇》第八期發表。正在創辦「小說林」書社的曾樸（1872-1935）看了前六回，覺得「金君的原稿，過於注重主人公，不過描寫一個奇突的妓女，略映帶些相關的時事，充其量，能做成了李香君的《桃花扇》，陳圓圓的《滄桑艷》，已算頂好的成績了，而且照此寫來，只怕筆法上仍跳不出《海上花列傳》的蹊徑」。[1]

曾樸覺得應該「借用主人公作全書的線索，儘量容納近三十年來的歷史，避去正面，專把些有趣的瑣聞逸事，來烘托出大事的背景，格局比較的廓大。」（好像想把狎邪類政治小說改成宏大歷史敘事。）金松岑感覺這樣改有違初衷，且「以小說非餘所喜」，索性請曾樸寫下去。曾樸「也就老實不客氣的把金君四五回的原稿，一面點竄塗改，一面進行不息，三個月功夫，一氣呵成的二十回。」[2] 所以小說前面部分，是兩人「成果」，從第六回起才完全是曾樸的作品。[3] 原擬寫六十回，包括五個時代：「舊學時

代」、「甲午時代」、「政變時代」、「庚子時代」、「革新時代」和「海外運動」。1905 年出版前二十回。1907 年《小說林》雜誌發表第二十至二十五回。過了二十年，曾樸又把第二十一至二十五回廢掉，從第二十一回再寫起，1931 年真善美書店出版三十回本。第三十一至三十五回之後連載於《真善美》雜誌。後來張愛玲的弟弟找出此書，讓姐姐知道自己的貴族家史，應該就是三十年代的單行本了。這時已是現代文學的「第二個十年」，左聯已經成立。此書真是跨越時代。

曾樸比李伯元小五歲，比魯迅大九歲。筆名東亞病夫，江蘇常熟人，出生望族，書香世家。光緒十七年中舉，次年赴京參加會試，據說有意弄髒試卷，被趕出了考場。他父親馬上出錢，替他捐了一個內閣中書。不過曾樸並沒有留在北京做官，戊戌變法前後他到上海又做實業又參與變法，暗中還支持革命黨。之後在兩江總督端方幕下任職，民國時候做過一些處長、廳長之類的官職。基本上一輩子關心政治，也愛好文學。所以他筆下主角，也是兼有讀書人與官員雙重身分。二十世紀中國小說裏的知識分子和官員／幹部形象，後來一直有一種「互相改造」的關係，這種矛盾關係最早就體現在《孽海花》主人公身上。

四大譴責小說，焦點都是官場，但是曾樸和李伯元、吳趼人寫法不同。《官場現形記》沒有中心人物，主角就是官場；《怪現狀》有了中心人物，不過「我」只是一個目擊者、見證人，小說主角是「怪現狀」。到了《孽海花》，終於有了核心人物，有了男女主角，他們的故事就是全書情節發展的主幹。作為譴責小說，《孽海花》批判鋒芒比較溫和。小說寫官場有三個特點：第

一，從知識分子的角度寫官場；第二，借異國情調寫中國官場；
第三，從男女角度寫官場。

一、從知識分子的角度寫官場

小說前五回，場面紛繁，寫一輩江南書生，頗以「學而優則
仕」為榮。「同治五年，大亂敉平，普天同慶……公車士子，雲
集輦轂，會試已畢，出了金榜。那一甲第三名探花黃文載，是山
西稷山人；第二名榜眼王慈源，是湖南善化人；第一名狀元是
誰呢？卻是姓金名㳇，是江蘇吳縣人。」[4] 中國各個省份，以自己
省裏的人在京城取得成績為榮，這個傳統一直延續。

男主角金㳇（金雯青）和錢唐卿、陸華如等幾個好友，都是
蘇州有名人物，「唐卿已登館選，華如還是孝廉」。小說歷數蘇
州的科場成績：「我們蘇州人，真正難得！本朝開科以來，總共
九十七個狀元，江蘇倒是五十五個。那五十五個裏頭，我蘇州城
內，就佔了去十五個。如今那圓嶠巷的金雯青，也中了狀元了，
好不顯煥！」金雯青原型，是同治狀元洪鈞（1839-1893），曾任
翰林院修撰，後出使俄國、德國、奧地利等國。洪鈞和名妓賽
金花的故事便是《孽海花》的情節主線。金雯青們先在蘇州城內
玄妙觀雅聚園茶坊聚會，再到上海看繁華世界，去了外灘公園，
並無「華人與狗」的牌子，但他們嫌上海總帶着江湖氣，比起蘇
州就有雅俗之分。當年金雯青戰亂時坐船到北京考試，船上認
識了唐卿、玨齋、公坊，「既是同鄉，又是同志，少年英俊，意
氣相投」，就有「海天四友」之稱。「一見面，不是談小學經史，

就是講詩古文詞；不是賞鑒版本，就是搜羅金石。」之後到北京住景龢堂，「飾壁的是北宋院畫，插架的是宣德銅爐，一几一椅，全是紫榆水楠的名手雕工」。不過書香、良辰、美景、雅苑之外，文化聚會也還要「叫條子」：「肇廷叫了琴香，雯青叫了秋菱，唐卿叫了怡雲，珏齋叫了素雲。真是翠海香天，金樽檀板，花銷英氣，酒袚清愁；盡旗亭畫壁之歡，勝板橋尋春之夢。」類似場面在李伯元、吳趼人筆下常見，不過金雯青們叫局醉酒仍在談小學經史、賞鑒版本，充滿文化道德自信。《孽海花》描寫這些文人，並無諷刺意味。他們議論歷代大儒，直到魏默深、龔定庵的學術思想變遷，同時也想「最好能通外國語言文字……學習一切聲、光、化、電的學問」。金雯青聽人談西國政治藝術，他在旁默聽，「茫無把握，暗暗慚愧」，很有自知之明。

　　將《官場現形記》、《怪現狀》和《孽海花》開頭幾回並置閱讀，就不難看出文人理解官場的不同角度：李伯元覺得捐官乃制度根源，因為只要升官成本高，獲得實權以後，貪腐無可避免。吳趼人不談官員財產來源，只忙着羅列各種奇葩現象（販賣七、八十個女人，囤煤為煉煤油；媳婦、女兒、丫鬟都可以獻給上司）。《孽海花》似乎覺得，考的官應比捐的好。一來用甚麼方法獲得權力，大概也會用類似的方法來使用權力；二來儒生進入仕途成本較低，所以也不必急急地貪腐還債。這也是二十世紀中國小說第一次討論知識分子和官員體制的關係。之前《新中國未來記》是籠統假想好官必是讀書人，《官場現形記》、《怪現狀》則批評官場總是黑暗，讀不讀書沒大分別。

　　《孽海花》在探討知識分子從政前途時重點描述分析了兩個

案例，一是張愛玲的祖父張佩綸，第二個就是男主角金雯青。張佩綸，在小說裏面叫莊侖樵，對金雯青和他的朋友們來說，這是一個書生救國的榜樣兼教訓。皇上主持大考前，雯青的朋友珏齋已經預言，說莊侖樵「才大心細，有膽有勇，可以擔當大事，可惜躁進些」。放榜成績，莊考一等第一名，雯青、唐卿也在一等，其餘都是二等，侖樵就授了翰林院侍講學士，雯青得了侍講，唐卿得了侍讀。雯青升了官，有很多同鄉應酬。可是莊侖樵，做了開坊的大翰林，還是很窮。原來莊侖樵（或者說張佩綸）是清流派，自己艱苦樸素，仇恨貪腐昏官，現在做翰林院侍講學士，可以上摺子，便向今上揭發。《孽海花》就把清流派的史實誇張渲染一番：「今日參督撫，明日參藩臬，這回劾六部，那回劾九卿，筆下又來得，說的話鋒利無比，動人聽聞。」更重要的是，「上頭竟說一句聽一句起來，半年間那一個筆頭上，不知被他拔掉了多少紅頂兒」。「還有莊壽香、黃叔蘭、祝寶廷、何珏齋、陳森葆一班人跟着起哄，京裏叫做『清流黨』的『六君子』，朝一個封奏，晚一個密折，鬧得雞犬不寧，煙雲繚繞，總算得言路大開，直臣遍地，好一派聖明景象。」

這段文字，說明作家對於清流派反腐，態度有些矛盾。說他們是「起哄」「雞犬不寧」，這是貶義。同時又說「言路大開」「直臣遍地」「好一派聖明景象」，分明又是讚頌。在史實上，當時因為慈禧垂簾不久，開些言路，顯得開放。所以張佩綸們暫時好像可以參與政治。但不久，張佩綸（或者說莊侖樵）就放了會辦福建海疆。「以文學侍從之臣，得此不次之擢，大家都很驚異。在雯青卻一面慶幸着同學少年，各鷹重寄，正盼他們互建奇勳，

為書生吐氣；一面又免不了杞人憂天，代為着急，只怕他們紙上談兵，終無實際，使國家吃虧。」既希望書生成功，又害怕文臣失敗。等後來看到海戰失利，金雯青就生了很多感慨：「在侖樵本身想，前幾年何等風光，如今何等頹喪，安安穩穩的翰林不要當，偏要建甚麼業，立甚麼功，落得一場話柄！（張佩綸後來到張家口充軍）。在國家方面想，人才該留心培養，不可任意摧殘，明明白白是個拾遺補闕的直臣，故意捨其所長，用其所短，弄得兩敗俱傷。」金雯青總結了兩方面的教訓，歷代肯定有不少知識分子吸取前一個教訓，卻不知道國家方面有沒有看到後一個教訓。

張愛玲祖父的榜樣，對金雯青等進入官場的中國知識分子來說，都是一個課本，一個範例，說明書生意氣在官場的價值與無價值。

小說第五回寫「某日奉上諭，江西學政着金溝去；陝甘學政着錢端敏去；浙江學政着祝溥去。」幾個讀書人分別到各省去做學官。從第六回開始，小說敍事就在曾樸筆下變得比較單純、清晰。金雯青到了江西做學政，撫台設宴時，雯青坐了中間的一席的首座，藩、臬、道、府作陪。就是說布政使、按察使，主管經濟和警察的長官都只能陪着這個省教育廳長（不知是寫實還是文人想像）。

二、以海外風情寫中國官場

《孽海花》的第二個特點是以海外風情寫中國官場。從第七

回開始，男主角就被委任清廷大使，派駐俄國、德國、荷蘭幾個不同國家。他帶了新娶的姨太太傅彩雲。《孽海花》寫歐陸皇宮、海外風光，都是中國古代建築風景的模樣，滿足當時由林琴南翻譯作品培養出來的中國讀者的異國夢想。（林琴南本人很推崇《孽海花》，讚為奇絕。）「崇樓傑閣，曲廊洞房，錦簇花團，雲譎波詭，琪花瑤草，四時常開，珈館酒樓，到處可坐。每日裏鈿車如水，裙屐如雲，熱鬧異常。園中有座三層樓，畫棟飛龍，雕盤承露，尤為全園之中心點。其最上一層有精舍四五，無不金釭銜壁，明月綴帷，榻護繡襦，地鋪錦罽……」這是《孽海花》描寫一個柏林的花園。小說也寫德國軍官：「一個雄赳赳的日爾曼少年，金髮赫顏，丰采奕然，一身陸軍裝束，很是華麗。彩雲想：那個少年不知是誰，倒想不到外國人有如此美貌的！我們中國的潘安、宋玉，想當時就算有這樣的丰神，斷沒有這般的英武。」

文字既是「西洋景」，情節更加天方夜譚。金雯青他們在德國薩克森輪船上碰到了外國魔術師畢葉，同時能給三個人催眠，為所欲為。虛無黨奇女子夏雅麗，能說包括中文在內的十幾國語言，又漂亮又英武。後來為了無政府主義虛無黨的利益，突然下嫁政敵加克，再謀殺親夫，財產捐給自己政黨。最後殺死丈夫時，她的情人克蘭斯，正爬在別墅外面的大樹上。夏雅麗還刺殺俄國沙皇，沒有成功，最後自己犧牲。在這些地方，譴責小說裏出現了武俠小說的趣味情節。

三、以情場寫官場

除了知識分子角度、異國情調，《孽海花》的第三個特點就是以情場寫官場。之前三部晚清長篇，很少有篇幅寫愛情。《新中國未來記》裏，孔先生、黃克強都忙於政治大業，顧不上男女之情。《官場現形記》和《怪現狀》是百科全書式的社會眾生相，男女老少，生老病死，小民大官，朝廷民間，無所不談。其中男女感情無非兩種，一種是家庭內部人倫關係，與其說是愛情，不如說是親情。為了服從官場規則，親情也可以被犧牲。另一種「愛情」，只發生在風塵女子和官員文人之間。官員辦事、應酬、出差、吃飯，講學術，談生意，都免不了叫局。叫局通常就是以食為媒追逐性，或者是以性為媒講究食，或者是以食色為媒而社交。叫局場面，有點模擬家庭聚會或俱樂部氣氛。多渲染喝酒乾杯美食嬉笑，少描寫淫穢肉欲動作騷擾。風塵女子有的還會變成姨太太（家庭化），有的甚至「進入」官場影響歷史（賽金花）。《官場現形記》裏兩個妓女，開玩笑說「你們做官的身體不屬於自己，跟我們一樣」，既是象徵，也是寫實。《怪現狀》中葉伯芬的夫人不肯「拜臭婊子做師母」，葉伯芬就直言遊戲規則：「我不在場上做官呢，要怎樣就怎樣；既然出來做到官，就不能依着自己性子了，要應酬的地方，萬不能不應酬。我再說破一句直捷痛快的話，簡直叫做要巴結的地方，萬不能不巴結！」[5] 官員與叫局的小姐，身分固然不同，身不由己相同。

所以《孽海花》既是譴責小說，也是青樓文學。魯迅把近代青樓小說分成「溢美」到「近真」再到「溢惡」三類，「《青樓夢》

全書都講妓女，但情形並非寫實的，而是作者的理想。他以為只有妓女是才子的知己，經過若干周折，便及團圓，也仍脫不了明末的佳人才子這一派。到光緒中年，就有《海上花列傳》出現，雖然也寫妓女，但不像《青樓夢》那樣的理想，卻以為妓女有好，有壞，叫近於寫實了。一到光緒末年，《九尾龜》之類出，則所寫的妓女都是壞人，狎客也像了無賴，與《海上花列傳》又不同。」[6]

《孽海花》中官員和妓女的關係屬於哪一種？要看具體例子。李伯元小說好幾回寫錢塘江上的江山船，集交通工具、社交場還有臨時軍部於一體。《孽海花》第七回也有江山船。浙江學台祝寶廷（原型是愛新覺羅·寶廷，和張之洞、陳寶琛、張佩綸一起被稱為「清流黨」）到嚴州去開考，坐了一隻最體面的頭號大船。寶廷居然不懂遊戲規則，糊里糊塗上了船，「看着那船很寬敞，一個中艙……外面一個艙空着，裏面一個艙，是船戶的家眷住的。」一路寶廷正看江景，忽然有個橘子皮打到他臉上，「正待發作，忽見那艙房門口，坐着個十七八歲很妖嬈的女子，低着頭，在那裏剝橘子吃哩，好像不知道打了人……那時天色已暮，一片落日的光彩，反正照到那女子臉上。寶廷遠遠望着，越顯得嬌滴滴，光灧灧，耀花人眼睛。寶廷只是越看越出神，只恨她怎不回過臉兒來。忽然心生一計，拾起那塊橘皮，照着她身上打去，正打個着。」可是女孩還沒來得及反應，隔壁就有婆子叫喚了，她臨走卻回過頭來，向寶廷嫣然地笑了一笑，飛也似地往後躺去了。[7]當晚寶廷睡在中艙，怎麼也睡不着了。聽見隔壁婆子和少女議論，（艙板一定要薄），「婆子道：『那大人好相貌，粉

白臉兒，烏黑鬚兒……』那女子道：『媽呀，你不知那大人的脾氣兒倒好……』」再聽下去，就是隔壁女人脫衣服上床的聲音。這個女孩子睡的地方，跟寶廷正好是一板之隔，一晚上那女子又嘆氣，又咳嗽，直鬧得整夜沒睡着。

　　第二天，寶廷早起，見到珠兒，「就走近女子身邊，在她肩上捏一把道：『穿的好單薄，你怎禁得這般冷！我知道你也是一夜沒睡。』珠兒臉一紅，推開寶廷的手低聲道：『大人放尊重些。』」之後，她又幫寶廷倒水。寶廷見她進來，趁她一個不防，搶上幾步，把小門順手關上。這門一關，那情形可想而知。[8]「那情形可想而知」是原文。當時小說文字，非常白話，很容易讀。正當兩人難分難解，老婆子過來，抓住寶廷說，你這是為官的強姦民女。當場提了三個條件，一是要娶這個女子為正室。二要銀子四千兩遮醜，三要養他們老夫妻一世。寶廷太太剛死，三個條件都答應，結果真的娶了那個少女為妻。

　　這麼浪漫的妓女船，歷史上還真有其事。寶廷就此辭官，不愛江山只愛江山船。當然，江山船上這種局，需要少女純真演技和官人浪漫癡情完美配合，才偶然成功。史實中那珠兒不久就病死了。

　　這個故事，只是《孽海花》中情場與官場複雜關係的一個序幕。之後金雯青在蘇州見到船妓傅彩雲，也是一見鍾情，魂飛魄散。當時雯青丁憂，坐船時有朋友說：「『那岸上轎子裏，不是坐着個新科花榜狀元大郎橋巷的傅彩雲走過嗎？』雯青聽了『狀元』二字，那頭慢慢回了過去。誰知這頭不回，萬事全休，一回頭時，卻見那轎子裏坐着個十四、五歲的不長不短、不肥不瘦

的女郎，面如瓜子，臉若桃花，兩條欲蹙不蹙的蛾眉，一雙似開非開的鳳眼，似曾相識，莫道無情，正是說不盡的體態風流，丰姿綽約。雯青一雙眼睛，好像被那頂轎子抓住了，再也拉不回來，心頭不覺小鹿兒撞。」[9]奇怪的是，那岸上轎子裏的彩雲，當時竟也一直盯着金雯青看。被請上船，也不問話，直接坐在雯青身邊。「雯青本是花月總持、風流教主，風言俏語，從不讓人，不道這回見了彩雲，卻心上萬馬千猿，又驚又喜。」沒多久兩個人就在船上獨處了。「兩人並坐在床沿上，相偎相倚，好像有無數體己話要說，只是我對着你、你對着我地癡笑。……雯青道：『你今年多少年紀了？』彩雲道：『我今年十五歲。』雯青臉上呆了半晌，卻順手拉了彩雲的手，耳鬢廝磨地端相的不了，不知不覺兩股熱淚，從眼眶中直滾下來，口裏念道：『當時只道渾閒事，過後思量總可憐。』」[10]

洪鈞當年遇到賽金花時已經四十八歲，現在小說裏遇到傅彩雲，態度竟像十五歲的賈寶玉。對當時官場中人來說，女人就是兩種，一種是要負責任的家人，一種是要用金錢去購買的女人，而後者的希望就是又要成為他的家人（青樓與家庭，公私不分）。金雯青一千元替彩雲贖身，之後帶到北京為妾，正好朝廷就派他出使德、俄、荷。他夫人嫌外國風俗難對付，就把衣服名衛借給彩雲，這就有了後來據說影響歷史進程的賽金花德國之行了——小說的中心漸漸從男主角轉向了女主人公，這是之前譴責小說裏沒有出現過的情況。

換成李伯元或吳研人來寫，這又是一個年過半百的朝廷命官買個雛妓做妾。可以理解，不必炫耀。可是在曾樸小說裏，這

個文官真的自欺欺人陷入愛情。（當然，自欺欺人本來就是愛情的標誌。）可是十五歲女主角卻不止滿足於成為官員妾侍。在出國船上，雯青找夏雅麗學外文，用功學習的卻是彩雲。夏雅麗被魔術師催眠，覺得自己被冒犯，半夜要來殺金大使。有個外國人出面調停，讓大使出一萬塊息事寧人。彩雲當場翻譯，把賠款說成一萬五。馬上就懂危難之中拿回扣，高達 50%。在德國金大使被騙，高價買下中俄邊界的地圖。初心是為國，善良的昏庸。（第一次出現「好心辦壞事」的官員，這類形象後來在當代文學中有各種發展。）彩雲則如魚得水出入各種宮廷華宴，還獲得俄國皇后好感。但她又和大使的小鮮肉男僕阿福關係曖昧，同時還跟英俊德國軍官瓦德西眉目傳情。彩雲丟了首飾，偏偏被瓦德西找到。歷史上，賽金花在德國跟洪鈞生了一個女兒。這個情節被小說略去，只寫她個性解放，各種明暗艷情。大使回國後知道買地圖上當，也發現傅彩雲早就紅杏出牆。雯青氣急攻心，一時昏厥，對彩雲說：「我今兒個認得你了！」沒想到彩雲此時以攻為守——

> 毫不怕懼，只管仰着臉剔牙兒，笑微微地道：「話可不差。我的破綻老爺今天都知道了，我是沒有話說的了。可是我倒要問聲老爺，我到底算老爺的正妻呢，還是姨娘？」彩雲的意思，如是正妻，就壞了門風，死不皺眉。但是「你們看着姨娘本不過是個玩意兒，好的時抱在懷裏、放在膝上，寶呀貝呀的捧；一不好，趕出的，發配的，送人的，道兒多着呢！……我的出身，你該明白了。當初討我時候，就沒有

指望我甚麼三從四德、七貞九烈⋯⋯你要顧着後半世快樂，留個貼心伏侍的人，離不了我！那翻江倒海，只好憑我去幹！要不然，看我伺候你幾年的情分，放我一條生路⋯⋯若說要我改邪歸正，阿呀！江山可改，本性難移。老實說，只怕你也沒有叫我死心塌地守着你的本事嗄！」說罷了，只是嘻嘻地笑。[11]

這段話字字刺心，句句見血。既是傳統的道德邏輯，也是新女性（主義？）聲音。後來把阿福趕走，彩雲又跟了另一個戲子。雯青氣得重病不起，臨死時昏昏沉沉又把彩雲誤認作他以前舊相好，曾在考狀元路上相救（極其反諷）。縱觀狀元官與彩雲前後關係，顯然是「溢美」開始，後來貌似「溢惡」，其實是「近真」。

《孽海花》探討讀書人與官場關係，重點描述兩個案例：莊侖樵書生意氣鋒芒太露，結果戰場失利 —— 清流戰勝不了醬缸。狀元金雯青錯買中俄邊境地圖，糊塗誤國 —— 科舉人才的局限。在小說敍述結構裏邊，雯青之死與中日戰爭相呼應。曾樸關心時代歷史，還寫李鴻章馬關簽約，日本浪人刺傷中堂，甚至還有清帝的房事等等。小說中不少士大夫的國事議論，比如「歷觀各國立國，各有原質，如英國的原質是商，德國的原質是工，美國的原質是農。農工商三樣，實是國家的命脈」，[12] 又如「政體一層，我國數千年來，都是皇上一人獨斷的，一時恐難改變。只有教育一事，萬不可緩。現在我國四萬萬人，讀書識字的還不到一萬萬，大半癡愚無知⋯⋯」[13] 後人再讀，不知應該嘲笑還是

佩服晚清文人的政治眼光。

　　彩雲在雯青去世前，已經跟唱戲的孫三兒私下在外租房，很快便離開金家。後來她又在一幫達官貴人的幫助下改名叫曹夢蘭，在上海重新掛牌開業。小說結尾時，很多有錢男人圍着她，似乎很風光。女主角原型賽金花，在上海妓院一度也很紅，在北京也真和一個京劇票友孫三同居。當然賽金花最有名的事跡就是據說曾勸八國聯軍統帥德國人瓦德西，在北京不要濫殺無辜，所以當時人稱「議和人臣賽二爺」。這段史實也有很多疑點。《孽海花》並沒有再寫女主角與瓦德西在北京來往。真實的賽金花，後來坐牢、嫁人，又掛牌為娼。1935 年左翼作家夏衍的劇本《賽金花》公演的時候，她還活着，但是沒有去看戲。

　　《孽海花》情節主線是書生與官場及情場，部分細節過於神奇，文辭修飾比較講究。魯迅說《孽海花》雖有譴責小說通病，但「結構工巧，文采斐然」。[14] 胡適認為這個小說是第二流的，曾樸自己倒承認胡適的批評有道理。[15] 在我讀來，此書集歷史小說、政治小說、官場小說、青樓小說，甚至武俠小說於一身。作為歷史小說，細節有點虛；作為官場小說，譴責不嚴厲；作為青樓小說，不如《海上花列傳》；作為政治小說，倒可能不止是二流水平，因為中國政治小說本來就不多，梁啟超的《新中國未來記》也沒寫完。

注

1　曾樸：〈修改後要說的幾句話〉，《海上文學百家文庫‧曾樸卷》（上海：上海文藝出版社，2010 年），頁 5-6。

2　同注 1。

3　袁進：〈編後記〉，《海上文學百家文庫‧曾樸卷》（上海：上海文藝出版社，2010年），頁 397。

4　引文依據曾樸著，袁進編：《海上文學百家文庫‧曾樸卷》（上海：上海文藝出版社，2010 年）。下同。

5　吳趼人：從來貌似「溢惡」，其實是「近真」。（上海：上海文藝出版社，2010 年），頁 619。

6　魯迅：《中國小說史略》，《魯迅全集》第九卷（北京：人民文學出版社，1981 年），頁 339。

7　同注 4，頁 68。

8　同注 4，頁 70。

9　同注 4，頁 74。

10　同注 4，頁 76。

11　同注 4，頁 213-214。

12　同注 4，頁 185。

13　同注 4，頁 186。

14　同注 6，頁 291。

15　同注 1，頁 6。

清官比貪官更可怕？

　　1903 年是二十世紀中國小說史上第一個重要的年份：晚清四大名著，全部在這一年開始發表。《老殘遊記》最早連載於上海商務印書館編印的《繡像小說》半月刊（從 1903 年 9 月到 1904 年 1 月，共十三回），作者筆名「洪都百鍊生」。因雜誌編輯擅自刪改原作，作者停止續寫。後改在《天津日日新聞》重新連載，作者「鴻都百鍊生」。有學者懷疑「洪都」乃印刷之誤。至於作者真名，當時不為人知。直到 1920 年後，蔡元培、胡適從劉鶚姪子那裏獲悉該作家的情況。1924 年顧頡剛在《小說月報》十五卷第三期發表〈《老殘遊記》之作者〉一文，人們才正式知道作家的姓名。

　　學術界一般認為《老殘遊記》是晚清藝術價值最高的一部小說。魯迅、胡適、夏志清都十分讚賞推崇《老殘遊記》，不過讚賞角度不同。魯迅注意的是官場批判：「歷來小說，皆揭贓官之惡。有揭清官之惡者，自《老殘遊記》始」；[1] 胡適則認為「《老殘遊記》在中國文學史上的最大貢獻卻不在於作者思想，而在於

作者描寫風景人物的能力⋯⋯《老殘遊記》最擅長的是描寫的技術，無論寫人寫景，作者都不肯用套語爛調，總想鎔鑄新詞，做實地的描畫。望這點上，這部書可算是前無古人了。」[2] 夏志清則對劉鶚小說的「中國情懷」評價極高：「劉鶚與詩聖杜甫相形之下，毫不遜色；⋯⋯兩者同樣憂時感世，雖然極其悲戚沮喪，但對中國的傳統，信念堅貞不渝。」[3] 我手頭使用 1979 年人民文學出版社版本的《老殘遊記》，裏邊也有出版說明：「作家雖有同情民眾疾苦、比較進步的一面，但他的基本政治觀卻是落後，甚至反動的。他堅決擁護封建統治，對帝國主義國家的侵略本質缺乏認識，反對資產階級民主革命和義和團反侵略鬥爭。」

為甚麼關於《老殘遊記》的評論，有如此強烈反差，南轅北轍？

一、《老殘遊記》的「中國情懷」

小說第一回濃縮了《老殘遊記》裏的「中國故事」，寄託了劉鶚的「中國情懷」，同時也預言了作家自己的命運。其實二十世紀大部分中國小說，每一部都在有意無意講述不同角度的「中國故事」，只是沒有《老殘遊記》的第一回那麼刻意經營「民族國家寓言」。男主角鐵英，號補殘，人稱老殘，和兩個朋友到山東海邊蓬萊閣看日出。見海上有一大船，船身破敗，處處傷痕，水已進入。管帆水手卻忙於搜查船上很多男女乘客的財物，甚至殺人拋屍。老殘等人認為駕船的人並沒有錯，只是習慣了太平日子，遇大風浪便慌了手腳。而且船上大概沒有指南針，失

了方向。所以三個人借了漁船，帶着羅盤，趕去相救。到了近處發現，船上還有人演講，號召人們起來反抗。再靠近看，演講人只叫別人造反，自己毫無行動。老殘他們就想，原來英雄只叫別人流血。三個人跳上船，獻上羅盤等機器，不料水手們喊：「船主！船主！千萬不可為這人所惑！他們用的是外國向盤，一定是洋鬼子差遣來的漢奸！」於是三個人逃回小船，小船也被大船撞沉了。

這一回只是老殘的夢，大船象徵晚清中國，駕船的是朝廷，水手是貪官污吏，船上乘客就是民眾，鼓動演講的是革命黨。對朝廷的諒解，對革命黨的幻滅，讀者可能會有爭議。但是把貪官作為社會矛盾的焦點，這和其他譴責小說及當時讀者心理相通共鳴。最神奇的預言是獻外國羅盤的被視為漢奸（公知？），被打下船去。

劉鶚的生平十分傳奇，他不像李伯元、吳趼人那樣是報人和職業小說家，劉鶚從來沒想到以文學留名。他早年學習算學、音律、天文、醫藥。他自己行過醫，有數學、水利方面的研究專著。劉鶚還有一個重大學術貢獻，就是從國子監的王懿榮那裏買下很多殷商甲骨。《鐵雲藏龜》一書對早期的金文研究和「甲骨四堂」[4] 都有影響。擁有多種學科專長，劉鶚卻又忙着替河南巡撫吳大澄治理黃河，花了好些年，整了五本《黃河地圖》。之後又到山西幫助外商開煤礦。八國聯軍到北京，他又問俄國人去買太倉的糧食，賣給民眾解救饑荒。沒想到此事被人告，加上在南京買地，最後被袁世凱指控。在大船上，送羅盤的士大夫被當作漢奸趕下海，不幸言中。劉鶚自己在清朝還沒結束時被流放

到烏魯木齊，第二年病死。他的一生令人感慨，想做科學家、學者、醫生、實業家、商人，甚至政客，以各種方法來報效國家，最後留下一本小說。有心栽花花不成，無心插柳柳成蔭，這本小說卻流芳百世，和《海上花列傳》一樣，代表了晚清文學的最高水平。

都是在 1903 年發表的小說，《官場現形記》全篇沒有主角；《怪現狀》的主角只是旁觀者；《孽海花》接近全知角度，主角並非敍事者；只有《老殘遊記》，主要人物是有局限的第三人稱敍事。如果說前兩部是紀錄素材新聞，《孽海花》是講故事，老殘卻是一個抒情男主角。

老殘在山東替一個大戶人家看好了怪病，得銀千兩，八百寄回老家，自己仍然浪跡江湖。看看濟南的風景，聽聽梨花大鼓，沿途行醫也不計較報酬，名聲漸漸傳開。突然有山東巡撫莊宮保（部分人物原型可能是山東巡撫張曜），[5] 想招賢納士，請老殘入府，特地派人送酒席到他住的旅館。老殘不想做官，次日留下信，感謝宮保厚誼，自己繼續漂泊江湖。

雖然拒絕做官，可是老殘卻有一顆關心國事民情的心。到了曹州府，他一路聽說長官玉賢的政績。當地人說玉大人是一個清官，辦案實在賣力，只是手太辣了。于姓財主家裏被搶衣物就去報案，結果抓了強盜。強盜就此懷恨，不久以後，強盜白天放火，玉大人率兵追趕。追到于家附近，不見強盜，卻在于財主家裏搜出一些土槍、刀子等等。玉大人懷疑于家通匪，把家裏三個男人抓到城裏來拷問用刑。于家媳婦和管家送錢求情，于家的媳婦更自殺守節。可是玉大人堅決不聽別人勸。最後，于

家父子三人就死在刑具站籠[6]裏。

　　老殘聽說玉賢的官府面前共有十二個站籠，已經死了二千多人，九成都是冤枉的。于家人死後，甚至連設下圈套的強盜也後悔了，說本來就想讓于家人吃幾個月的官司，沒想到送了四條人命。以此案為例，老殘開始討論一個現象：清官可能比貪官還壞。下面這段話，胡適和魯迅都曾引用過：「贓官可恨，人人知之；清官尤可恨，人多不知。蓋贓官自知有病，不敢公然為非；清官則自以為不要錢，何所不可，剛愎自用，小則殺人，大則誤國。吾人親目所見，不知凡幾矣。」[7]這段話精闢分析了如果制度有問題，官場美德可以同時是惡行。本來為官，要靠智慧，凡事需判斷；要講清廉，避免以權謀私；還要有胸懷，至少允許批評。再有智慧的官員也可能會判斷失誤（比如玉賢上了強盜的當，誤抓于姓財主）。如能接受批評，及時糾正，當然最好。如是貪官，收錢放人，也是潛規則。可玉賢太「廉潔」——清廉本是好事，但是太有道德自信，完全不聽旁人勸告，結果釀成冤案。關鍵是不允許平級或下級有不同意見。

　　貪官們一般害怕顧忌批評，「清官」卻無所顧忌，如果心胸狹窄，又求政績心切，官場裏再缺乏可以提供不同意見的機制，小錯就會變成大錯。更重要的是，玉大人覺得所有提不同意見的，都是反對他，「無論是冤枉不冤枉，若放下他，一定不能甘心，將來連我前程也保不住。」[8]將不同意見統統視為自己的敵人，所以「清官尤可恨」。無所顧忌，動刑鎮壓，手段更加兇殘。別的官員也因為可能有貪腐把柄，不敢反他，這更助長了玉賢的專斷。說句實在話，假如他貪財，那于家四條人命或許能保下。

《官場現形記》、《怪現狀》裏邊很多類似官場故事，腐化荒唐離譜，但結局都沒那麼慘。

錯殺于家四人不是個別案件。老殘又問了其他曹州府人，民眾說玉大人「是個清官！是個好官！衙門口有十二架站籠，天天不得空。」[9]王家兒子在城裏跟人議論，說玉大人怎麼糊塗，怎麼冤枉好人，被私訪的人聽見了，過幾天也站死了。聽到這裏老殘說：「這個玉賢真正是死有餘辜的人，怎樣省城官聲好到那步田地？煞是怪事！我若有權，此人在必殺之例。」[10]聽到這裏，對面老鄉叫他小聲點（我讀小說時也真替老殘擔心：您又不是欽差微服，您只是個江湖郎中。這麼說話行事，在一個這麼兇惡清官的地盤上……）老殘又去打聽一個案子，有人賣布，因為裁下來的布正好與某店被偷的布匹尺寸相當，就被當作強盜抓走了。老殘還親自進城看了那個站籠，「復到街上訪問本府政績，竟是異口同聲說好，不過都帶有慘澹顏色，不覺暗暗點頭，深服古人『苛政猛於虎』真是不錯。」[11]「異口同聲」就可能有問題。老殘還沒見過更「完美」的政績，苦難的民眾還要一齊由衷流淚感恩。（玉賢大人之下的百姓還能臉色慘澹，說明這個酷吏也就只是一個酷吏。）

玉賢以諧音影射清代官員毓賢。毓賢官至山東、山西巡撫，曾支持義和團，殺害大量基督教徒。後來「被流放新疆，途次蘭州時，因慈禧太后徇聯軍之請，處以斬首極刑。」[12]夏志清認為，「劉鶚真的把毓賢這酷吏恨之入骨；……他們一定曾與山東相遇，然而，劉鶚痛恨毓賢會否出於個人因素，則很難說。」[13]我以為，即使劉鶚真的以個人恩怨親身體驗為題材，一旦寫成「清官

更壞」的文學典型，其意義早已遠超出具體人事和特定時代。老殘對玉賢一段評論，不幸可能成為日後某種官場現象預言：「只為過於要做官，且急於做大官，所以傷天害理的做到這樣。而且政聲又如此其好，怕不數年時間，就要方面兼圻的吧？官越大，害越甚：守一府，則一府傷；撫一省，則一省殘；宰天下，則天下死。」[14]

二、清官尤可恨，人多不知

老殘繼續搖鈴行醫途中，遇到官員申東造，一起議論玉賢的暴行。東造勸老殘出山：「『無才者抵死要做官，有才者抵死不做官，此正是天地間第一憾事！』老殘道：『不然。我說無才的要做官很不要緊，正壞在有才的要做官，你想，這個玉大尊，不是個有才的嗎？』」[15]申東造要在玉賢領導下做縣官，請教老殘，怎麼樣可以為民除害、維持治安？老殘推薦一人叫劉仁甫，不僅會武功，少林出身，還有辦法跟遵守江湖規則的大強盜搞合作，建立遊戲規則。「凡是江湖上朋友，他到眼便知，隨便會幾個茶飯東道，不消十天半個月，各處大盜頭目就全曉得了，立刻便要傳出號令：某人立足之地，不許打攪的。」[16]申東造聽從老殘建議，請老殘寫了封信，派自己的弟弟申子平，專程去一個叫柏樹峪的地方請劉仁甫。小說從第八回到第十一回，突然就離開了老殘的行蹤視線，詳細敍述申子平如何去請劉仁甫一路上的奇遇。從小說結構來講，有點突兀。《老殘遊記》一共才二十回，最早發表才十三回，卻有整整四回偏離主要情節。

第八回講申子平和僕人們在雪地裏走山路，非常艱難地過冰橋，還有一隻老虎經過。整段文字精彩，畫面神奇，可以單獨拿來做語文教材。《老殘遊記》寫景文章一流，很有名的「黑妞、白妞唱曲」，[17]「子平一行雪山遇虎」，還有後面山裏碰到神奇女子璵姑和黃龍，鼓樂合奏，令人難忘。第八到十一回雖離開老殘的視線，卻還是劉鶚的眼光。好像進入武俠小說境界，一行人天黑之後在山裏邊找到一家人家。荒山野嶺，進去卻是深宅大院，琴棋書畫高雅宕魄。主人璵姑竟是一個二十來歲的女子，和長者黃龍講一大套的「儒」、「道」、「佛」道理。這個黃龍更向申子平預言一年、五年或更長遠的社會前景，其中黃龍長者關於北拳南革的議論更加讓人深思：「北拳的那一拳，也幾乎送了國家的性命，煞是可怕！然究竟只是一拳，容易過的。若說那革呢，革是個皮，即如馬革牛革，是從頭到腳無處不包着的。莫說是皮膚小病，要知道渾身潰爛起來，也會致命的，只是發作的慢，……諸位切忌：若攪入他的黨裏去，將來也是跟着潰爛，送了性命的！」[18]後來二十世紀很多小說都或隱或顯貫穿「南革」線索，《老殘遊記》較早提出憂慮和警告。

第十二回起小說又回到老殘的行蹤。《老殘遊記》不僅是聚焦官場的譴責小說，也可看作是俠義公案小說。男主人公總懷着打抱不平的俠客之心，甚至還做起了福爾摩斯，為冤案平反。因為黃河結冰，他被困在江邊小店。巧遇了縣官黃人瑞，兩人在客棧裏喝酒談話。黃人瑞還叫了兩個十幾歲的妓女——翠花、翠環。翠花是陪老殘、黃人瑞喝酒、上鴉片。夏志清激賞：「從第十二回老殘與黃人瑞在一傍晚邂逅時起，至第十六回他倆於

翌晨入睡時止，我們讀到將近四十頁的敍述，生動活潑的道出兩人在翠花翠環陪同下的言談舉止。這場面連線不斷，無疑地記述了傳統中國文學中最長的一夜。就小說技巧而言也是描摹最為逼真的一夜。」[19] 小說畫面有些曖昧瑣碎，兩男兩女並排靠在炕上。也是晚清青樓小說傳統，叫局以後，女人陪伴，全無肉慾情色細節，竟是一派家庭氣氛，講的是家庭往事，後來還真的成為家人。

翠環講述身世，兩年前該妓女還是地主家千金，怎麼如今淪落為娼？原來前年莊府台，就是那個有意提拔老殘的省官莊宮保，聽了謀士史鈞甫的建議來治理黃河，居然依據漢代賈讓的一本《治河策》。真正是發揚傳統文化，清代治河用漢代的書。書中說黃河年年水災，主要是河道不夠寬。史觀察說，「戰國的時候，兩邊的堤相距五十里，今天（漢代）兩岸河堤不足二十里，所以兩條民墊之間就三十里」。所謂民墊就是民間自己築的堤壩。所以史觀察說應該放棄民間堤壩，放寬河道，便可成就治理黃河的千秋大業。賈讓萬沒想到，他的書兩千年以後得到知音。莊宮保說：「這個道理，我也明白。只是這夾堤裏面盡是村莊，均屬膏腴之地，豈不要破壞幾萬家的生產嗎？」謀士說，「小不忍則亂大謀，為了大局出發，就要有所犧牲。而且還不能事先通知，否則幾萬百姓知道要破堤，一定拼死反抗」。於是就出現了治理黃河的人為災難。百姓不知道，以為水來了以後會退，沒想到家園、村莊全部被淹，多少萬人淹死。其中就有翠環的家人，那個地主的家。

在河邊客棧火棚邊，兩個妓女哭哭啼啼對恩客訴苦，講訴

幾年前的社會災難。作家劉鶚自己參加過黃河治理，還出版黃河地圖。也許他自己的專業知識也沒被採納在治河大業中，結果輾轉成了小說素材。被翠環身世和身後的悲劇所感動，黃人瑞和老殘決定合資替翠環贖身。人瑞身為官員，不能出頭（當時官員不能買妓女）。老殘可以，但他不肯受用。錢願出，人不要。談話間，客棧失火，把老殘跟翠環的行李都燒了，大家一片忙亂，幾乎一夜沒睡。也是在同一個晚上，人瑞又跟老殘講了另一個案件。

當地有一姓賈的財主，全家及僕人十三口全部被殺。上面來了一個官員，叫剛弼（諧音剛愎，影射清代大臣剛毅），也是出了名的清官，如何判案？賈家十幾口人被殺了以後，疑犯被抓，疑犯家裏也有錢，管家趙立就去送錢。剛弼收下錢，立了字據，說這個就是證據，他們一定是犯罪，要凌遲。道理是「如果不是你殺的，你為甚麼送錢給我？」嚴刑峻法，連縣官都覺得太殘酷了，可是無法阻止這位專斷的剛弼。官府上下大家都看着這事不行，人瑞就找老殘幫忙。你老殘不是認識巡撫宮保嗎？走走後門看。（走後門做好事 —— 官場問題還是要更大的官來解決。）老殘急忙寫信給莊宮保，要求重審此案。宮保倒是真的賞識他，馬上回信同意。小說裏邊有一段描寫，很多評論都引用 —— 老殘一個人到衙門去，正好剛弼又要對賈魏氏（賈家媳婦）下重刑，要她供出姦夫。你既然殺了家裏十幾個人，定有姦情。賈魏氏受不了逼供刑，已經承認殺人，但姦夫實在編不出來，眼看又是一輪嚴刑拷打，小命都可能不保。下面是一段原文：

老殘聽到這裏，怒氣上沖，也不管公堂重地，把站堂的差人用手分開，大叫一聲：「站開！讓我過去！」差人一閃。老殘走到中間，只見一個差人一手提着賈魏氏頭髮，將頭提起，兩個差人正抓他手在上撈子[20]。老殘走上，將差人一扯，說道：「住手！」便大搖大擺走上暖閣，見公案上坐着兩人，下首是王子謹，上首心知就是這剛弼了。[21]

這是《老殘遊記》，甚至也是很多晚清小說最英雄主義的一個瞬間。請設想，一個平民闖入衙門，一介書生在法庭上高喊「住手」，隻手阻止了一個悲劇繼續惡化 —— 當然，「士阻官害民」，老殘之所以沒有被剛弼和差人馬上趕走或者抓起來，就是因為他懷裏有一封上峰的回信。這種英雄主義的瞬間，後來在當代中國小說裏反覆出現。王蒙筆下的林震（〈組織部來了個年輕人〉），小說最後滿懷希望地敲開區委一把手周書記的門……在周梅森《人民的名義》中，正、反官員對峙的緊要關頭，桌上的紅機子就響起來了 —— 北京來電。官場鬥爭層層有忠奸對立模式，不同的是，劉鶚筆下的莊宮保，卻是更複雜的人物，也是更嚴酷的政治現實。招賢納士賞識老殘的是宮保；重用了玉賢、剛弼等酷吏的也是宮保；聽了史鈞甫建議，治理黃河傷害無數百姓的，亦是宮保；之後又心痛疾首，派船給災民送饅頭的還是宮保。

衝上衙門那一瞬間，老殘不會看到或者說不想看到宮保後面，還有軍機處、公公們和老佛爺等。李伯元早已寫出「官場」遊戲規則的不同級別與相同結構。老殘是俠，是衝動的堂吉訶德，他不是沉思的哈姆雷特。目睹官場醜惡，李伯元是看透根

源，無差別批判。吳研人對怪現狀見怪不怪。曾樸對書生入官場，有期待有失望。但老殘是真的生氣，也有生氣。文人、武士都是要有點傻有點衝動才能為俠。當然，《老殘遊記》的浪漫精神也附有兩個現實主義注釋：江湖郎中先賺到足夠的錢，身上又有高官的信。現實中，劉鶚流放烏魯木齊而死，小說裏，老殘卻能夠為翠環贖身。

幾天以後，省裏派來一個姓白的官員，他和縣官、剛弼、人瑞一起吃飯時，老殘被尊為上坐。白官員通過審問月餅裏邊不含砒霜的細節，排除了賈魏氏父女的罪責，當庭釋放。剛弼很鬱悶，原想指責老殘，還派人收集老殘的黑材料（受賄、買妓女）。可是聽說上峰很器重這個江湖醫生，便也無話可說。規則是，眼睛必須往上看。

白官員只是判定賈魏氏冤枉，誰是罪人他交給老殘來做福爾摩斯。「福爾摩斯」這個文化符號在小說裏，和翠環、衙門、鴉片並置，提醒讀者這已經是二十世紀！小說裏幾個重要情節，都跟判案有關。白公排除了月餅下毒，問答非常具體實在，絲絲入扣，真像本格派偵探小說。之後老殘受官方委託微服探訪，近乎武俠小說情節。搖鈴郎中巧遇剛被釋放的魏老頭，正好又有工人王二見證吳二浪子下毒。王二不肯作證，要二百兩銀子誘惑。法庭倒也並不顧忌利誘作供。最後結尾更充滿俠客小說的浪漫：老殘不僅找到真正的兇手（賈家女兒的情夫吳二），而且還上泰山玄珠洞，找到了青龍子，獲得了解藥「返魂香」。再將十三個棺材打開，煙熏幾繞以後，眾人復活，冤案平反，人命重生，這真是《老殘遊記》的光明尾巴。

三、眼前路，都是從過去的路生出來的

　　漢學家普實克（Jaroslav Průšek）說：「《老殘遊記》是古老的中國文明在其衰落之前的最後一首偉大讚歌。」「在二十世紀初的所有作品當中，《老殘遊記》可能最接近於現代文學。」[22] 在我看來，現代文學也很少有作品超越《老殘遊記》的藝術水平。和其他幾部譴責小說一樣，《老殘遊記》關注的焦點還是官場。但特點是第一，更注意官場和民間的直接利害衝突。玉賢的站籠、剛弼的斷案，直接牽涉民眾的人命。宮保治黃河更是損害了多少萬人民的家園生命，「官民對立」，這個晚清譴責小說主題在《老殘遊記》中表現得十分尖銳。第二，民眾裏邊也包括財主，劉鶚的官民關係跟後來的「階級論」不同。第三，李伯元、吳趼人、曾樸都冷觀或怒斥官場貪腐成風，《老殘遊記》卻揭示了貪腐並不是官場的唯一危機。有些官員號稱清官，或者也有才，他的官也不是捐來的，是考出來的。但如果專制、不聽意見、無仁慈之心，如玉賢、剛弼，照樣可以禍國殃民。

　　晚清是二十世紀中國小說中，描寫官場政治最全面、最大膽的一個時期。這是一個很短的時期，後來再也沒有了。這是因為晚清的政治極其腐敗，同時也因為這種腐敗政治又給租界報人作家留下創作的地理和心理空間。五四以後，作家不再把「官場」作為解釋、分析中國社會的核心或焦點。五四以後作家更關心人（延安以後文學的關鍵字則是「人民」）。到底是官場決定社會，還是社會決定官場？是有這樣的皇帝，才有這樣的百姓？還是有這樣的百姓，必然有這樣的皇帝？思考這些問題的

時候，五四小說把文學關注的焦點，從官場轉到了國人。這是
五四和晚清的一個關鍵區別。

《老殘遊記》除了混雜社會譴責與俠義公案，同時還有青樓
小說的痕跡。後半部鐵英跟黃人瑞在黃河邊客棧說話，兩個女
人在旁邊燒煙、倒茶伺候，最後老殘為翠環贖身。頗老套的大
團圓情節，既延續「青樓家庭化」傳統，也開啟知識分子拯救落
難女子的二十世紀愛情小說模式。老殘將翠環名字改成環翠，
說是顛倒次序，丫頭便成了小姐 —— 這是知識分子自以為文化
力量（符號命名權）可以改變弱勢羣體的命運。俠客與公堂的矛
盾，具體表現在老殘與官府的既對抗又利用的關係。老殘用以
批判和糾正酷吏的文俠行為，實際處處依靠他被更高的官賞識
這麼一個基礎。也就是說，他人在體制外，所以說是「俠」；心
在體制中，是理想主義的「義」。

今天讀來，《老殘遊記》同時觸及了二十世紀中國小說的三
組最重要的人物關係 —— 官場與民眾關係：欺負壓迫；士大夫
與民眾關係：路見不平／文人救美；官場與知識分子關係，是
互相「利用」：器重、推卻、勸告、獨立……

從形式上看，《老殘遊記》又是二十世紀中國最早的抒情小
說，小說敘事形式表面還是章回體，但主要人物就是情節主線，
人物心情就是風景文字。老殘在黃河邊看雪景：「抬起頭來，看
那南面的山，一條雪白，映着月光分外好看。一層一層的山嶺，
卻不大分辨得出，又有幾片白雲夾在裏面，所以看不出是雲是
山。及至定神看去，方才看出那是雲、那是山來。雖然雲也是
白的，山也是白的，雲也有亮光，山也有亮光，只因為月在雲

上，雲在月下，所以雲的亮光是從背面透過來的。那山卻不然，山上的亮光是由月光照到山上，被那山上的雪反射過來，所以光是兩樣子的。然只就稍近的地方如此，那山往東去，越望越遠，漸漸的天也是白的，山也是白的，雲也是白的，就分辨不出甚麼來了。」[23]

　　這段文字和雪夜路人、聞虎嘯，還有黑白妞唱大鼓一樣，是現代中文的樣本。1929 年最早英譯《老殘遊記》片斷，就是翻譯了黑妞、白妞說書的那一段，題為〈歌女〉(The Singing Girl)。魯迅評《老殘遊記》強調兩點，第一個就是「清官之可恨，或尤甚於贓官」，這在是言人所未言。二是「敍景狀物，時有可觀」。後來聯合國教科文組織認定《老殘遊記》是世界文學名著。隨着時間的推移，一百年、五百年以後，也許《老殘遊記》在中國文學史上，其文學地位還會上升。只是不知道那個時候，他所描寫的那些貪官清官會怎麼樣。

　　小說裏有段話，老殘去泰山玄珠洞尋找青龍子，中途在千佛山腳下問路。一個長者對他說：「我對你講，眼前路，都是從過去的路生出來的；你走兩步，回頭看看，一定不會錯了。」[24]

注

1　魯迅：《中國小說史略》，《魯迅全集》第九卷（北京：人民文學出版社，2005 年），頁 289。

2　胡適：《〈老殘遊記〉序》，（清）洪都百鍊生著；汪原放標點：《老殘遊記》（新式標點）（上海：亞東圖書館，1925 年）。

3　夏志清："The Travel of Lao Ts'an: An Exploration of Its Art and Meaning" 原刊 *Tsing Hua Journal of Chinese Studies* 7-2(1969)。黃維樑中譯：〈老殘遊記新論〉，《夏志清論中國文學》（香港：香港中文大學出版社，2017 年），頁 214。

4　「甲骨四堂」(中國近代四位研究甲骨文的著名學者):羅振玉 (號雪堂)、王國維 (號觀堂)、郭沫若 (字鼎堂)、董作賓 (字彥堂)。

5　據《老殘遊記》英譯者謝迪克 (Harold Shadick):「山東巡撫張曜邀劉鶚入其衙門,作治水顧問。1890 至 1893 年他一直留在山東任此職。」Liu T'ieh-yün, *The Travels of Lao Ts'an*, (USA: Cornell University Press, 1952), p11.

6　明、清時木製刑具。木製囚籠,上下分層,囚犯納於其中,無法蜷伏也不能屈伸,常用於審訊逼供重罪犯。

7　夏志清:《夏志清論中國文學》(香港:香港中文大學出版社,2017 年),頁 377。

8　劉鶚:《海上文學百家文庫・劉鶚卷》(上海:上海文藝出版社,2010 年),頁 37。

9　同注 8,頁 39。

10　同注 8,頁 40。

11　同注 8,頁 45。

12　同注 7,頁 222。

13　同注 7,頁 379。

14　同注 8,頁 49。

15　同注 8,頁 49。

16　同注 8,頁 53。

17　「王小玉便啟朱唇,發皓齒,唱了幾句書兒。聲音初不甚大,只覺入耳有說不出來的妙境,五臟六腑裏,像熨斗熨過,無一處不伏貼,三萬六千個毛孔,像吃了人參果,無一個毛孔不暢快。唱了十數句之後,漸漸的越唱越高,忽然拔了一個尖兒,像一線鋼絲拋入天際,不禁暗暗叫絕。那知他於那極高的地方,尚能迴環轉折;幾轉之後,又高一層,接連有三、四迭,節節高起,恍如由傲來峰西面攀登泰山的景象:初看傲來峰削壁千仞,以為上與天通;及至翻到傲來峰頂,才見扇子崖更在傲來峰上;及至翻到扇子崖,又見南天門更在扇子崖上——越翻越險,越險越奇。那王小玉唱到極高的三、四迭後,陡然一落,又極力騁其千回百折的精神,如一條飛蛇在黃山三十六峰半中腰裏盤旋穿插,頃刻之間,周匝數遍……」同注 8,頁 18-19。

胡適:「這一段寫唱書的音韻,是很大膽的嘗試。音樂只能聽,不容易用文字寫出,所以不能不用許多具體的物事來作譬喻。白居易《《琵琶行》》、歐陽修《《秋聲賦》》、蘇軾 (赤壁賦) 都用過這個法子。」「劉鶚先生在這一段裏連用了七八種不同的譬喻,用新鮮的文字、明瞭的印象,使讀者從這些逼人的印象裏,感覺那無形象的音樂的妙處。這一次的嘗試總算是很成功的了。」同注 2。

18　同注 8,頁 83。

19　同注 7,頁 216。

20　舊時夾手指的刑具。

21　同注 8,頁 127。

22　普實克:《普實克中國現代文學論文集》(長沙:湖南文藝出版社,1987 年),頁 130。

23　同注 8,頁 91。

24　同注 8,頁 159。

二十世紀的文言小說

　　梁啟超的小說理論和晚清譴責小說，在感時憂國、批判現實和白話語言三個方面，都對「五四」以後的新文學有直接的影響，但這種影響至少在時間上不是無縫銜接。在二十世紀初小說革命和「五四」新文學革命中間，差不多有十幾年，隔着一個很不相同的「鴛鴦蝴蝶派」。

　　在四部晚清譴責小說發表的同時或之後，文壇上出現了很多的「現形記」和「怪現狀」：其中有《學生現形記》（1906 年）、《商界現形記》（1911 年）、《女界現形記》（年代不詳）、《革命現形記》（1909 年）、《官場怪現狀》（1911 年）、《近十年目睹之怪現狀》（1910 年）等等。既是文學市場化的模仿規律，也說明梁啟超理論的巨大影響。但這種小說救世的風氣為時不久，據陳伯海、袁進的《上海近代文學史》，1906 年上海廣智書局出版吳趼人的長篇小說《恨海》，標誌了文壇風氣的轉變，從「社會批判」轉向「鴛鴦蝴蝶」。[1] 林琴南翻譯《巴黎茶花女遺事》是影響風氣轉變的一個原因。

像《官場現形記》和《怪現狀》那樣用一部小說羅列展覽幾十上百個醜惡官場故事，很容易令讀者審美（或審醜）疲勞。近現代報刊及小說市場，本來就有滿足市民閱讀需求的經濟責任。在吳趼人《恨海》同一時期或稍後，接連有符霖的《禽海石》（1906年）、李涵秋的《雙花記》（1907年）、小白的《鴛鴦碎》（1908年）、天虛我生的《可憐蟲》（1909年）。再加上孫家振的《海上繁華夢》(1915年)，張春帆的《九尾龜》(1910年)等狎邪青樓小說，可以說在1906年之後十幾年間，不僅上海印刷工業成為言情文學潮流（也是當時中國文學潮流）的生產基地，而且吳福輝統計過，鴛鴦蝴蝶派作家大都來自靠近上海的江南地區，徐枕亞、吳雙熱是常熟人，李定夷是常州人，李涵秋是揚州人，周瘦鵑、包天笑為吳縣籍，等於是蘇州人……[2]

這個時期作家們的創作態度其實有些矛盾。一方面受到梁啟超小說革命思想的影響，比方李涵秋雖然是鴛鴦蝴蝶派，可他說：「我輩手無斧柯，雖不能澄清國政，然有一支筆在，亦可以改良社會，喚醒人民。」[3]所以寫言情小說出名同時，他又創作歷史小說《廣陵潮》。標榜娛樂的《禮拜六》雜誌，亦聲稱「愛國心偏苦，朝中知不知」。[4]徐枕亞也強調過文學的社會功能：「小說之勢力，最足以普及於社會，小說之思想，最足以感動夫人之心。得千百名師益友，不如得一二有益身心之小說」。[5]但同樣是徐枕亞，在《玉梨魂》出名後接連重複書寫自身悲劇並辦雜誌《小說叢報》，在發刊詞中主張：「原夫小說者，俳優下技，難言經世文章；茶酒餘閒，只供清談資料。」「有口不談家國……寄情只在風花……」[6]當然，《禮拜六》的娛樂口號更加直接：「買笑耗金

錢，覓醉礙健康，顧曲苦喧囂，不若讀小說之省儉而安樂也。」[7]
不僅說小說可以消閒，而且還便宜、節約。去找妓女要花錢，喝
酒對身體不好，所以看看小說，享受省儉而安樂的白日夢吧。鴛
鴦蝴蝶派大師周瘦鵑最早編的雜誌《快活》中有〈《快活》祝詞〉，
是一個典型的文學遊戲宣言：

> 現在的世界，不快活極了，上天下地充滿着不快活的
> 空氣，簡直沒有一個快活的人。做專制國的大皇帝，總算快
> 活了，然而小百姓要鬧革命，仍是不快活。做天上的神仙，
> 再快活沒有了，然而新人物要破除迷信，也是不快活。至於
> 做一個尋常的人，不用說是不快活的了。在這百不快活之
> 中，我們就得感謝《快活》的主人，做出一本《快活》雜誌，
> 給大家快活快活，忘卻那許多不快活的事。[8]

一、鴛鴦蝴蝶派的興起

　　世俗、消閒、遊戲、娛樂，其實本來就是「小說」這個文類
的固有傳統，鴛鴦蝴蝶派文學後來在整個二十世紀中國文學發
展當中，或隱或顯始終存在。消閒娛樂至今也還是流行文學和
網路文學的理論基礎。但是鴛鴦蝴蝶派真正佔據文壇主流地位，
主要是在 1906 到 1918 年，在小說界革命和「五四」之間，在梁
啟超和魯迅之間。

　　清末民初上海的言情文學，比較之前的狎邪青樓小說，有
傳承又有區別。魯迅在 1931 年 8 月 12 號在上海有個演講，對

晚清民初青樓—言情小說,有一番淺顯但又刻薄的概括形容。

> 那時的讀書人,大概可以分他為兩種,就是君子和才
> 子。君子是唯讀四書五經,做八股,非常規矩的。而才子卻
> 此外還要看小說,例如《紅樓夢》。才子原是多愁多病,要
> 聞難生氣,見月傷心的。一到上海,又遇見了婊子。……於
> 是才子佳人的書就產生了。內容多半是,惟才子能憐這些風
> 塵淪落的佳人,惟佳人能識坎坷不遇的才子,受盡千辛萬苦
> 之後,終於成了佳偶,或者是都成了神仙。[9]

被魯迅嘲諷的這一種比較理想化的青樓愛情夢,比如魏子
安的《花月痕》,有心重寫寶黛故事,恩客韋癡珠終生潦倒,和
風塵女子劉秋痕的關係是浪漫悲劇。另一對恩客和妓女,韓荷生
才兼文武,屢見奇功,終得封侯,杜采秋最後變成了一品夫人。
《花月痕》不僅寫愛情淒婉動人,而且炫耀才華,文字功夫了得。
據說「鴛鴦蝴蝶派」這個名稱,就來自於《花月痕》第三十一回
裏邊的一句話,「卅六鴛鴦同命鳥,一雙蝴蝶可憐蟲」。[10] 這種
理想主義言情小說還可上溯到描寫同性戀的《品花寶鑒》,陳森
的人物必有三種美德:「情」——愛情或者感情能力;「才」——
文學才華;「愁」——感傷能力。王德威總結過:「沒有這三種美
德的人,不配談愛」。[11] 就像世界上顏色都是紅、藍、綠,鴛鴦
蝴蝶派的三原色就是情、才、愁。《玉梨魂》是情、才、愁三結
合的著名典範。夏志清更認為像《玉梨魂》這樣的「愛情悲劇充
分運用了中國舊文學中一貫的『感傷—言情』(sentimental-erotic)

傳統；此一長久延續的光輝傳統，可見於李商隱、杜牧、李後
主等的詩詞，以及《西廂記》、《牡丹亭》、《桃花扇》、《長生殿》、
《紅樓夢》等的戲劇和小說。……《玉梨魂》正代表了此傳統的最
後一次的開花結果。」[12]

　　如果夏志清這個大膽說法成立，那麼至少早期駢文鴛鴦蝴
蝶派，就不僅只是被林培瑞等學者當作大眾集體夢想來解讀的
現代通俗文學。[13] 好像新派武俠小說，其實也在延續司馬遷以來
的「千古文人俠客夢」，從徐枕亞張恨水到瓊瑤亦舒，二十世紀
言情小說是否也在有意無意之間複製舊中國文學的「感傷—言
情」？因為有世俗人心羣眾基礎，雖然後來五四新文學和革命
文學佔盡優勢，但鴛鴦蝴蝶派從來沒有被徹底消滅。《玉梨魂》
這部二十世紀的文言小說，正正體現了從舊式文人自我療傷到
二十世紀言情生產的轉折和過渡。

　　魯迅認為晚清狎邪小說在紅塵女子身上寄託愛情理想，其
實是才子們的自作多情。「佳人才子的書盛行的好幾年，後一輩
的才子的心思就漸漸改變了。他們發見了佳人並非因為『愛才若
渴』而做婊子的，佳人只為的是錢。然而佳人要才子的錢，是不
應該的，才子於是想了種種制伏婊子的妙法，不但不上當，還佔
了她們的便宜。敘述這各種手段的小說就出現了，社會上也很
風行，因為可以做嫖學教科書去讀。這些書裏面的主人公，不再
是才子＋呆子，而是在婊子那裏得了勝利的英雄豪傑，是才子＋
流氓。」[14]

　　最後一句「才子＋流氓」很有名，魯迅三十年代初做這個演
講時可能有點借題發揮諷刺海派革命文學和創造社郭沫若等人。

在學術著作中魯迅曾區分晚清青樓小說三種傾向,「作者對於妓家的寫法凡三變,先是溢美,中是近真,臨末又溢惡」。[15]「溢美」是將性工作者理想化,在風月場上尋找高尚愛情。「溢惡」即醜化性工作者,男人炫耀嫖界計謀和手段。典型代表如張春帆的《九尾龜》,小說中某官員有五個姨太太,他的姨太太及親人都出軌,每人給他一頂綠帽,所以叫「九尾龜」。但是真正的主角卻是一個叫章秋穀的有才華、有本領的帥哥,playboy,江南名士,玩弄女性的高手。很多人認為此書是教人墮落的嫖界指南。在「溢美」跟「溢惡」以外,魯迅很欣賞韓邦慶的《海上花列傳》「近真」。後來胡適、張愛玲也都十分推崇《海上花列傳》,我們以後在討論郁達夫小說時再論。

魯迅又分析晚清青樓小說如何衰落和轉化:「才子＋流氓的小說,但也漸漸的衰退了,那原因,我想,一則因為總是這一套老調子 —— 妓女要錢,嫖客用手段,原不會寫不完的;二則因為所用的是蘇白,如甚麼倪＝我,耐＝你,阿是＝是否之類,除了老上海和江浙的人們之外,誰也看不懂。⋯⋯這時新的才子＋佳人小說便又流行起來,但佳人已是良家女子了,和才子相悅相戀,分拆不開,柳蔭花下,像一對蝴蝶,一雙鴛鴦一樣,但有時因為嚴親,或者因為薄命,也竟至於偶見悲劇的結局,不再都成神仙了 —— 這實在不能不說是一個大進步。⋯⋯《眉語》[16]出現的時候,是這鴛鴦蝴蝶式文學的極盛時期。後來《眉語》雖遭禁止,勢力卻並不消退,直待《新青年》盛行起來,這才受了打擊。」[17]

魯迅這段評述告訴我們,第一,鴛鴦蝴蝶派和之前狎邪青

樓小說的明顯區別是：佳人也是良家女子，男人終於可以和妓院以外的女人談戀愛了。第二，鴛鴦蝴蝶派是因為《新青年》的流行才消退的。

二、小說中的文言與白話

人民文學版《魯迅全集》對「鴛鴦蝴蝶派」有如下注釋：「鴛鴦蝴蝶派興起於清末民初，先後辦過《小說時報》、《民權報》、《小說叢報》、《禮拜六》等刊物。因《禮拜六》影響較大，所以也稱為『禮拜六派』。代表作家有包天笑、陳蝶仙、徐枕亞、周瘦鵑、張恨水等等。」[18] 徐枕亞的《玉梨魂》一般被認為是鴛鴦蝴蝶派的代表作。可是今天讀者打開《玉梨魂》，恐怕不會得到通俗的消閒，因為語言的關係。

試讀小說正文第一段：

> 曙煙如夢，朝旭騰輝。光線直射於玻璃窗上，作胭脂色。窗外梨花一株，傍牆玉立，艷籠殘月，香逐曉風。望之亭亭若縞袂仙……香雪繽紛，淚痕狼藉，玉容無主，萬白狂飛，地上鋪成一片雪衣。此時情景，即上羣玉山頭，遊廣寒宮裏，恐亦無以過之。而窗之左假山石畔，則更有辛夷一株，輕苞初坼，紅艷欲燒，曉露未乾，壓枝無力，芳姿嫋娜，照耀於初日之下，如石家錦障，令人目眩神迷。[19]

這樣的語言不是一段，而是整章整篇。比較一下《官場現形記》第一卷第一段：「話說陝西同州府朝邑縣，城南三十里地方，原有一個村莊。這莊內住的只有趙、方二姓，並無他族。這莊叫小不小，叫大不大，也有二三十戶人家。」[20]

再看《孽海花》的第一段：「卻說自由神，是哪一位列聖？敕封何朝？鑄象何地？說也話長。如今先說個極野蠻自由的奴隸國。在地球五大洋之外，哥倫布未闢，麥哲倫不到的地方，是一個大大的海，叫做『孽海』。那海裏頭有一個島，叫做『奴樂島』。」[21]

《老殘遊記》的第一段：「話說山東登州府東門外有一座大山，名叫蓬萊山。山上有個閣子，名叫蓬萊閣……」「卻說那年有個遊客，名叫老殘。此人原姓鐵，單名一個英字，號補殘。因慕懶殘和尚煨芋的故事，遂取這『殘』字做號。大家因他為人頗不討厭，契重他的意思，都叫他老殘。不知不覺，這『老殘』二字便成了個別號了。」[22]

將幾部小說的首段文字並列起來，不難看到，世紀初最重要的社會批判小說都已在使用白話，和五四以後的文學語言差別不大，反而是消閒通俗的鴛鴦蝴蝶派作品，卻使用精美修飾的文言駢體。不是某些段落，幾乎是整個長篇，中間還夾帶了很多舊體詩詞和書信，更加書面化。

二十世紀的文言小說至少有兩種解讀的可能：或者早期鴛鴦蝴蝶派並不只是追求通俗和娛樂？或者當時追求娛樂消閒的讀者們，大都也是讀書人？

主人公夢霞是個男人。「夢霞姓何名憑，別號青陵恨人，籍

隸蘇之太湖。」「夢霞固才人也、情人也，亦愁人也。」徐枕亞
與王德威英雄所見略同，才、情、愁三者不可缺。夢霞二十一
歲，在蘇州某校教書，到遠房親戚崔家寄宿，兼職家庭教師。學
生是崔長者的八歲孫子，崔家長子已經去世。家庭富裕，房子很
大，傭人眾多。小孩鵬郎的母親就是小說女主角梨娘，二十七
歲，非常有才學。小說從第三章開始，就搭好戀愛戲舞臺。好
不容易當時「才、情、愁」男子可以和風月場外的良家女子談戀
愛了，這次碰到的卻不是鶯鶯般閨秀，或黛玉般表妹，偏偏命定
迷戀一個年輕寡婦，於是便演變出一場難度很高的姊弟戀。「美
人薄命，名士多情，五百年前孽冤未了。夢霞不來，而梨娘之怨
苦；夢霞來，而梨娘之恨更長矣。」

　　梨娘開始只是關心兒子的教育，偷窺家庭教師上課。看到
老師溫厚有禮，兒子學習進步，心中有了好感。夢霞看着人家書
香氛圍，便知主人賢淑。並未見面，「……兩人暗中一線之愛情，
已怦怦欲動矣。夢霞傾慕梨娘之心甚殷，愛憐梨娘之心更摯，因
慕而生戀，因戀而成癡。」[23]「生戀」，「成癡」，面對面說話的機會
還沒有，兩人已是「望風灑淚，兩人同此癡情；對月盟心，一見
便成知己」。這個階段，男主人公住在崔家其實相當舒服。「日
則有崔父助其閒談，夜則有鵬郎伴其岑寂。衣垢則婢媼為之洗
滌，……地污則館僮為之糞除」。[24] 大家對家庭教師這麼好，也
是因為梨娘的意思。兩人關係再進一步，就要靠文字。「此侯朝
宗所以鍾情於李香君，韋癡珠所以傾心於劉秋痕也……夢霞之於
梨娘亦猶是焉耳」。文本互涉，直接道出了《玉梨魂》與《花月痕》
的精神聯繫。第一章〈葬花〉，當然更是向《紅樓夢》第二十三回

致敬偷魂，不過曹雪芹寫黛玉遠比《玉梨魂》更接近白話。

　　一番詩文相思後，終有小突破，某晚夢霞不在，梨娘悄悄進房，拿走夢霞詩稿。因為這事，夢霞寫了第一封情書，叫學生帶給他母親。「此日先傳心事，桃箋飛上妝台；他時或許面談，絮語撰開繡閣。梨娘讀畢，且驚且喜，情語融心，略含微惱，紅潮暈頰，半帶嬌羞。始則執書而癡想，繼則擲書而長嘆，終則對書而下淚」。女人收到信，先癡想，後長嘆，最後對書下淚的。為甚麼？道理很簡單：寡婦要守節，再戀愛是不可能的。「梨娘之心如此，則兩人將從此撒手乎？」「而作此《玉梨魂》者，亦將從此擱筆乎？」你們不談了，作家就不寫了？當然不可能，這才第四章，全書有三十章，轉捩點是第十三章。從第四到第十三章，兩個人就是有文化地「作」（讀第一聲，發嗲、做作），駢體相思、文言折騰。

　　夢霞寄信以後心神不定，十分誇張，「夢霞一念旋生，一念旋滅，如露、如電，頃刻皆幻……然夢霞已為一縷情絲牢牢縛定，神經全失其作用，不覺惶急萬分，歷碌萬狀，彷徨不定，疑懼交加。此夜夢魂之顛倒，夢霞亦自覺從未如此，五更如度五重關耳。」第二天梨娘的回信來了，「人海茫茫，春閨寂寂，猶有人念及薄命人……此梨影之幸矣！然梨影之幸，正梨影之大不幸也。……梨影自念，生具幾分顏色，略帶一點慧根……今也獨守空幃，自悲自吊，對鏡而眉不開峰，撫枕而夢無來路。畫眉窗下，鸚鵡無言；照影池邊，鴛鴦欺我」。

　　文言鴛鴦，駢體蝴蝶，兜兜轉轉、自憐自愛。梨娘自我安慰，也安慰男人：「自古詩人，每多情種；從來名士，無不風流。

夫以才多如君，情深如君，何處不足以售其才？何處不足以寄其情。」然而寡婦表白，「此日之心，已如古井，何必再生波浪，自取覆沉」，所以婉言相拒，「要是有情，來世相會……」。

我讀信時首先在想，這信要是被兒子（梨娘的兒子也識字了）看到，或者被公公看到怎麼辦？貌似拒絕，其實情意綿綿。而且男女同宅，花園近在咫尺，寫這麼長的信，還不見面，眉目傳情不行嗎？徐枕亞好像知道了我們讀者的想法，立刻說明：關於男人的尋芳之思，女人的懷春之意之類，「記者（作者）雖不文，決不敢寫此穢褻之情，以污我寶貴之筆墨，而開罪於閱者諸君也。此記者傳述此書之本旨，閱此書者，不可不知者也。」

告訴你們：男女眉來眼去的、挑逗的，甚至要 touch 皮膚的種種……，我是不寫的。我們是「鴛鴦蝴蝶」，重在苦苦相思，絕望感傷，不追求官能刺激，青樓指南。那時如有書報檢查官員，一定很滿意這麼乾淨的戀愛，這麼清潔的精神。誰想看「此處刪去多少字」，別來我這裏。

夢霞感到癡情無望，「一歌而悶懷開，再歌而酒情湧，三歌而哭聲縱」，唱歌，醉酒，痛哭，然後就生病了。在中國言情小說中，「愛情是一種病」不是隱喻。一定要生病，你不病，這不叫愛。病得越重，愛得越深。所以梨娘用書信詩詞安慰。男人漸漸病情好轉，兩人還是不敢接近，「發乎情，止乎病」。夢霞寫信：「愛卿、感卿而甘為卿死……一言既出，駟馬難追……情果不移，一世鴛鴦獨宿」，「憔悴餘生，復何足惜！願卿勿復念僕矣」，兩人其實還沒有直接見面，談戀愛，只是寫詩，已經發誓。

梨娘讀信以後，「淚似珠聯，心如錐刺，初不料夢霞之癡，

竟至於此也……閱者諸君亦知梨娘得書之後,欲拋拋不得,欲戀戀無從,血共魂飛,心和淚熱……不三日,而梨容憔悴,病重三分矣」。男的剛剛好,女的接着病,病得更嚴重。看來「才情愁」之外,還得加上第四個基本原則:「病」。「相持不決,兩敗俱傷。為梨娘危,又為夢霞危矣。」就這樣,雙方一直從第四回「作」到第十三回,突然有了轉機。

崔家小姑筠倩從城裏回來了。梨娘覺得受了新式教育的十七歲小姑和夢霞很配,突然腦洞大開想出一個接木移花之計。「以筠倩之年、之貌、之學問、之志氣,與夢霞洵屬天然佳偶。我之愛筠倩,無異於愛夢霞,就中為兩人撮合,事亦大佳。」這個小說後來大賣,可能就是因為這個奇葩情節。我愛但是得不到,我就把身邊最親近的人交給我最愛的人,讓兩個我最愛的人在一起。多麼高尚的中國傳統愛情,應該值得好好……研究?更奇妙而且值得深思的是,之前信誓旦旦只愛梨娘的男人,得知這移花接木之計,竟然也沒有堅決反對,說考慮一下。是一時無法拒絕梨娘好意?還是真的滿足男人某種潛意識夢想?說考慮考慮,夢霞先回家鄉。其間有一同事搗亂,送假信破壞男女主角關係。也因為這些假信,造成誤會,反而促使了夢霞和梨娘的第一次半夜私會。私會當中流淚訴衷情,共同商量怎麼應對外界壓力。在梨娘苦心勸說下,夢霞真的托向崔父去提親,要娶筠倩。崔老爺喜歡這個家庭教師,馬上同意,但是要求入贅。小姑雖然接受新式教育,相信婚姻自由,但人居然經不起嫂嫂勸說,且不能違背父親的意志,於是婚事已定。

但夢霞還是覺得此事荒唐,就寫信給梨娘抱怨。梨娘說,

我可是為你們好，委屈我自己，所以剪髮絕情。男主角則寫血書作答。其實到此時，兩人才第二次見面 —— 他們不知道此生只有這兩次見面。婚事當前，夢霞和梨娘都覺得自己是犧牲品。其實小姑，更有理由說說自己才是犧牲品。三個當事人都在犧牲，這是怎樣的鴛鴦蝴蝶風的「三人情」！

小說最後五章，劇情急轉直下。收到男人血書，梨娘也意識到移花接木計荒唐：「我以愛夢霞者，誤夢霞，以愛筠倩者，誤筠倩矣。我一婦人而誤二人，因情造孽，不亦太深耶！我生而夢霞之情終不變，筠倩將淪於悲境；我死而夢霞之情亦死，或終能與筠倩和好」。就是說，只要我在這世上，夢霞就不會喜歡小姑，所以還是悲劇。不如我死了，他們就會相愛。「我深誤筠倩，生亦無以對筠倩，固不如死也。我死可以保全一己之名節，成就他人之好事」。對男人的愛情太有信心，自己又太有聖母精神，臨死仍想着要保全名節。一旦有心去死，她就真的一病不起。等到夢霞從家鄉回來，女主人梨娘已經病故。嚴肅文學常寫「生在這世上，沒有一樣感情不是千瘡百孔的」，[25] 鴛鴦蝴蝶派的愛情，原來這麼高尚，先人後己，犧牲自己。

最重要的情節發展，是小姑在梨娘的遺體胸前發現一封信，留給她的，說明了真情。說是我「愛妹者負妹，此余始料所不及也。余今以一死報妹……余自求死，本非病也」，而且梨娘承認：「余身已不能自主，一任情魔顛倒而已。」所以安排妹的婚事，也是自求解脫，結果發現「妹以失卻自由，鬱鬱不樂，余心為之一懼」。總而言之，只有今日一死，妹妹和夢霞就會有一生幸福。讀信以後的小姑非但沒去追求生活幸福，反而覺得嫂嫂

愛我，為我而死，我又「何惜此薄命微軀，而不為愛我者殉耶？」小說最後兩章已經不是第三人稱了，是朋友石癡的記述，找到了小姑病死前的日記。原來小姑不久也病死，引用了西言：不自由，毋寧死。「最可痛者，誤余而制余者，乃出於余所愛之梨嫂……余非惟不敢怨嫂，且亦不敢怨夢霞也。」一樣可憐蟲，幾隻同命鳥。誰也無法怪誰。筠倩的病越重，日記越淒涼，「泉路冥冥，知嫂待余久矣，余之歸期，當已不遠。余甚盼夢霞來，以余之衷曲示之，而後目可瞑也……余死之後，余夫必來，余之日記，必能入余夫之目，幸自珍重，勿痛余也」。

不知怎麼回事，男主角在筠倩病死的時候還沒趕到。最後夢霞就去參加辛亥革命，死於戰場。

三、作家自敍傳

《玉梨魂》的這些情節，本來可以置疑。寡婦戀愛越界，絕望到讓家人移花接木，雖然荒誕但也不是完全不可能。問題是男人居然接受，令人懷疑他的癡心誓言。更不可思議是小姑何以不拒絕？她到底為甚麼而成親？為甚麼而殉情？這麼荒誕離奇的故事，卻能夠被當時的讀者接受（小說兩年熱銷幾萬冊），關鍵原因就是作品中最不可思議的核心情節，竟是作家親身經歷。

徐枕亞，江蘇常熟人，十四歲入讀虞南師範學校，二十歲在無錫西倉鎮鴻西小學堂任教，與學生寡母陳佩芬相戀。次年與陳的姪女（不是小姑）蔡蕊珠結婚。《玉梨魂》的核心故事——男人與自己戀人的親屬成婚，竟是徐枕亞的自敍傳（作品是作家

自敍傳，遠非郁達夫首創）。這是一個恐怕連編都編不出來的情節——所以不是編的。中國古代愛情文學無數，描寫寡婦戀愛的為數極少，更遑論演變成三人行。小說當然修改了部分事實，除了戲劇性的三人死亡悲慘結尾外，還有兩個微妙改動。夏志清引用黃天石的說法：「陳姓寡婦容貌相當動人，但她一隻腳有點跛。」[26] 這個生理缺點在作品裏當然被「美圖秀秀」了，免得喜歡鴛鴦蝴蝶的讀者掃興。1997年《蘇州雜誌》第一期發表時萌的文章〈《玉梨魂》真相大白〉[27]，說「佩芬沒有梨娘貞潔，她在房內夜會情人時最終屈服他的激情之下。」而且後來，枕亞雖然強烈抗議，但「還是順從了佩芬的轉告與她的姪女蔡麗珠成婚。」[28] 相比之下，夜會激情令今人覺得更加真實，寡婦守節則使令當時的讀者更加感動。

言情小說的真正關鍵，不在情，而在禮。只有堅守禮教底線，情感才能令人欲仙欲死。《玉梨魂》一方面從情節、文字兩方面都加倍誇張了《西廂記》、《牡丹亭》、《紅樓夢》的感傷—言情傳統，同時又的確開啟了現代文化工業意義上的「鴛鴦蝴蝶」風格。初寫《玉梨魂》，作者只是用駢體文言表述自己的難言血淚，是言情也是言志。小說在《民權報》出版後大賣，徐枕亞卻因是報社職員拿不到版稅。他不甘心，訴之法院，勝訴後便自辦《小說叢報》，並將同一故事改寫成日記體的《雪鴻淚史》。鴛鴦蝴蝶派和後來的革命文學一樣，不僅是作家寫作，也是讀者、評家、市場與社會的共同創造。徐枕亞的《玉梨魂》紀錄了文人個人療傷向言情文化生產的具體轉化過程。

注

1　陳伯海、袁進主編：《上海近代文學史》（上海：上海人民出版社，1993年），頁292。

2　吳福輝：《中國現代文學發展史》（北京：北京大學出版社，2010年），頁69。

3　李鏡安：〈先兄涵秋事略〉，轉引自陳伯海、袁進：《上海近代文學史》（上海：上海人民出版社，1993年），頁318。

4　〈禮拜六‧讀者題詞〉，《禮拜六》第一百期。

5　徐枕亞：〈枕亞浪墨‧答友書論小說之益〉，轉引自陳伯海、袁進：《上海近代文學史》（上海：上海人民出版社，1993年），頁319。

6　徐枕亞〈小說叢報‧發刊詞〉，《小說叢報》第一期，1914年。

7　王鈍根：〈《禮拜六》出版贅言〉，《禮拜六》第一期，1914年。

8　周瘦鵑：〈《快活》祝詞〉，《快活》旬刊，第一期，1923年。

9　魯迅：《上海文藝之一瞥 ── 八月十二日在社會科學研究會講》，《魯迅全集》第四卷（北京：人民文學出版社，2005年），頁298-299。

10　袁進：《鴛鴦蝴蝶派》（上海：上海書店出版社，1994年），頁5。

11　王德威：《被壓抑的現代性：晚清小說新論》（臺北：麥田出版，2003年），頁95。

12　夏志清：〈玉梨魂新論〉，《夏志清論中國文學》（香港：香港中文大學出版社，2017年），頁231。

13　Perry Link, *Mandarin Ducks and Butterflies: Popular Fiction in Early Twentieth-Century Chinese Cities*, (US: University of California Press, 1981).

14　同注9，頁299。

15　魯迅：《中國小說史略》，《魯迅全集》第九卷（北京：人民文學出版社，2005年），頁339。

16　著名的鴛鴦蝴蝶派月刊雜誌。

17　同注9，頁301。

18　魯迅：《魯迅全集》第四卷（北京：人民文學出版社，2005年），頁312。

19　徐枕亞、吳雙熱：《海上文學百家文庫‧徐枕亞／吳雙熱卷》（上海：上海文藝出版社，2010年），頁9。以下凡《玉梨魂》小說引文，均引自《海上文學百家文庫‧徐枕亞／吳雙熱卷》。

20　李伯元：《海上文學百家文庫‧李伯元卷》（上海：上海文藝出版社，2010年），頁8。

21　曾樸：《海上文學百家文庫‧曾樸卷》（上海：上海文藝出版社，2010年），頁11。

22　劉鶚：《海上文學百家文庫‧劉鶚卷》（上海：上海文藝出版社，2010年），頁7。

23　同注19，頁22。

24　同注19，頁23。

25　張愛玲：《留情》，《傳奇（增訂本）》（上海：山河圖書公司，1946 年），頁 21。

26　同注 12，頁 238。

27　夏志清：《夏志清論中國文學》（香港：香港中文大學出版社，2017 年），頁 264。

28　同注 27。

1917-1948

魯迅
冰心
許地山
郁達夫
葉聖陶
丁玲
茅盾
沈從文
張恨水
劉吶鷗
穆時英
巴金
吳組緗
施蟄存
蕭紅
老舍
李劼人
張天翼
蕭軍
趙樹理
張愛玲
孫犁
路翎
錢鍾書

「五四新文學」，到底「新」在哪裏？

　　如果我們將「五四新文學」的特點，簡單概括成，一、白話文創作；二、相信科學民主，批判禮教吃人；三、憂國憂民，啟蒙救亡；四、接受進化論等西方思潮。那麼接下來的問題自然是，「五四」與晚清文學的關鍵性區別在哪裏？

　　第一白話文創作，除了鴛鴦蝴蝶派的《玉梨魂》外，大部分晚清重要的小說都已經在使用白話文，李伯元、劉鶚等人的文學語言，和「五四」小說沒有本質區別。第三啟蒙救世，梁啟超從理論到實踐，早就開啟了用文學憂國憂民之路。李伯元想教官場的人怎麼做官，老殘路見不平、拔刀相助，這些文俠姿態，和「五四」以後的啟蒙救世精神直接相連。第四晚清文人也接受西學和「進化論」。《孽海花》狀元主角相信聲光化電能使中國開放進步，老殘想救大船上國人，也需要外國羅盤。所以在白話文、啟蒙救國與西學影響這三方面，人們很有理由說「沒有晚清，何來五四」。

　　好像只有對待傳統禮教的態度，有些差異。譴責小說要「現

形」的「怪現狀」大都違背儒家禮教人倫，鴛鴦蝴蝶派「癡乎情，止乎禮」，和「五四」激烈批判禮教吃人，有所不同。除此之外，從四大譴責小說，還有早期鴛鴦蝴蝶派，再到魯迅和「五四新文學」，還有甚麼重要的不同之處呢？

晚清「新小說」與五四「現代小說」的不同，學術界已有各種探討。繼承古典傳統方面，晚清注重「史傳」，「五四」注重「詩騷」；[1] 面對外來影響方面，晚清欲拒還迎，「五四」激進模仿；作家生態方面，以小說謀利，或到大學兼職；讀者範圍方面，從報刊市民，到青年學生；文化儲備方面，從政治學興趣，到心理學知識 [2]……但是其中至少有一個相當重要的不同，小說中心人物（及主題）的轉移 —— 官場官員形象在小說中的突然消失或被忽視，卻較少有人討論。

一、「官本位」轉向「國民性」

順時序重讀世紀初的重要小說，一個顯而易見的文學現象是：梁啟超和晚清譴責小說不約而同地把官場（「官本位」）視為中國社會問題的焦點。李伯元冷嘲「上上下下，無官不貪」，「不要錢的官員，說書人說實話一個都沒見過」。吳趼人熱諷社會各界怪現狀，各種欺騙無奇不有，最荒唐的也是苟才葉伯芬等官員。曾樸寫即使考出來的文官，有心救國，卻也好心辦蠢事（重金購買假地圖）。劉鶚筆下的貪官不好，清官更壞。如果不是批判，梁啟超幻想中國他日富強，關鍵要素也還是依靠一個黨、一個領袖，說到底還是期盼官場救國，並以治國之法來治黨，改造

官場。《新中國未來記》兩個主角長篇爭議改良或者革命方案，爭議點就是：可不可能有好官？民眾能不能依靠好官？所以李伯元的《官場現形記》中有段話，可以代表晚清政治小說的集體的聲音：「中國一向是專制政體，普天下的百姓都是怕官的，只要官怎麼，百姓就怎麼，所謂上行下效。……中國的官，大大小小，何止幾千百個；至於他們的壞處，很像是一個先生教出來的。因此就悟出一個新法子來：……編幾本教科書教導他們。……等到了高等卒業之後，然後再放他們出去做官，自然都是好官。」[3]

現在我們可以重新討論晚清和「五四」的不同了：為甚麼魯迅一代作家關心的重點不只是「官」，也不只是「民」，要點卻是「人」？文學的焦點從「官本位」轉向「國民性」，這是「五四」與「晚清」的關鍵區別之一。（官員再次回到文學，「人民」取代「人」成為中心概念，則是五十年代以後的事）。

「人的文學」和晚清「官場文學」也有邏輯關係。如果李伯元講得有理，無官不貪，甚至買官是一種「剛需」，那是不是說官員之貪，背後也有人性或國民性理由？如果老殘說得有理，貪官不好，清官亦壞，那即使把所有的官都撤了，換一批民眾百姓上去，但也還會有貪腐、專制？

魯迅關於「立人」的想法，是在留學時期接受歐洲人文主義還有日本明治維新影響而逐漸形成。魯迅和晚清作家們一樣覺得中國病了。但他已不認為只是官場病了，只是政治危機導致民族危機。按照錢理羣的概括，「民族危機在於文化危機，文化危機在於『人心』的危機，民族『精神』的危機：……亡國先亡人，亡人先亡心，救國必先救人，救人必先救心，『第一要着』

在『改變』人與民族的『精神』。[4] 魯迅在辛亥革命前後冷眼旁觀，對於新官舊政現象深感失望，「革命以前，我是做奴隸，革命以後不多久，就受了奴隸的騙，變成他們的奴隸了。」[5] 眼看官場換了新人，社會並沒有進步，導致魯迅與他的同時代作家，同樣批判社會，卻不再（或很少）將官員直接作為主要人物，也不再把暴露官場黑暗作為喚醒民眾的主要方式，而是正視他們覺得是更複雜的問題：到底是貪腐專制官場導致了百姓愚昧奴性，還是百姓愚昧奴性造就了官場的貪腐專制？於是，魯迅以及以他為方向為旗幟的「五四」新文學，仍然像《老殘遊記》那樣以文俠姿態批判社會現實，還是像梁啟超這樣感時憂國、啟蒙救亡，但是他們關心的焦點已不再只是中國的官場，而是中國的人，具體說就是人的文學，就是解剖國民性。

當時，人們都覺得「五四」是對晚清的超越，五十年代再從「人的文學」發展到「人民文學」又好像是對「五四」的超越。可是今天再反思，第一，中國的問題，關鍵到底是在官場，還是在民眾，還是在「人」？第二，改造國民性，有多大可能性？[6] 第三，文學是否一定要解答中國的問題？「五四」百年，我們必須肯定魯迅他們的突破意義。但是，魯迅那一代又是否過於樂觀或者過於理想主義？晚清文學處理的「官本位」問題在中國果然已經不再重要了嗎？

二、〈狂人日記〉：吃人與被吃

晚清作家能譴責中國官場，因為有個安全距離。李伯元在租界，梁啟超在橫濱，老殘行醫也要和器重他的昏官搞好關係。魯迅設身處地想像他的小說人物 —— 本來有仕途，可是生病時看破禮教，不僅鄙視官場質疑庸眾，更看出官民相通之處：欺軟怕硬自欺欺人。不僅罵主子，也怨奴才，要挑戰整個主奴關係秩序循環。但是這個主人公既不能躲在租界，也不認識大官，那麼，具體結果會是怎樣？顯然，結果就是得罪所有人，眾人都過來圍觀、嘲笑，連小孩也表示鄙視，甚至家人也要可憐、禁錮這個病人 —— 於是〈狂人日記〉就出現了。

你說大家都病了，不僅官場病了，民眾也病了，結果大家為了證明自己沒病，一定說是你病了，而且最後真的把你醫好了，也就是說你必須跟大家一起病下去 —— 魯迅的深刻，就像下棋比其他人多想了好幾步、好幾個層次。

〈狂人日記〉寫於 1918 年 4 月，初次發表在 5 月 15 日第四卷第五號的《新青年》月刊，後來收入小說集《吶喊》。錢理群等人解讀魯迅的關鍵詞組之一就是「看」與「被看」。[7]小說正文長短十三段，長的有一至兩頁，短的一至兩行。寫的就是「我」看到自己被別人看。「趙家的狗，何以看我兩眼呢……早上小心出門，趙貴翁的眼色便怪：似乎怕我，似乎想害我。還有七八個人，交頭接耳的議論我，張着嘴，對我笑了一笑；我便從頭直冷到腳根……前面一夥小孩子，也在那裏議論我……教我納罕而且傷心。」[8]看到自己被看，有兩種可能，一是神經過敏，被迫害

妄想，這是小說的寫實層面，從醫生角度解剖病人。二是思維敏捷，看穿別人的好奇、關心、照顧後面，其實是窺探、干涉與管制，這也是寫實，但可以是象徵。「看」與「被看」，可以引申到另一組關鍵字，「獨異」與「庸眾」。很多人圍觀一個人，這是魯迅小說後來反覆出現的基本格局。這是魯迅與很多其他作家不同的地方，也是「五四」文學與晚清「官場文學」以及後來「人民文學」不同的地方。

晚清小說假設多數民眾（包括租界讀者）對少數貪官有道德批判優勢。延安以後寫革命戰爭農村土改，更代表多數窮人聲討少數地主反動派。二十世紀中國小說只有「五四」這個時期，只有在魯迅等少數作家筆下，才會出現以少數甚至個別對抗多數的場面。

> 「個人的自大」，就是獨異，是對庸眾宣戰。……而「合群的自大」，「愛國的自大」，是黨同伐異，是對少數的天才宣戰……這種自大的人，大抵有幾分天才，也可說就是幾分狂氣，他們必定自己覺得思想見識高出庸眾之上，又為庸眾所不懂，所以憤世疾俗……但一切新思想，多從他們出來，政治上宗教上道德上的改革，也從他們發端。所以多有這「個人的自大」的國民，真是多福氣！多幸運！[9]

魯迅為甚麼支持個人獨異，來批判庸眾（今天叫「吃瓜羣眾」）？ 一是強調「個人的自大」、「少數的天才」憤世疾俗的價值，二是狂人知道圍觀他的眾人，並不是官府爪牙，「他們──

也有給知縣打枷過的，也有給紳士掌過嘴的，也有衙役佔了他妻子的，也有老子娘被債主逼死的……」換言之，這些包圍他迫害他的人們，本身也是被侮辱、被損害者，他們不是主子，也是奴隸，可他們卻幫着官場迫害精神獨異者，這使魯迅十分困惑。二十世紀中國小說裏知識分子與農民與官員「同框」時最常見的三角關係是「士見官害民」。這裏的「害」有時也可以是「救」，或者「救」是動機，「害」是後果。這裏的「見」，可以是發現、同情；可以是無力援救而自責（比如〈祝福〉中「我」對祥林嫂悲劇的態度），也可以是冷漠甚至幫助官府（比如散文〈聰明人和傻子和奴才〉中的聰明人）。〈狂人日記〉顯示的是第一種「見」。見到農民被官府權貴迫害卻不自知，反而來圍觀、迫害發現官民關係真相的狂人。

從「看與被看」的情節，「獨異與庸眾」的格局，自然引出更嚴重的主題：「吃人與被吃」。吃人可以象徵某種物理生理傷害，比如說裹小腳，女人守節，包括魯迅自己和朱安的無性婚姻等等。小說中的吃人，又有更寫實的所指：「狼子村不是荒年，怎麼會吃人？」意思是歷史上確有饑荒食人現象。還有爹娘或君主生病，兒臣割肉煮食，也是中國道德傳統。甚至於食敵心肝、胎盤養生等等。

從〈狂人日記〉開始，魯迅的小說總有象徵／寫實兩個層面並行。吃人主題更深一步，就是狂人懷疑自己是否也吃過人，被吃的人也參與吃人。這是二十世紀中國小說中的一種比較深刻的懺悔意識，之前少見，之後也不多。

看到社會環境官場腐敗在危害百姓，導致民不聊生，這是

晚清四大名著的共識。看到不僅官府欺人，而且自身被欺的庸眾看客也欺人，也是這黑暗中國的一個有機部分，這是「五四」文學的發現。看到肉體壓迫吃人，禮教牢籠也吃人，鴛鴦蝴蝶派也會抗議。但是看到害怕被吃的人們，甚至大膽反抗的狂人，可能自己也曾有意、無意參與過吃人，這是魯迅獨特的懺悔意識。一個短篇這麼多不同層次，這麼複雜的容量，一起步，就把現代新文學提高到很高的水平，難怪後來幾乎成為魯迅創作的大綱，在某種意義上，〈狂人日記〉也是整個現代中國文學的總綱。

三、〈藥〉：診斷醫治中國社會的病

如果說〈狂人日記〉是魯迅全部作品的總提綱，那麼〈藥〉幾乎可以說是二十世紀全部中國小說的總標題（直到九十年代，另一部暢銷的嚴肅小說《活着》概括後半個世紀的中國故事）。以文學診斷社會的病，希望提供某種藥物使中國富強，這是魯迅小說的願望，某種程度上，也是二十世紀中國小說的集體願望。

魯迅的創作，當然和他的衰落家境、少年經歷、留學日本、教育部做官等個人經驗有關，這些經驗中的關鍵字就是屈辱。這些屈辱又常常跟醫和藥有關。周家祖上原是大戶望族，祖父因為科舉作弊被判死緩，每年秋天都要等待宣佈是否處死。父親生病，魯迅後來一直記得當鋪、藥鋪的櫃檯比他身體還要高，「藥引」要原配的蟋蟀。魯迅最早的白話文章〈我之節烈觀〉，就是批判對女性身體的公共管理。「原配蟋蟀」極為諷刺 —— 可以想像十來歲的周樹人和周作人，兩個日後的文豪，在百草園裏翻

石頭並且分頭追逐各奔東西的蟋蟀，誰知道牠們到底是正宗夫妻，還是小三，或者一夜情？

給父親買藥，是說得出的屈辱；被親戚鄉鄰污衊，說買藥時偷家裏錢，則是說不出的侮辱，連母親都無法幫他洗清。因為這些流言和屈辱，魯迅早早離鄉背井，到江南水師學堂艱苦寄宿攻讀新學。沒想到接下來的屈辱又和醫／藥有關。在幻燈片裏發現了日俄戰爭中華人麻木不仁地圍觀同胞被當作俄軍間諜砍頭，於是覺得醫身體不如醫精神，這是一個說得出的刺激和轉折點。但在仙台學醫成績中上，被日本同學污衊說是藤井先生特別照顧，這又是一個說不清楚的屈辱。碰到這種事情，周樹人不吵，而是忍，但絕不忘卻。國事私事都不忘，持久的反省，持久的恨。後來顧頡剛、陳西瀅議論《中國小說史略》是否抄襲鹽谷溫的《支那文學概論講話》，二十年代後期又同時遭到郭沫若和梁實秋左右兩翼的批判等等，魯迅都是先忍，之後就一直不忘，時時反擊。

更加需要忍耐的是他遵奉母命的與朱安的婚姻，明知不合道德，仍然服從成親，這是一忍。結婚後堅決不同房，只當朱安為母親媳婦，而不是自己妻子，這又是一忍。這何嘗不是在被人吃的情況下也參與吃人呢？魯迅常常說，他沒有對讀者說出他全部的真話。竹內好說，「他確實吐露過詛騙的話，只是由於吐露詛騙的話，保住了一個真實。因此，這才把從他吐露了很多真實的平庸文學家中區別的出來。」[10] 魯迅的真誠就在於他承認自己不真誠。是不是在處理與朱安關係方面，也有這種說不出來的真誠的不真誠呢？至少早期，魯迅人生有很多關鍵選擇，確實

跟「醫」和「藥」直接有關。即使棄醫從文，他以自己創作來診斷醫治中國社會的病，希望有某種「藥物」使中國富強。

1902 年梁啟超的政治幻想就是一帖理想藥方。李伯元冷眼感嘆官場到處是病，命意也還是匡世，是一種反面的藥方。最典型的例子是老殘，真的就是搖鈴江湖郎中。老殘替不同的人看了不同的病。小說中白老爺偵破賈魏氏涉嫌下毒謀殺案，關鍵也是判斷藥的性質來源。老殘的藥大都靈驗，特別神奇的是最後一章，到泰山找到返魂香，居然一下子把棺材裏挖出來的十三具無辜的屍首一一救活。後來在金庸、梁羽生等人的新派武俠小說當中，神奇藥方不僅治病，而且是推動劇情、改變歷史的迷幻藥。

為甚麼《老殘遊記》裏的藥這麼靈？因為老殘眼裏世間的病，病因比較清楚，就是貪官、清官壓迫民眾。所以江湖郎中路見不平，見的都是冤案 —— 貪官亂判，清官不收錢就殘酷亂刑。受害羣體中有僕人農民，也有財主妓女，在老殘眼裏沒有區別，都是受害人。老殘的抒情文字十分美麗，老殘的文俠勇氣值得欽佩，老殘看社會，官民陣線分明，所以老殘的藥十分靈驗。

魯迅寫的人血饅頭就不同了，在一個短篇〈藥〉裏，也是官場欺壓民眾，中間卻至少有五個不同階層。第一是官府，縣老爺不必出場；第二是幫兇康大叔，紅眼睛的（此人如在晚清小說就是沒有面貌的衙役）；第三是茶館眾人，花白鬍子、駝背五少爺，還有一個二十多歲的人等等，議論紛紛；第四是華老栓、華大媽、華小栓 —— 普通被害者；第五就是造反派革命黨夏瑜，以及他的家人夏四奶奶。

　　作家作為醫生替社會看病，眼前官民之間有了至少五個階層，病症就複雜了。第一層基本病因，官府鎮壓革命黨，大家都知道。第二層併發症，幫兇賣烈士鮮血給民眾，反而送了小栓的命。這個次生災難二、三、四層的人們都看不見，施害者與受害者也不知道救命藥變成了殺人兇器。更弔詭的是，兇器既是舊社會藥方，又直接來自革命者身體。客觀上，如果二、三、四階層的人繼續愚昧，第五類人的革命，反而加重病情。再神奇的藥也是毒藥。

　　當時人們想，針對晚清的病，需要「五四」的藥。百年之後人們又要反思，如果晚清的病一直不能斷根，到底是因為「五四」的方子也不行，還是因為沒有始終堅持用「五四」的藥？

　　魯迅和「五四文學」不是不寫官民矛盾，而是不再以各級官員為主要人物，不再以各種官場為主要場景。魯迅小說裏當然也有「官場」背景，但不是高官醜行，而是突出爪牙幫兇（康大叔等）來襯托官場兇殘。或者寫一些讀書人視「仕途」為墮落，魏連殳做了將軍秘書很尷尬，「狂人」最後仍然要「赴某地候補」。[11]

　　魯迅在日本棄醫從文以後，翻譯、編書都不太成功，回國以後經好友許壽裳推薦，在蔡元培總長屬下當了教育部僉事。僉事在清朝是四品官，雖然位於民國教育總長、次長、司長之下，相當於副司級，但職位需袁世凱大總統任命，薪水後來有三百六十大洋，也負責很多具體工作，所以在某種意義上魯迅也是民初「官場中人」。郭沫若曾任北伐軍政治部副主任，胡適是民國駐美大使，沈雁冰當過國民黨宣傳部長秘書（宣傳部長是汪精衛，代部長毛澤東）。似乎最有代表性的「五四」作家都比李

伯元、吳研人等租界報人距離「官場」更近一些，不會籠統將官場視為中國社會病態的唯一原因。

四、〈阿 Q 正傳〉：奴隸與奴才

最典型的解剖官民共同擁有「國民性」的代表作，當然是〈阿 Q 正傳〉。〈阿 Q 正傳〉的評論史，也是二十世紀中國文學批評史的一個縮影。五十年代中期，錢谷融先生在著名論文〈論「文學是人學」〉中，引述了當時理論界關於阿 Q 的爭論：「何其芳同志一語中的地道出了這個問題的癥結所在：『困難和矛盾主要在這裏：阿 Q 是一個農民，但阿 Q 精神卻是一個消極的可恥的現象。』許多理論家都想來解釋這個矛盾，結果卻都失敗了。……」[12] 因為阿 Q 是農民，因此是好的。阿 Q 精神卻是壞的，應該屬於當時的官員和官場。馮雪峰說阿 Q 和阿 Q 精神要剝離。阿 Q 主義是封建統治階級的東西，它寄居在阿 Q 身上。[13] 李希凡進一步認為魯迅小說就是要控訴封建統治階級怎麼在阿 Q 身上造成這種精神病態。[14] 何其芳因為不大相信阿 Q 精神像病菌一樣在轉移，說阿 Q 的精神勝利法，不同階級的人也都可能有，結果這種「超階級的人性論」就受到了批判。[15]

其實魯迅描寫的阿 Q 精神，其生命力就在於既存在於民間也屬於官場。之前晚清作家李伯元、吳趼人、劉鶚描述官場，重點是官欺壓民。後來延安、五十年代「人民文藝」，重點是民反抗官。但魯迅一代作家，卻更關注了官民之間的複雜關係。

今天你是弱勢民眾，萬一明天做官，會不會重犯官場毛病。那毛病簡而言之就是「阿Q精神」，既是官病，又是民疾。最佳注釋就是阿Q的「土谷祠之夢」──

> 造反？有趣，……來了一陣白盔白甲的革命黨，都拿着板刀，鋼鞭，炸彈，洋炮，三尖兩刃刀，鉤鐮槍，走過土谷祠，叫道，「阿Q！同去同去！」於是一同去。……這時未莊的一夥鳥男女才好笑哩，跪下叫道，「阿Q，饒命！」誰聽他！第一個該死的是小D和趙太爺，還有秀才，還有假洋鬼子，……留幾條麼？王胡本來還可留，但也不要了。……[16]

第一要懲罰的是小D和趙太爺，一個是和他地位相近，甚至比他低的，一個是統治階級。而且小D排在趙太爺之前。

> 東西，……直走進去打開箱子來：元寶，洋錢，洋紗衫，……秀才娘子的一張寧式床先搬到土谷祠，此外便擺了錢家的桌椅，──或者也就用趙家的罷。自己是不動手的了，叫小D來搬，要搬得快，搬得不快打嘴巴。……
>
> 趙司晨的妹子真醜。鄒七嫂的女兒過幾年再說。假洋鬼子的老婆會和沒有辮子的男人睡覺，嚇，不是好東西！秀才的老婆是眼胞上有疤的。……吳媽長久不見了，不知道在哪裏，──可惜腳太大。
>
> 阿Q沒有想得十分停當，已經發了鼾聲，四兩燭還只點去了小半寸，紅焰焰的光照着他張開的嘴。[17]

「土谷祠之夢」[18] 作為對二十世紀中國農民革命的觀察想像，至少包含四個預言：一是造反者一旦勝利，首先要對付的不一定是宿敵，可能是身邊的同類；二是造反者要剝奪權貴的財富自己享用；三是造反者要驅使指揮自己的奴才；四是對權貴財富（比如女人）也要選擇「精華」，不會全盤接收。

五十年代的魯迅研究權威陳湧認為「魯迅是現代中國在文學上第一個深刻地提出農民和其他被壓迫羣眾的狀況和他們的出路問題的作家，農民問題成了魯迅注意的中心」，而阿 Q 土谷洞裏的夢「是魯迅對於剛剛覺醒的農民的心理的典型的表現」，「雖然混雜着農民的、原始的報復性，但他終究認識到革命是暴動，毫不遲移地要把地主的私有財產變為農民的私有財產」，並且「破壞了統治了農民幾千年的地主階級的秩序和『尊嚴』」，這都是表現了「本質上是農民革命的思想」。[19] 1976 年，「石一歌」進一步肯定阿 Q 的革命精神，「〈阿 Q 正傳〉正是通過對資產階級革命的不徹底性和妥協性的批判，揭示出了一個歷史的結論：資產階級再也不能領導中國革命了。」[20]

要理解阿 Q 精神如何能貫通民間與官場，還需注意魯迅作品裏常常出現的兩個關鍵字：「奴隸」與「奴才」。在魯迅筆下，奴隸至少有三層定義。第一，清代的臣民。他自己說過，我是清代的臣民，所以就是奴隸。[21] 第二，他在〈燈下漫筆〉裏講了一個非常經典的故事。袁世凱想做皇帝的那一年，因為財政困難，中國銀行和交通銀行停止兌換它的紙幣，但政府又說紙幣是照例可以用的，這時商家就不大歡迎，大家買東西就不收中交票。

　　我還記得那時我懷中還有三四十元的中交票，可是忽而變了一個窮人，幾乎要絕食，很有些恐慌……我只得探聽，鈔票可能折價換到現銀呢？說是沒有行市。幸而終於，暗暗地有了行市了：六折幾。我非常高興，趕緊去賣了一半。後來又漲到七折了，我更非常高興，全去換了現銀，沉墊墊地墜在懷中，似乎這就是我的性命的斤兩。倘在平時，錢鋪子如果少給我一個銅元，我是決不答應的。但我當一包現銀塞在懷中，沉墊墊地覺得安心，喜歡的時候，卻突然起了另一思想，就是：我們極容易變成奴隸，而且變了之後，還萬分喜歡。[22]

　　就是說原來屬於你的東西，比如房子、金錢、趣味、說話權利等等，所有這些東西是屬於你的，但隨時可以被剝奪。剝奪了以後還剩一點，撤回一點，你就十分歡喜。這是魯迅對奴隸的第二層，也是比較經典的定義。

　　到了三十年代，《南腔北調集》魯迅對奴隸的看法又有發展：

　　一個活人，當然是總想活下去的，就是真正老牌的奴隸，也還在打熬着要活下去。然而自己明知道是奴隸，打熬着，並且不平着，掙扎着，一面「意圖」掙脫以至實行掙脫的，即使暫時失敗，還是套上了鐐銬罷，他卻不過是單單的奴隸。

　　這就是魯迅對奴隸的第三層定義，你是熬着、吃苦，但是你心裏覺得不平、掙扎。

　　接着魯迅說:「如果從奴隸生活中尋出『美』來,讚歎,撫摩,陶醉,那可簡直是萬劫不復的奴才了!他使自己和別人永遠安住於這生活。」[23]

　　第三層奴隸的定義,其實很接近三十年代的革命主旋律。如當時作家出版「奴隸叢書」。田漢作詞的《義勇軍進行曲》第一句是「起來,不願做奴隸的人們」。[24]鄭振鐸、瞿秋白等人翻譯的《國際歌》,第一句也是 ——「起來,飢寒交迫的奴隸」。

　　簡而言之,在魯迅的筆下,奴隸是生態,奴才是心態,奴隸是被動的,奴才某種程度上是主動的。奴隸變奴才,需要具備三個條件:第一,要在奴隸生活當中尋找到樂趣,讚歎,撫摩,陶醉。第二,不僅被比自己強的人欺負,也會欺負比自己弱的人。就是見狼顯羊相,見羊顯狼相。第三,起來以後,也希望做主子,也要有自己的奴才。

　　理解了奴隸與奴才的關係,我們就可以重讀〈阿 Q 正傳〉了。

　　第一,精神勝利法,初衷是變態地消解屈辱(老被欺負怎麼活下去?),結果卻是可以找到樂趣。魯迅為甚麼花那麼多筆墨寫吃瓜羣眾,狄更斯也有文章批判圍觀殺頭的那些興奮的羣眾,尤其是小孩去佔好位置看殺頭。[25]原來人類歷史上這些示眾、遊街、剃光頭、剝衣服,讓人們吐口水、扔雞蛋(過去在街上扔,現在在網絡上)……,基本功能還是讓吃瓜羣眾找到奴才樂趣。這是由奴隸向奴才轉化的初級階段,是奴隸成才的基本條件。

　　第二,畢飛宇注意到〈阿 Q 正傳〉第二章和第三章有個重大區別。《優勝記略》阿 Q 他都是跟未莊的閒人們打架,「在壁上碰了四五個響頭,閒人這才心滿意足的得勝的走了,阿 Q 站了一

刻，心裏想，『我總算被兒子打了……』」[26] 這些閒人們看起來，是比阿Q更強有力的人，可是到了《續優勝記略》裏邊，阿Q的對手變了，他跟王胡打比較誰身上可以找到蝨子。和那些打慣的閒人見面，阿Q是膽怯的，唯有面對着王胡，阿Q卻非常勇武，結果竟也打輸了。最後怎麼辦？只好在小尼姑臉上取得勝利。這就是說阿Q在《優勝記略》裏是被侮辱和被損害者，但到了《續優勝記略》裏面，就變成了侮辱與損害他人者。

這是魯迅特別的貢獻，寫出被人欺負者，也欺負他人。人人負我，我亦負人人。李伯元批判的官場與老殘同情的民間，在「阿Q精神」上是相通的。魯迅寫阿Q，不僅「哀其不幸，怒其不爭」[27]，而且「哀其被欺，怒其欺人」。

所以關鍵的轉折點，就是摸了小尼姑新剃的頭皮。畢飛宇用了一個倒讀法，他說阿Q為甚麼被砍頭？是因為被誤認為革命黨。阿Q為甚麼要革命？就是因為在村莊裏他受欺壓、遭排斥，最後生計都成了問題。阿Q為甚麼生計成問題？就是因為他性騷擾吳媽，犯了生活錯誤。阿Q為甚麼會有戀愛的悲劇？就是因為小尼姑說「斷子絕孫的阿Q」，引出了人類原始的繁殖本能。小尼姑為甚麼要罵他斷子絕孫呢？（其實這個不大像一個尼姑的語言，一般情況下被摸臉就「阿彌陀佛」罷了），就是因為阿Q在閒人、王胡、小D面前都失敗，結果卻摸了小尼姑的光頭。

在小尼姑身上，阿Q完成了從奴隸轉向奴才的第二個條件。曾有人對魯迅說，在街上看到兩種國人，一種像狼，一種似羊。魯迅說你看到的其實是一種，他只是在變。

從奴隸上升到奴才境界，第三個條件，就是前面引述的「土谷祠之夢」。要點是先殺同一階級的弱者，然後才找官場老爺報仇。但又貪富家大床，又要小 D 去搬。村裏女人，包括人妻，全部意淫一遍。阿 Q 也不是沒有品味格調。

〈阿 Q 正傳〉既描畫國民性，又預言了中國革命。一部中篇小說交叉了二十世紀中國小說的兩個基本主題，所以一百年來，學術界數不盡的阿 Q 研究，現實中也是看不完的阿 Q 風景。

注

1　陳平原：《中國小說敘事模式的轉變》(北京：北京大學出版社，2010 年)，頁 195-221。

2　「大致而言，影響與中國小說敘事模式轉變的，在『新小說』家是政治學知識，在『五四』作家則是心理學知識。」同注 1，頁 23。

3　李伯元：《官場現形記》，《海上文學百家文庫・李伯元卷下》(上海：上海文藝出版社，2010 年)，頁 839。

4　錢理羣：《與魯迅相遇 —— 北大演講錄之二》(北京：三聯書店，2003 年)，頁 70。

5　魯迅：〈忽然想到・三〉，《魯迅全集》第三卷 (北京：人民文學出版社，1981 年)，頁 216。

6　阿城有篇文章說：「魯迅要改變國民性，也就是要改變中國世俗性格的一部分。他最後的絕望和孤獨，就在於以為靠讀書人的思想，可以改造得了，其實，非常非常難做到，悲劇也在這裏。」〈「取其精華，去其糟粕」是一廂情願〉，《閑話閑說》(北京：作家出版社，1998 年)。

7　錢理羣、溫儒敏、吳福輝：《中國現代文學三十年》(北京：北京大學出版社，1998 年)，頁 40-41。

8　魯迅：〈狂人日記〉，《魯迅全集》第一卷 (北京：人民文學出版社，1981 年)，頁 444-445。

9　魯迅：〈隨感錄・三十八〉，《魯迅全集》第一卷 (北京：人民文學出版社，2005 年)，頁 327。

10　竹內好：《魯迅》(杭州：浙江文藝出版社，1986 年)，頁 11。

11　魯迅：〈狂人日記〉，《魯迅全集》第一卷 (北京：人民文學出版社，2005 年)，頁 278-283。

12　錢谷融：〈論「文學是人學」〉，原載《文藝月報》(上海) 1957 年第五期。引文摘自上海新文藝出版社編：《論「文學是人學」的批判集 (第一集)》(上海：上海新文藝出版社，1958 年)。

13　轉引自錢谷融：〈論「文學是人學」〉。

14　轉引自錢谷融：〈論「文學是人學」〉。

15　轉引自錢谷融：〈論「文學是人學」〉。

16　魯迅：〈阿 Q 正傳〉，《魯迅全集》第一卷（北京：人民文學出版社，2005 年），頁 517。

17　同注 16。

18　同注 16，頁 540-541。

19　陳湧：〈論魯迅小說的現實主義 ── 《吶喊》與《彷徨》研究之一〉，《人民文學》1954 年第十一期。

20　石一歌：《魯迅傳（上）》（上海人民出版社，1976 年），頁 70。

21　魯迅：〈花邊文學‧序言〉，《魯迅全集》第五卷（北京：人民文學出版社，2005 年），頁 438。

22　魯迅：〈燈下漫筆〉，《魯迅全集》第一卷（北京：人民文學出版社，2005 年），頁 223。

23　魯迅：〈漫與〉，《南腔北調集》，《魯迅全集》，第四卷，頁 604。

24　田漢創作的國歌歌詞，1978 年 3 月 5 日起曾被集體填詞的新版本取代，第一句是「前進，各民族英雄的人民！」副歌則是「高舉毛澤東旗幟，前進！前進！前進！進！」由於作家陳登科（1919-1998）在全國人大會議上的反覆提出議案，1982 年 12 月 4 日國歌恢復舊歌詞，首句仍是「起來，不願做奴隸的人們。」十年文革時期，因田漢受批判，正式場合國歌只能演奏曲譜，不能唱歌詞。

25　《我對這次行刑所展現的邪惡感到驚駭不已》，查理斯‧狄更斯寫給《泰晤士報》編輯的信，1849 年 11 月 13 日。（英）肖恩‧亞瑟編著，馮倩珠譯，《見信如唔》（長沙：湖南美術出版社，2015 年 9 月第一版）。

26　同注 16。

27　魯迅在〈摩羅詩力說〉中稱頌拜倫的人格和藝術，特別強調其「重獨立而愛自繇，苟奴隸立其前，必衷悲而疾視，衷悲所以哀其不幸，疾視所以怒其不爭」。見《魯迅全集》第一卷，頁 82。

〈超人〉 冰心
〈商人婦〉
〈綴網勞蛛〉 許地山

文學研究會

一、現代中國文學的青春期

「五四」新文學在二十年代剛剛起步，今天回頭看，那是一個難得的青蔥浪漫歲月，是百年中國文學中最自由的青春期，有相對寬鬆的政治文化氣氛，有很多文學流派風格同時並存，還有比較開放、直率的文學批評。雖然當時作家們都是皺緊眉頭，鬱悶痛苦，只覺得處在黑暗時代，只覺得彷徨、憂鬱。或許彷徨、憂鬱正是青春期的標誌。

形成一個文學流派，至少要有四個條件。第一，要有風格相近的作家，作品要有一定影響。第二，他們的文學觀念比較接近。第三，要有自己的陣地，期刊或出版社。第四，最好還有自己的批評家，聲援自己，批判別人，挑起或應對筆戰。

二十年代最主要的文學流派，當然是文學研究會和創造社，其他還有語絲、新月、淺草、沉鐘、現代評論等等。有的社團，前後期都不一樣，比如創造社。有的作家，參與幾個派別，比方說周作人。

　　文學研究會 1921 年 1 月 4 日在北京成立，發起人有鄭振鐸、葉聖陶、周作人、許地山、王統照、耿濟之、郭紹虞、孫伏園、瞿世英、朱希祖和蔣百里。這些作家學者大都在江浙出生，[1] 在北京教書。他們有作品、有口號、有批評，但沒有期刊，於是就邀請上海商務印書館主編《小說月報》的沈雁冰（茅盾）加入，共十二個人。除了五十年代後的中國作家協會以外，整個二十世紀中國文學中規模最大的文學團體，就是文學研究會。如果說魯迅和創造社是留日派；徐志摩、胡適、聞一多、梁實秋等是英美派；那麼文學研究會，基本上可以視為現代文學的「本土派」。夏志清的《中國現代小說史》，認為留日派比較激進，主張「革命」，英美派講求「改良」。如此推論「本土派」應該溫柔敦厚，腳踏實地。加入文學研究會的作家，有葉聖陶，有冰心、許地山，還有魯彥、王統照、王以仁、許傑等。葉聖陶的長篇小說《倪煥之》要到 1928 年才出版，按照小說發表時序，我們先讀冰心的〈超人〉和許地山的〈商人婦〉。兩個短篇同時發表在 1921 年《小說月報》第十二卷第四期上。

　　冰心（1900-1999）的一生貫穿二十世紀中國文壇，是百年中國小說的生命見證。她的創作風格，也是百年文學中的一個特例。人們喜歡冰心風格，但冰心只有一位。

　　冰心本名謝婉瑩，福州人。她是名副其實「五四」第一代作家，1921 年參加文學研究會，就讀燕京大學、美國威爾斯利學院，後來在燕京大學、清華大學女子文理學院教書。寫短篇小說〈超人〉時，冰心才二十一歲。她二十九歲結婚，家庭婚姻對

女作家的影響，比對男作家更加明顯。冰心的父親，是民國政府
海軍部司長，丈夫吳文藻是科學家。

二、超人與狂人

冰心一起步，並沒有寫少女情思、男歡女愛，〈超人〉作為
問題小說，甚至沒有一個多情的女主角。說明「五四」文學起步
時，和晚清一樣，文學家都在關心社會問題，都在解釋中國故
事。不過關心、解釋的角度不一樣，結論也很不一樣。

〈超人〉寫一個受尼采哲學影響的宅男，以虛無眼光看世
界，對鄰居及周圍的人都不理不睬，自己的生活冷漠孤獨。直
到某天，他被鄰居小孩生病呻吟的聲音打動，於是想到慈愛的母
親、天上的繁星、院子裏的花⋯⋯突然就託房東程姥姥送錢給
祿兒醫病。男孩的腿病好了，男主角的孤獨病也有了轉機。

魯迅的狂人怕別人看他，以為人家要吃他。冰心的超人也
被人看，被很多人觀察議論，說他冷心腸，拒絕、害怕眾人。兩
個小說裏，都有一人對眾人的結構。狂人雖是獨異的英雄，最後
病被醫好了，回歸到眾人覺得正常的候補官員身分。超人何彬，
最後憂鬱病也好了，回歸到大家所盼望的、感到很親切的正常
人的態度了。區別只是：對這個病好，魯迅感到了絕望，冰心看
到了希望。

程姥姥給何彬送飯，問他為何這樣孤零。問上幾十句，何
彬偶然答幾句，「世界是虛空的，人生是無意識的。人和人，和
宇宙，和萬物的聚合，都不過如同演劇一般：上了台是父子母

女,親密的了不得;下了台,摘了假面具,便各自散了。哭一場也是這麼一回事,笑一場也是這麼一回事,與其互相牽連,不如互相遺棄;而且尼采說得好,愛和憐憫都是惡……」[2] 對着房東或者包租婆講尼采,其實不大自然。冰心的問題小說,稍微有點概念化。解救何彬虛無、孤獨的病,藥方就是三個 —— 冰心的藥方非常著名,一是慈愛的母親,二是天上的繁星,三是院子裏的花,分別代表了人倫、夢想跟大自然。為甚麼後來冰心最流行的作品是美文小品?因為散文更適合於用這些美麗的詞藻,反覆地表達愛的宗教。比方說冰心說,「世界上的母親和母親都是好朋友,世界上的兒子和兒子也都是好朋友」,這樣的議論作為小說情節有點虛,在散文中卻容易被人記住或抄在筆記簿上。

冰心當初和魯迅一樣,試圖從人心的角度探討社會問題。今天大部分大學生也說他們相信冰心的「愛」,但同時覺得魯迅寫的「恨」更加真實。想深一層:魯迅寫了這麼多恨,其實他也相信「創作總根植於愛」。[3]

當代文化工業也有很多超人系列,除了電影《超人》,還有《蜘蛛俠》、《蝙蝠俠》、《蟻俠》等等。要滿足大眾審美趣味,超人必須同時兼有超越常人的能力,冷靜、智慧,同時一定還要有常人的溫和、可笑、癡情。「五四」初期,魯迅和冰心分頭塑造了兩個人物,一個是抵抗絕望的狂人,最後抗爭失敗。一個是被溫情感動的超人,最後不再孤獨。這是「五四」文學理解人性的兩個夢想。

冰心小說讓何彬發現愛心走出虛無,不太困難。因為他的獨異,只是因為看尼采看多了。男主角並沒有像當時很多國人

那樣，先受侮辱遭損害。設想假如何彬是逃婚出來，斷了和母親的聯繫（魯迅也不敢這樣寫狂人），又或者何彬像徐枕亞那樣癡愛一個寡婦，結果女人為他而死，想想那時他的憤怒、絕望怎麼宣洩？天上繁星、院子裏的小花能救他嗎？又或者，鄰居們很熱情要關心孤獨的何彬，可他竟在房中因憂鬱症而自慰，怎麼辦呢？

這樣的閱讀期待，有點愧對冰心。

三、〈商人婦〉與〈祝福〉

許地山筆名「落華生」，出生於清朝的臺灣，逝世於英殖的香港，讀書在燕京大學、紐約哥倫比亞大學、英國牛津大學，曾學習法文、德文、希臘文、拉丁文、梵文，研究史學、印度學、佛教、道教等等。跨地域文化背景、多種語言能力和宗教興趣，是許地山的特點。〈商人婦〉寫男敘事者在船上聽一個穿着印度服裝的福建女人講述自己的傳奇人生。女性口吻，經過陌生男性轉述，還有方言注解。

「我十六歲就嫁給青礁林蔭喬為妻。」不管是船上的知識分子，還是用土語（閩南語）講話的商人婦，他們都用第一人稱「我」敘事（到世紀末《活着》也還是用這種雙重第一人稱，總是由知識分子觀察紀錄民眾訴苦）。女人和老公關係很好，從不拌嘴。福建女人賢慧，就連老公賭錢輸了家產也能原諒（後來福貴老婆也一樣）。因為經濟困境，老公決定隻身「過番」（出洋謀生）。臨走男人答應常常寫信。如果五、六年不回，你就來找我。

分離時，女人二十歲，等了十年，全無消息，女人就去了新加坡，千里尋夫。居然找到，但男人已經開店發財，人也發胖，還娶了個馬來女子。

這種故事，在《官場現形記》裏見多不怪。官員或商人，事業順或不順，突然家鄉原配找來，或者給筆銀子打發走人，或者設法收容，小團圓。但沒想到那個男人自己不出面，竟由馬來姨太太設計把女主角賣去印度，不僅不負責，還要賺一筆。是極品渣男，還是廢品渣男？這個問題，到小說結尾還是懸念。

印度人阿戶耶，是回教徒地產商，因為在新加坡發了點財，就多娶一個姬妾回鄉，商場戰利品。本來已有五房，女主角就成了六姨太。改名叫利亞，腳可以放了，鼻上穿一個窟窿，上面放了一個鑽石的鼻環。五個妻子，只有第三個和女主角關係好。其他的太太們，要麼不停地摸女主角的小腳 —— 表示羨慕，要麼在男主人面前搬弄是非。只有第三妻，教女主角一些孟加拉國文跟亞剌伯文（阿拉伯文），而且還給她講一些「阿拉給你注定的」之類的哲理。

「我和阿戶耶雖無夫妻的情，卻免不了有夫妻的事，所以到了印度的第二年就有了孩子。」在船上講身世，七、八歲的孩子就在身邊。生小孩時也是第三個妻子幫忙，可是不久，因為周濟鄰居寡婦，第三妻被休。兩人流淚分別，從此女主人公生活更苦。後來男主人死了，當地法律是婦人於丈夫死亡一百三十天以後就得到自由，可以隨便改嫁。因為害怕其他幾個妻子會聯手迫害，女主人公等不到一百三十天就想逃走。先想逃去鄰居哈那的姐姐處，本來要拋棄小孩，告別時還是於心不忍，就帶着

小孩一起逃（決定命運的選擇）。逃離過程一路驚險。之後她把自己鼻子上的鑽石拿下來，換了一個房子，又唸書，撫養孩子，還常去教堂。在船上，女主人公說：「現在我要到新加坡找我丈夫去，因為我要知道賣我的到底是誰。我很相信蔭哥必不忍做這事，縱然是他出的主意，終有一天會悔悟過來。」[4]

這篇小說，可以和魯迅的〈祝福〉對照來讀。都是一個苦命女人，被迫要嫁兩個男人；都是在和命運搏鬥中，聽從另外一個女人的勸告（第三妻或柳媽）。勸告都是宗教（精神鴉片），「命運是阿拉的安排」，「你快去捐門檻，否則兩個男人在死後要搶你」。但結局不同。一個原因是，商人婦一念之差帶上了孩子，否則日後可能悔恨終生。而祥林嫂一念之差讓阿毛在下雪天出去，被狼叼走，之後抱怨終生。另一個原因，就是許地山覺得信仰有益，精神鴉片有醫療作用。魯迅卻堅信正是禮教（而不只是貧窮）害死了女主人。〈商人婦〉在小說結尾，還在執着她的唐山文化，要查明老公的心到底是否有意要害她。女人回到新加坡，發現她老公因為賣妻名譽受損，在唐人街生意衰敗 —— 證明他有他的報應。女主人公說：「先生啊，人間一切的事情本來沒有甚麼苦樂的分別：你造作時是苦，希望時是樂；臨事時是苦，回想時是樂。我換一句話說：眼前所遇的都是困苦；過去、未來的回想和希望都是快樂。」

四、「聖母」頌：〈綴網勞蛛〉

要理解許地山，還要讀他的代表作〈綴網勞蛛〉。

　　美貌如玉的女主角尚潔原是童養媳，靠了長孫先生的幫助，逃出了婆家，之後就和長孫先生像夫妻一樣生活，主要是感恩，並非愛情。夫妻形式、家庭組織，倒是一絲不苟。尚潔說：「我雖然不愛他，然而家裏的事，我認為應當替他做的，我也樂意去做。因為家庭是公的，愛情是私的。」[5] 按照這種公私觀念，「大公無私」就是只顧家庭，不管愛情？

　　這時距離《玉梨魂》只有七、八年，說明「五四」時期，中國人的道德觀念變化巨大。

　　〈綴網勞蛛〉的重點還不在尚潔的婚姻觀，而是她怎麼對待命運與屈辱。某天丈夫不在，家裏爬進來一小偷，自己跌壞了腿，被僕人抓到。尚潔跑去說「別打，別打」，把小偷抬進家裏，還要幫他治療腿傷。這個橋段有點像雨果《悲慘世界》（*Les Misérables*），尚萬強偷神父餐具被警察抓到，神父再送他兩個銀燭台。此事改變了尚萬強的一生。正當尚潔學習神父感化小偷時，長孫先生回來了，看見妻子觸碰一個男人的身體，火冒三丈，拿小刀刺傷尚潔的肩膀。尚潔不僅受傷，還被指責不貞，受教會懲罰。這時尚潔也不反抗，放棄財產，留下孩子，在朋友幫助下去了一個土華地方，隱居靜養。之後就教書，生活不錯。

　　三年以後，忽然朋友領她女兒來訪，說丈夫已經知道錯怪你了，表示懺悔，要接她回去。是因為牧師的勸告，長孫先生才會懺悔。

　　「尚潔聽了這一席話，卻沒有顯出特別愉悅的神色，只說：『我的行為本不求人知道，也不是為要得人家的憐恤和讚美；人家怎樣待我，我就怎樣受，從來是不計較的。別人傷害我，我還

饒恕，何況是他呢？他知道自己的魯莽，是一件極可喜的事。』」

後來尚潔真的回家了，丈夫不好意思，反而去別處懺悔修行，以示悔改。小說結尾時，美麗的尚潔依然沉靜，非常安靜地把自己比作蜘蛛，說了一段現代文學史上的名言：

> 我像蜘蛛，命運就是我的網。蜘蛛把一切有毒無毒的昆蟲吃入肚裏，回頭把網組織起來。它第一次放出來的遊絲，不曉得要被風吹到多麼遠，可是等到黏着別的東西的時候，它的網便成了。它不曉得那網甚麼時候會破，和怎樣破法。一旦破了，它還暫時安安然然地藏起來，等有機會再結一個好的。……人和他的命運，又何嘗不是這樣？所有的網都是自己組織得來，或完或缺，只能聽其自然罷了。

百年後，在看理想「二十世紀中國小說」欄目中讀〈綴網勞蛛〉，卻有不少網友說受不了這個「聖母」。如果說〈超人〉是「治癒系」，許地山筆下的「聖母」遭受屈辱磨難，逆來順受，心靜如水、只有寬恕，毫無怨恨，基本上屬於「佛系」。與晚清小說比，文學研究會諸作家更少責怪別人怎麼對我，更多反省我怎麼對別人。

「五四」把批判焦點偏離了官場，轉向國人自身。每個人都要面對令人屈辱的現實，問題在被侮辱被損害以後怎麼辦？在已經讀過的幾篇五四早期小說裏，已經看到幾種可能的應對屈辱的方法。第一種，忍耐，找機會逃。如果有條件，運氣好，像〈商人婦〉那樣，有鑽石的鼻環，又可讀書，認識宗教等等，也

許能走出一條新路。第二種，自我安慰，精神勝利法，《優勝記略》。第三種，轉移能量，把自己受的氣轉向更弱者。就是《續優勝記略》，以及土谷祠革命造反夢。第四種，用「愛」來解決一切問題，以德報怨。許地山是忍受屈辱，平靜寬恕。謝冰心則基本上感受不到屈辱，她的小說，最與眾不同的是，用她的眼光看世界，總是那麼美好。而且，堅持愛的信念，一百年不動搖。

注

1　文學研究會早期會員 102 人，浙江籍的 36 人，佔總數 35%；然後是江蘇籍，24 人，佔 23%；接下來分別是湖南籍 8 人，福建籍 6 人，江西籍 5 人，廣東籍 5 人，四川籍 3 人，山東籍 3 人等。據吳福輝：《中國現代文學發展史》（北京：北京大學出版社，2010 年），頁 130。

2　冰心：〈超人〉，收入《中國短篇小說百年精華·上》，中國社會科學院文學研究所現代文學研究室選編（香港：三聯書店，2005 年），頁 81。

3　魯迅：《而已集·小雜感》，《魯迅全集》第三卷（北京：人民文學出版社，2005 年），頁 556。

4　許地山：〈商人婦〉，1921 年 4 月發表於《小說月報》第十二卷第四號，收入《綴網勞蛛：許地山小說菁華集》（長沙：湖南文藝出版社，2011 年）。以下引文同。

5　許地山：〈綴網勞蛛〉，1922 年 2 月發表於《小說月報》第十三卷第二號。收入《綴網勞蛛：許地山小說菁華集》（長沙：湖南文藝出版社，2011 年）。以下引文同。

民族・性・鬱悶

　　文學研究會直接關心社會問題，用寫實方法同情被侮辱與
被損害者。創造社則推崇自我表現，追求浪漫主義抒情。夏志
清說「文學研究會是一個對文學抱着嚴肅態度，而深具學術氣氛
的團體」。[1]「嚴肅態度」，是反對鴛鴦蝴蝶派「娛樂」、「遊戲」，
「學術氣氛」則和創造社劃清界限。一般來說，文學研究會比較
注重學識、人格和道德修養。創造社則更相信天才、靈感和藝
術感覺。不過創造社的小說家郁達夫，認為將「為人生的藝術」
和「為藝術的藝術」對立是一種誤解。「因為藝術就是人生，人
生就是藝術。」[2]在描寫個人和民族的屈辱感方面——屈辱感是
二十世紀中國文學的一個核心情結——和文學研究會其實很有
相通之處。

　　郭沫若、郁達夫、成仿吾、張資平、田漢等人，都是留日
學生，但都不是學文學的。郭沫若學醫，郁達夫學經濟，成仿吾
學兵器專業，張資平是地質學。在新文學史上，一般認為〈狂人
日記〉是第一篇小說，郁達夫的《沉淪》是第一部小說集。[3]作為

新文學的最初實踐，從一開始就顯示了「五四」與晚清的不同聯繫方式：魯迅發展深化譴責小說的社會批判，郁達夫既突破又延續晚清的青樓小說傳統。

如果沿用「看與被看」的線索來讀〈沉淪〉，小說通篇也都在自述男主人公「被看」的感受 —— 不過不是害怕被人看被人「吃掉」，也不是拒絕他人關心，而是抱怨「怎麼沒人看我」，特別是沒有女人來看我。不受重視，不受關注，沒有得到渴望的愛，這才造成了男主角的另一種孤獨、淒清，甚至也是屈辱感。如果說作品裏也有獨異跟眾人的對立關係，那麼這個眾人就是日本人，就是異國他鄉的環境。小說的第一段：

> 他近來覺得孤冷得可憐。……在黃蒼未熟的稻田中間，在彎曲同白線似的鄉間的官道上面，他一個人手裏捧了一本六寸長的 Wordsworth 的詩集，盡在那裏緩緩的獨步。……他眼睛離開了書，同做夢似的向有犬吠聲的地方看去，但看見了一叢雜樹，幾處人家，同魚鱗似的屋瓦上，有一層薄薄的蜃氣樓，同輕紗似的，在那裏飄蕩。「Oh, you serene gossamer! You beautiful gossamer!」（你平靜的輕紗，你這優美的輕紗）這樣的叫了一聲，他的眼睛裏就湧出了兩行清淚來，他自己也不知道是甚麼緣故。[4]

整整第一章都是這樣的內容。直到第二章的第一句，還是「他的憂鬱症愈鬧愈甚了」。文筆優美冗長，有抒情感少戲劇性。在今天讀者看來，這個留學生功課不忙，也不差錢，在日本田野

讀英國詩，平白無故掉中國淚。為甚麼這部小說居然可以和〈狂人日記〉同時一舉成名？一個無端流淚整天頹廢的讀書人，既沒有大膽的思想挑戰，又不像「超人」那樣學習尼采哲學。他和狂人超人如果有共同點，就是都自覺孤寂，也自覺與眾不同。孤寂憂傷，原是中國文化青年的精神遺傳，郁達夫將這種傳統的憂傷作了時空兩層意義的改造。將憂鬱病譯成「Hypochondria」，在時間意義上，傳統的士大夫的自哀自憐無病呻吟就被翻譯轉化成一種似乎具有某種「現代性」的科學的疾病隱喻；在空間意義上，中外文夾雜的異國文化優勢又反過來證實主人公的國族身分及危機。

一、〈沉淪〉中的屈辱感：「窮國男人」的「現代病」

換言之，同樣寫憂鬱寫屈辱感，郁達夫寫的不是窮人，而是一個窮國的人。寫的不是狂人、超人，而是一個軟弱的男人。郁達夫在〈沉淪・自序〉中說這是「描寫一個病的青年的心理，也可以說是青年憂鬱病 Hypochondria 的解剖，裏面也帶敍着現代人的苦悶。」[5] Hypochondria 也可譯成「疑病症」。〈沉淪〉主人公或許並沒有病，性慾苦悶也是人之常情，小說的關鍵就在於疑心並懺悔自己有了病（在異國他鄉損壞了父母給的身體還不能修齊治平）。這種疑心和懺悔才是病，才是真的沉淪。

狂人要反抗的禮教，其實也包含對情慾的壓抑，魯迅自己數十年的無性婚姻，某種意義上也是只有「超人」才能忍受的生活。〈沉淪〉男主角的孤冷憂鬱，外表看像冰心筆下的何彬，但

是作家關注角度完全不同。如果描寫何彬半夜失眠，不是在想星星、小花、母愛，而是邊自慰邊懺悔（也不是沒可能），冰心不知道會有甚麼感想。百年後的今天，徹底與世抗爭的狂人其實不多，感動超人的心靈雞湯，雖有市場，但是真的冰心也十分罕見。反而「郁達夫式的苦悶」（不妨簡稱為「鬱悶」），倒是現實中最常見情緒。鬱悶有兩個基本要素，一是民族，一是「性」。當今中國網絡，凡事只要牽涉到民族，或牽扯到性，必成熱點，加在一起就雙倍、三倍的熱。回到清末民初，中國的基本困境，是在與其他民族的碰撞之中的「被國家」——我們本來是天下，現在被強迫要想像自己是一個國家（而且還是窮國弱國）。〈沉淪〉觸及民族矛盾的方式，其實有點做作，主人公跳海前喊：「祖國呀祖國！我的死是你害我的！你快富起來！強起來罷！你還有許多兒女在那裏受苦呢！」[6] 這種愛國主題，後來也是因為抗戰而被誇大。

郁達夫 1921 年寫〈沉淪〉時，說是寫青年的憂鬱症，靈與肉的衝突。到三十年代初，他才強調弱國子民在他鄉，眼看故國沉淪。士大夫如何同情「窮人」，傳統精神資源相當豐富。但士大夫如何作為「窮國的人」（也是一種「窮人」）渴求或拒絕同情，郁達夫較早觸及這個屈辱性主題，對後來比如張賢亮、劉以鬯、白先勇等作家一再描述士大夫陷入異鄉「窮境」，都產生了複雜的影響。而且，「窮國的人」的心態也不會隨着國家漸富而馬上消失（有時自卑反而隨自傲同步增長[7]），所以「民族‧性‧鬱悶」在國民心理層次延續至今，也是「五四」的直接遺產之一。

〈沉淪〉中的民族屈辱感，主要通過女人「他者」的目光而

感知。小說有四個關鍵情節，一是主人公因自慰而羞愧，二是偷窺房東女兒洗澡，三在野地裏聽到路人做愛，四是在妓院寫愛國舊體詩。課堂上詢問，香港學生說一、三、四都不算墮落，唯有偷看女人洗澡，不能接受。那段偷窺文字也有些笨拙：「那一雙雪樣的乳峰！那一雙肥白的大腿！這全身的曲線！」後來臺灣學者水晶把這段文字作為反面教材，用來證明張愛玲〈紅玫瑰與白玫瑰〉當中的性慾文字如何精彩。其實郁達夫在〈過去〉等小說中，寫性的文字也可以很細微。有趣的是，那個少女發現沖涼被人家偷看，跑去告訴父親，她父親卻只是哈哈大笑。可能大正年間，日本很多地方還有男女共浴的民俗，郁達夫寫的偷窺，雖不高尚，卻也無傷大雅。

如果說《三言二拍》某些篇章是以欣賞態度寫墮落行為，〈沉淪〉則是以痛苦態度寫正常情慾。「五四」時期郁達夫寫「性」，細節、文字、技術層面，其實沒有超越古典小說，但是觀念和態度有些變化。

郁達夫原名郁文，浙江富陽人，1896 年出生，也是早年喪父，小康家庭墮入困境，然後有舊式婚姻，後來又自由戀愛——這是很多「五四」男作家的共同背景。1922 年 3 月，郁達夫獲得東京帝國大學經濟學學士學位，回國主持早期創造社，後來又到安慶、北京、武漢、廣州等地教書。二十年代前期，郁達夫小說往兩個方向發展，一是關心社會，描寫底層——〈春風沉醉的晚上〉、〈薄奠〉。二是書寫青樓小說——〈茫茫夜〉、〈秋柳〉。文學史通常只講前一條線索，強調郁達夫回國以後，從「性的苦悶」轉向「生的苦悶」，然後再寫「社會苦悶」。

二、〈茫茫夜〉中的同性戀描寫

在二十年代上半期，郁達夫一方面公開鼓吹無產階級文學，「我想學了馬克思和恩格耳斯 Engels 的態度，大聲疾呼的說：『世界上受苦的無產階級者，在文學上社會上被壓迫的同志，凡對有權有產階級的走狗對敵的文人，我們大家不可不團結起來，結成一個世界共和的階級，百折不撓的來實現我們的理想！』」[8] 他自己也的確創作了同情關注勞工窮人的小說。但幾乎同一時期，他又寫了一些青樓狎邪小說，〈茫茫夜〉發表在《創造》季刊創刊號上。兩年後又發表續篇〈秋柳〉。很多後來的《郁達夫作品選》，有意不選〈秋柳〉，大概覺得是他的失敗之作。在我看來，這是一篇重要的作品。

〈茫茫夜〉幾乎沒甚麼故事，三個男人送主人公于質夫上船，從上海去安慶，兩個是二十七、八歲的留日同學，大概其中一個的原型可能是郭沫若。另一個是十九歲的纖弱青年，「他的面貌清秀得很。他那柔美的眼睛，和他那不大不小的嘴唇，有使人不得不愛他的魔力。」[9] 男主人公于質夫對這個病弱的「小鮮肉」吳遲生，有點特別的感情。送別過程中，質夫時時捏着遲生的手，又讓另外兩個朋友先回，留下遲生在船上道別。「他拉了吳遲生的手進到艙裏，把房門關上之後，忽覺得有一種神秘的感覺，同電流似的，在他的腦裏經過了。在電燈下他的肩下坐定的遲生，也覺得有一種不可思議的感情發生，盡俯着首默默地坐在那裏。」于質夫想遲生跟他一起去安慶，被婉言拒絕。吳說我們分開兩地，也不會疏冷感情，你難道還不能了解我的心嗎？「聽

了這話，看看他那一雙水盈盈的瞳仁，質夫忽然覺得感情激動起來，便把頭低下去，擱在他的肩上。」一個男人把頭擱在另一個男人的肩上，甚麼意思？

　　船開走後，小說倒敍過去幾個月男主人公和遲生的關係。初見就迷上他，知他有肺病，便幻想帶他到日本療養，當然就是幻想。時不時就把遲生的手捏住了。有天晚上走在馬路上，天氣太冷，質夫就問遲生：「你冷嗎？你若是怕冷，便鑽到我的外套裏來」。他不是把外套脫下來給他穿，而是叫他鑽到自己的外套裏。「遲生聽了，在蒼白的街燈光裏，對質夫看了一眼，就把他那纖弱的身體倒在質夫懷裏。質夫覺得有一種不可名狀的快感，從遲生的肉體傳到他的身上去。」

　　于質夫說回國之後，他的性慾變了一個方向。但同時又說：「以為天地間的情愛，除了男女的真真的戀愛外，以友情最美。」這是他對自己和吳遲生關係的理性定位。到底小說是不是在寫同性戀？的確有幾次捏着男人的手，頭靠在肩上，甚至身體鑽到他的外套裏邊。文字感覺微妙，但細節也就到此為止了。

　　于質夫定義的男人之間的「友情」，並不等同於男女真正戀愛。他到安慶以後，想念了一陣吳遲生，但又跑去青樓宣洩他的苦悶。郁達夫寫男人之間的微妙的肢體接觸，筆調比較讚美、欣賞。相比之下，後期小說《她是一個弱女子》描寫大革命中左、中、右三種立場的女性，其中女性之間的性愛，基本上只是反面人物的行為特徵。同性關係男的可以女的不行，這種有意無意的「男女有別」，是不是中國小說的某種「潛規則」？《紅樓夢》裏寶玉愛書童，或者再早文學傳統中的文人斷袖，都不算醜惡行

為（當然也不會取代超越男女之戀）。女性之間的肢體接觸，即使明明存在，比方春梅、潘金蓮和西門慶在同一張床上，卻還是男性的需求角度，並沒有明顯的女同性戀傾向。早期現代文學寫同性關係是否也「重男輕女」？案例太少，不足以下結論。但郁達夫確是較早觸及這個題材的作家，雖然只是點到為止，已經受到批判。1921年《最小》報發表張舍我的文章〈誰做黑幕小說〉，指責「那些以提高小說藝術價值的新文化小說家，竟會專門提倡獸性主義。描寫男和男的同性戀愛。簡直說一句。描寫『雞姦』。讀者不信。請看《創造》雜誌第一二兩冊內郁某的小說。」[10] 有心的同志如果真的去找，恐怕會失望。

〈茫茫夜〉後半段寫男主人公到安慶後十分鬱悶，還有一個很有名的頹廢情節。某天晚上他到街上一個小店裏買了一根針並討來女店員舊手帕，然後就回家用針刺自己的臉，用手帕去擦。「本來為了興奮的原故，變得一塊紅一塊白的面上，忽然滾出了一滴同瑪瑙珠似的血來。他用那手帕揩了之後，看見鏡子裏的面上又滾了一顆圓潤的血珠出來。對着了鏡子裏的面上的血珠，看看手帕上的腥紅的血跡，聞聞那舊手帕和針子的香味，想想那手帕的主人公的態度，他覺得一種快感，把他的全身都浸遍了。」

〈茫茫夜〉的續篇〈秋柳〉進一步延續郁達夫的這種頹廢藝術，而且跟《海上花列傳》的傳統遙相呼應。〈茫茫夜〉結尾處，于質夫被同事吳風世帶去當地的一個妓寨鹿和班。人家問他要甚麼樣的姑娘，他說了三個條件，第一要不好看的；第二要年紀大的；第三要客少的。結果真的就給他找了一個又笨又難看的海棠。坐在那裏聊天，一個小時以後就走了。

三、〈秋柳〉與青樓小說傳統

〈茫茫夜〉1922 年引人注目地發表在《創造》季刊第一卷第一期，續篇〈秋柳〉同年七月已寫成，內容更具挑戰性，但到 1924 年 10 月才在北京《晨報副鑴》上修改發表。說明這個階段，郁達夫在上海主持創造社，又到北京教書，創作上少了一點傲氣自信，多了幾分猶疑思考。小說開篇接着〈茫茫夜〉的情節，講認識海棠的第二天，學校風潮，校長辭職。于質夫卻在午飯時間又跑去鹿和班。（午飯時間？去食堂嗎？）海棠有一個假母，四十多歲很矮的女人，陪他說話。海棠表情木訥冷淡，隔壁乳母，又抱來一個小孩。（男人大白天去青樓，又是假母，又是小孩，找甚麼樂趣？）于質夫走後，碰到同事吳風世 —— 他是一個章秋穀式的高手，說不是海棠冷淡，她就是忠厚老實。這樣說法，反激起了于質夫的「救世熱情」（五四知識分子喜歡救世救人）。「我要救世人，必須先從救個人入手。海棠既是短翼差池的趕人不上，我就替她盡些力罷……可憐那魯鈍的海棠，也是同我一樣，貌又不美，又不能媚人，所以落得清苦得很……海棠海棠，我以後就替你出力罷，我覺得非常愛你了……」

老殘贖翠環時還半推半就，郁達夫的嫖界宣言竟大言不慚。當時文人扮俠客拯救風塵女子，好像問心無愧 —— 他們不是獨自尋歡，還有同事朋友在場。一開始貌似模擬《花月痕》溢美派，企圖在風塵女子身上寄託真情尋找真愛，但很快破滅。中間也有溢惡派的《九尾龜》章秋穀式的嫖客經驗（他同事介紹怎麼保

密，怎麼付錢，對方會不會有病等等具體操作問題）。但總體而言，〈秋柳〉男主角，既沒有碰到純情妓女，也沒撞上騙人尤物。小說不僅在寫實基調上學習韓邦慶「近真」筆法，而且更重要的是延續《海上花列傳》的青樓家庭倫理化主題。《海上花列傳》裏有幾個較出名的故事。恩客陶雲甫，說要娶李漱芳為正室。本來娶妓為妾，已是好出路，可是陶雲甫說「要麼不救你，救你我就要娶你為正室」。願望雖好，但沒成功。之後再想贖她為妾，女人堅決拒絕，最後病死。

另一個故事，長三堂子裏的「先生」，女主角沈小紅和恩客王蓮生，互相不能容忍對方接近別的異性。妓女、嫖客的關係，變得像夫妻一樣嚴肅。還有一個故事，趙二寶得到兄長和母親默許，下海為娼，格外悲慘。總之《海上花列傳》裏的歡場故事，大都寫在妓院模擬家庭倫理。青樓小說裏男女交往方式，主要不是肉體，而是打牌、吃飯、抽煙、談笑，還琴棋書畫，恩客在一段時間內只跟一個妓女來往。這種行為關係一旦發展，就會變成對家庭倫理邏輯的一種戲仿（李伯元、吳趼人小說裏也不乏叫局演變成妻妾的例子）。〈秋柳〉中，于質夫和同事及校長，還有兩個男客倪龍庵、程叔和，他們和鹿和班妓女們在一起。荷珠是姓吳同事的固定女伴，十五歲「清倌人」碧桃和于質夫整天打鬧、嬉笑、說話。校長舊情人翠雲是個年老的妓女。此外再加上貌醜的海棠，〈秋柳〉反覆描繪的細節場景都是這些人一起打牌、喝酒、嘻哈、玩鬧，還到遊樂場去吃飯，並組成一對對模擬的男女情侶關係。眾人逼迫于質夫在海棠處過夜。細節卻一點都不性感，遠不如他與吳遲生這個男人之間的肢體接觸那

麼溫柔。他原來都不想碰這個女人的身體，後來改了主意，「本來是變態的質夫，並且曾經經過滄海的他，覺得海棠的肉體，絕對不像個妓女。她的臉上仍舊是無神經似的在那裏向上呆看。不過到後來她的眼睛忽然連接的開閉了幾次，微微的吐了幾口氣。那時窗外已經白灰灰的亮起來了。」

看到郁達夫的主人公最墮落的這一個時刻，讀者至少會有兩個問題：第一，于質夫作為新派知識分子，在小說裏是一直穿着洋服的學校教員，怎麼向學生或者說向他自己解釋去青樓購買性服務這個事實？第二，〈秋柳〉模仿《海上花列傳》式的青樓生活家庭化，但兩者有甚麼分別呢？或者說五四的青樓小說對晚清傳統，除了傳承還有沒有突破？

同事倪龍庵，聽說于質夫去了鹿和班，裝出一副驚恐的樣子，「你真好大的膽子，萬一被學生撞見了，你怎麼好？」于質夫回答說，「色膽天樣的大。我教員可以不做，但是我的自由卻不願意被道德來束縛。學生能嫖，難道先生就嫖不得麼？那些想以道德來攻擊我們的反對黨，你若仔細去調查調查，恐怕更下流的事情，他們也在那裏幹喲！」說得好像理直氣壯，「救世先救人，我先救海棠」，當然是自欺欺人。真有學生要來找他，請教他怎麼辦文學雜誌時，小說寫「質夫聽了他們那些生氣橫溢的談話，覺得自家慚愧得很。及看到他們的一種向仰的樣子，質夫真想跪下去，對他們懺悔一番……你們這些純潔的青年呀！你們何苦要上我這裏來。你們以為我是你們的指導者麼？你們錯了。你們錯了。我有甚麼學問？我有甚麼見識？啊啊，你們若知道了我的內容，若知道了我的下流的性癖，怕大家都要來打我

殺我呢！我是違反道德的叛逆者，我是戴假面的知識階級，我是着衣冠的禽獸！」

兩種不同的態度，對學生，對自己，哪一種是矯飾？哪一種是真誠？或者，兩者都是矯飾也都是真誠的？

第二個問題，〈秋柳〉能否真的延續《海上花列傳》那種模擬家庭倫理的青樓文化？小說寫質夫去鹿和班，主要樂趣就在跟荷珠、碧桃等打牌、抽煙、聊天，甚至訴說身世。過夜十分勉強，僅限海棠。正當男主角漸漸入戲，可能要變成海棠常客（家庭成員）時，一場大火燒了妓院（《老殘遊記》裏也有一場類似的及時火災），也讓質夫看清，胖乳母抱的是海棠的嬰兒，嬰兒的父親，就是除于質夫以外，海棠的唯一一個四五十歲的固定客人。所以這個模擬家庭，晚上好像溫馨，白天非常醜陋。所以《海上花列傳》是欣賞、玩味青樓裏的家庭氣氛，五四以後的〈秋柳〉卻是拆穿、解構這種傳統性工業的道德包裝。不僅說明五四作家新舊文人氣質交替混雜，貌似救人其實是自救，也顯示了晚清青樓狎邪小說傳統，在五四以後的文學中依然有複雜的傳承及變化。在郁達夫時期還是延續「青樓的家庭化」，到張愛玲〈第一爐香〉及以後張賢亮〈綠化樹〉、賈平凹《廢都》那裏就演變成「家庭青樓化」了。郁達夫的另一些名篇，如〈過去〉、〈迷羊〉等，藝術上更精巧，其實也應該放在青樓文學傳統這條文學史線索中去解讀。

注

1 夏志清著、劉紹銘等譯：《中國現代小說史》(香港：香港中文大學出版社，2001年)，頁 44。

2 郁達夫：〈文學上的階級鬥爭〉，寫於 1923 年 5 月 19 日，原載 1923 年 5 月 27 日《創造週報》第三號。收入《郁達夫文集》第五卷 (廣州：花城出版社；香港：三聯書店，1982 年)，頁 135。

3 其實，陳衡哲的短篇〈一日〉，發表在 1917 年的《留美學生季報》上，時間比〈狂人日記〉更早。魯迅第一篇小說是文言的〈懷舊〉。而郁達夫的小說集《沉淪》其實裏邊有三個中短篇，最早一篇是〈銀灰色的死〉。

4 郁達夫：〈沉淪〉，寫於 1921 年 5 月 9 日，收入小說集《沉淪》，1921 年 10 月上海泰東書局出版；引文據《郁達夫文集》第一卷 (廣州：花城出版社；香港：三聯書店，1982 年)，頁 16-17。

5 小說集《沉淪》，1921 年 10 月上海泰東書局出版。

6 引文據《郁達夫文集》第一卷 (廣州：花城出版社；香港：三聯書店，1982 年)，頁 16-17。

7 比如張承志《金牧場》主人公認為「窮國的人可以失禮」。張承志：《金牧場》(蘭州：甘肅人民美術出版社，2013 年)。

8 同注 2，頁 140。

9 〈茫茫夜〉，原載 1922 年 3 月 15 日《創造季刊》第一卷第一期。收入《郁達夫文集》第一卷 (廣州：花城出版社；香港：三聯書店，1982 年)，頁 116-146。以下凡〈茫茫夜〉均依據花城 / 三聯版本。

10 轉引自孔慶東：《百年中國文學總系・誰主沉浮》(濟南：山東教育出版社，1998年)，頁 203-204。

〈傷逝〉

1925 魯迅

五四愛情小説模式

1925 年，魯迅在北京教書同時任職教育部，一邊支持女師
大學運並與學生許廣平戀愛，一邊創作了他唯一一篇愛情小説
〈傷逝〉而且以悲劇結局。

〈傷逝〉代表了五四愛情小説的基本模式，而且也是較早反
省五四思想啟蒙運動的作品。在二十世紀六十到七十年代，〈傷
逝〉幾乎是中國唯一的「戀愛教科書」，不僅影響着青年人的文
學趣味，不僅影響青年人的三觀，還直接影響到青年人談戀愛的
具體言行方式。這樣的小説在文學史上非常罕見。

一、〈傷逝〉中的愛情模式

青年男主角涓生在會館裏租了一個偏僻的破屋，非常空虛，
他是一個文員。

「子君不在我這破屋裏時，我甚麼也看不見。在百無聊賴
中，隨手抓過一本書來，科學也好，文學也好，橫豎甚麼都一

樣;看下去,看下去,忽而自己覺得,已經翻了十多頁了,但是毫不記得書上所說的事。」[1]

百無聊賴,無聊,這是魯迅非常喜歡用的一個詞。〈在酒樓上〉,在〈孤獨者〉裏,這個詞都重複了很多次。

郁達夫〈春風沉醉的晚上〉裏窮極潦倒的文人,租一個沒窗的閣樓,也是整天看書,不知在看甚麼。但就是因為看書的樣子,隔壁的女工對他產生好感。書中自有顏如玉,看不進去沒關係。涓生書看不進去,耳朵卻分外的靈,他在聽有沒有子君的腳步。「驀然,她的鞋聲近來了,一步響於一步,迎出去時,卻已經走過紫藤棚下,臉上帶着微笑的酒窩。」

小說並沒有交代兩個人最初怎麼認識,也沒有記載兩人拍拖時有沒有出去散步、看戲、吃飯等,所有的戀愛過程好像都在涓生的破屋裏。在破屋裏做甚麼呢?不做甚麼,「默默地相視片時之後,破屋裏便漸漸充滿了我的語聲,談家庭專制,談打破舊習慣,談男女平等,談伊孛生,談泰戈爾,談雪萊……。她總是微笑點頭,兩眼裏彌漫着稚氣的好奇的光澤。」

這就是〈傷逝〉影響後來很多年輕讀書人的最基本的戀愛模式。這個模式的特點,第一,主要男的在說,女的基本在聽;第二,男的不講樓不講車,也不直接講政治經濟,而是講文學談文化,講易卜生、泰戈爾、雪萊,基本上就是外國文學課。有人刻薄總結過這種戀愛方式,說現今社會男追女,有三個武器,曬身體,用錢砸,文化洗腦(話糙理不糙)。我們年輕時代沒有那麼複雜的愛情策略,但也懂得拍拖一開始就談莫札特海明威莫內屠格涅夫等等。現在想起來,都是〈傷逝〉教的。

「我是我自己的，他們誰也沒有干涉我的權利！」這是我們交際了半年，又談起她在這裏的胞叔和在家的父親時，她默想了一會之後，分明地，堅決地，沉靜地説了出來的話。

這是階段性的勝利。男人很興奮，但不單是為了戀愛成功。

這幾句話很震動了我的靈魂，此後許多天還在耳中發響，而且説不出的狂喜，知道中國女性，並不如厭世家所説那樣的無法可施，在不遠的將來，便要看見輝煌的曙色的。

這話聽來有點奇怪，如果一個北京人，和一個香港人或法國人拍拖成功，會說香港人有救了，在法國女性身上看到了輝煌的曙光嗎？顯然涓生在這個破屋裏，他不只是在談戀愛，作家安排男主角同時做三件事情：第一，一個男青年追求一個女青年（戀愛）；第二，一個老師在給學生上課（教育）；第三，一個文人試圖喚醒被禮教束縛的中國女性，或者更廣義的象徵，男性知識分子，試圖喚醒以女性代表的沉睡的、弱勢的大眾（啟蒙）。

五四愛情小說的這種基本模式，往前至少上溯到老殘替翠環改名，往後則在很多現代小說裏重複：比如郁達夫〈春風沉醉的晚上〉、葉聖陶《倪煥之》、柔石〈二月〉、茅盾〈創造〉、巴金《家》等等。男的都是讀書人，女的地位弱勢可憐，戀愛過程像

啟蒙，目的在於拯救對方。女的必須玉潔冰清，玉潔就是相貌好看（值得拯救），冰清就是內心善良（可以拯救）。當然，這樣「男愛女 —— 男教女 —— 男救女」的故事常常不太順利，最後也會導致悲劇。

二、愛情、教育、啟蒙三位一體

從文學史上看，〈傷逝〉等五四小說，第一是愛情小說，第二是教育小說，第三是啟蒙小說。大部分的時候男的做啟蒙者，女的被啟蒙，直到後來女作家丁玲、蕭紅、張愛玲等出現，才挑戰、顛覆了這麼一個愛情、教育、啟蒙三合一的小說模式。

子君說自己決定命運，離家出走，和涓生同居。同居面臨世俗壓力，涓生、子君常被鄰居窺探，而且閒言碎語會轉化成社會懲罰。好不容易涓生、子君在吉兆胡同找到了一個簡單住所，不久涓生就被局裏辭退。這對熱戀男女，並沒有馬上退卻。經濟出了問題，涓生就準備寫作、登廣告、翻譯，賣文為生。小說裏這樣寫，「『說做，就做罷！來開一條新的路！』我立刻轉身向了書案，推開盛香油的瓶子和醋碟……」這個細節極有象徵性，說明至少涓生覺得，文學、工作、愛情、理想，與代表日常生活的香油瓶子醋碟有矛盾對立關係。

同居後的子君，好像一直在操心油鹽醬醋、油雞小狗，兩人的感情，在生活壓力下漸漸冷卻下來了。涓生常常跑去通俗圖書館，一邊看書，一邊反省。他覺得「只為了愛，——盲目的愛，——而將別的人生的要義全盤疏忽了。第一，便是生活。

人必生活着，愛才有所附麗……」所以涓生說「我要明告她，但我還沒有敢」。雖然不說，但女人很快就感覺到了，男人後來也承認了，「我已經不愛你了」。記得最初讀到這裏，我自己也陷入深深的困惑。男人面對同樣處境，到底應該堅持諾言——言必信，行必果，諾必成，這是司馬遷《史記》寫俠客的文字，同時也是千百年古今男子漢的道德標準——還是說應該直面自己的慘淡人生，真實表達自己的想法。明明已經不愛她了，是否應該告訴她？甚麼最重要？是諾言還是真誠？可見〈傷逝〉作為愛情教科書，不僅啟發我們怎麼開始交談，也警告我們怎麼面對難題。So keep your promise, or tell the truth？This is a question.

接下去就是小說中最感人的一幕了。某日涓生回家，房東說子君的父親今天把她接回去了。「我不信；但是屋子裏是異樣的寂寞和空虛。我遍看各處，尋覓子君；只見幾件破舊而黯淡的傢具，都顯得極其清疏，在證明着它們毫無隱匿一人一物的能力。我轉念尋信或她留下的字跡，也沒有；只是鹽和乾辣椒，麵粉，半株白菜，卻聚集在一處了，旁邊還有幾十枚銅元。這是我們兩人生活材料的全副，現在她就鄭重地將這留給我一個人，在不言中，教我借此去維持較久的生活。」

初讀這個小說場景，我久久難忘，一切盡在不言中。

子君回家以後，不知道甚麼原因，後來就死了。涓生當然空虛、內疚、自責，「只坐臥在廣大的空虛裏，一任這死的寂靜侵蝕着我的靈魂」，「我將在孽風和毒焰中擁抱子君，乞她寬容」，「我要將真實深深地藏在心的創傷中，默默地前行，用遺忘和說謊做我的前導……」

三、誰為涓生、子君的愛情悲劇負責？

究竟有誰應該對涓生、子君的愛情悲劇負責呢？

至少可以有四種不同的讀法。第一種，兩個人都有錯，年輕人不夠成熟，單純戀愛至上，當然不可能成功。人生在世大部分時間，都必須現實主義，權衡計算，趨利避害。人要是能留百分之一二空間追求浪漫，通常就在最重要的事情上任性一點。有時候也很難，小說結局，其實就是魯迅所謂的「娜拉出走」的第一種結局，回家 —— 悲劇。（同一時期，魯迅和許廣平的戀愛，卻是浪漫成功的，雖然也經過很多波折）。

第二種，兩個人都沒錯，只是社會壓力太大，一對青年男女無法抵抗。引申開去的結論，就是單獨的個性解放之不可能。按馬克思主義的說法，只有解放全人類，才能最後解放自己。所以涓生大概以後就要參加革命了。這是中國內地教科書的主流解讀方法。單純的愛情和個性解放，此路不通。

第三種，主要是女的錯，同居以後變庸俗了，雙方缺乏共同語言。之前並沒真正理解歐洲文學，婦女解放道路漫長且困難。

第四種解讀方法，主要是男人的錯。而且還不是甚麼負心漢始亂終棄的問題，而是把人喚醒，許諾自由，一遇困難，就承受不了。按照愛情、教育、啟蒙三位一體模式來看，這不是在黑房子裏開了窗叫醒了沉睡的人，可是開不了門救不了人？所以在某種程度上，這是魯迅對「五四」啟蒙思潮的一個沉痛反省。

如果說「五四」是一場革命，魯迅對這場革命貢獻最大，但也是他最早懷疑這場革命能不能成功。這種懷疑在〈狂人日記〉

是最後「去某地候補」，在〈藥〉是強調墳上花環是作家加上去的，在〈傷逝〉則是刻意安排子君回家後死亡。魯迅想說，人也好，社會也好，好像難免要回到老路。魯迅又說，但老路終究是條死路。

當然在這四種對〈傷逝〉的解讀以外，也有研究者認為它根本不是一個愛情小說，實際上是寫魯迅跟周作人的友誼。[2] 這方面的研究，也找出了一些字裏行間的蛛絲馬跡，有沒有可能呢？讀者自己去判斷了。

注

1　〈傷逝──涓生的手記〉在收入《彷徨》（北京：北新書局，1926 年 8 月）前從未發表。引文據《魯迅全集》第二卷（北京：人民文學出版社，2005 年），頁 113-134。下同。

2　周作人晚年撰寫的《知堂回想錄》（河北：河北教育出版社，2005 年）中提到：「〈傷逝〉不是普通戀愛小說，乃是假借了男女的死亡來哀悼兄弟恩情的斷絕的，我這樣說，或者世人都要以我為妄吧，但是我有我的感覺，深信這是不大會錯的。」

一、介乎文學創作與個人紀事之間的《日記九種》[1]

1927 年 1 月 14 日郁達夫日記記載：「午前洗了身，換了小褂褲，試穿我女人自北京寄來的寒衣。可惜天氣太暖，穿着皮袍子走路，有點過於蒸熱。」這個皮袍子，是 1 月 13 日剛剛通過郵局寄到，13 日的日記說，「我心裏真十分的感激荃君」。孫荃雖是舊式女人，小腳，但有文化，會寫舊體詩。「除發信告以衷心感謝外，還想做一篇小說，賣幾個錢寄回家去，為她做過年的開銷。」1 月 13 日的日記，充滿對太太的感激「中午雲散天青，和暖得很，我一個人從郵局的包裹處出來，夾了那件舊皮袍子，心裏只在想法子，如何的報答我這位可憐的女奴隸。想來想去，終究想不出好法子來。我想頂好還是早日趕回北京去，去和她抱頭痛哭一場。」[2]

在郁達夫 1926 年的日記裏，幾乎三天兩頭，都會提及妻子孫荃。比方說 1926 年 11 月 3 日，「今天是舊曆的九月廿八，離

北京已經有一個多月了。我真不曉得荃君如何的在那裏度日，我更不知道今年三月裏新生的熊兒亦安好否。」11 月 4 日的日記寫，「三點多鐘去中山大學會計課，領到了一月薪水。回來作信，打算明早就去匯一百六十塊錢寄北京。唉唉！貧賤夫妻，相思千里，我和她究竟不知要那一年那一月才能合住在一塊兒？」看來作家兩地分居，的確是一種經濟的需求。11 月 5 日日記，「昨晚上因為得到了一月薪水，心裏很是不安，怕匯到北京，又要使荃君失望，說：『只有這一點錢。』」過了幾天，11 月 15 日的日記寫，「午前起來，換上棉衣，又想起了荃君和熊兒，兒時故鄉的寒宵景狀，也在腦裏縈回了好久，唉，我是有家歸不得！」

郁達夫的日記，既不是〈狂人日記〉或〈莎菲女士的日記〉那種虛構的文學作品，又不像魯迅的日記那樣純粹個人紀事備忘（後來只是因為作家太重要了，魯迅日記才變成文學史資料）。郁達夫的《日記九種》介乎於文學創作和個人紀事之間。記的應是實事，但是幾個月以後就在《創造月刊》上發表了。1927 年 9 月北新書局出版《日記九種》，成為暢銷書。所以至少在發表出版的時候，作家相信這些日記是有文學價值的，作家願意公開他的隱私。也不能完全排除作家在發表出版時，有局部文字增改修飾。既然作家在發表日記時，已有心理準備，要把私隱曝光，照常理說，作家應該儘量公開一些對自己形象有增色的內容，或者儘量減少對自己道德風貌有損的文字。可是我們看到了郁達夫的日記，寫了不少柔情正義，但也有很多荒唐邪念。前者如思念家人等，真摯感人。但是後者，有些明明損害作家形象的細節，為甚麼還要記下來，還要發表？是不在乎人們的議論？還是

故意挑戰社會習俗？或者隱善揚惡，也是吸引讀者的手段？

二、改變郁達夫人生軌跡的女人

1927 年 1 月 14 日的日記，講了穿皮袍子太熱，以及白天一些雜務瑣事後，提到一筆：「上法界尚賢里一位同鄉孫君那裏去。在那裏遇見了杭州的王映霞女士，我的心又被她攪亂了，此事當竭力的進行，求得和她做一個永久的朋友。」

當時郁達夫三十一歲，自己和別人都覺得他已是中年，是一個相當出名的浪漫頹廢文人。小說常寫性苦悶，又說是自敍傳，人們完全有理由會覺得這個作家，按今天的說法就是「老司機」，閱人無數了。《日記九種》裏就有實證，不久前在廣州，1926 年 12 月 3 日，就有半夜送女作家白薇回家，鬱悶到划船，幾乎招妓的記載。[3]

1 月 14 日日記說，「我的心又被她攪亂了」，這個「又」值得推敲，這明明是郁達夫第一次見到王映霞。「又」是指自己「豐富」（或者是想像豐富）的感情經歷。可是這樣一個中年浪漫文人，怎麼就會在幾十分鐘的偶遇當中，就斷定眼前的女子會決定他的後半生呢？（而且後來事實果真如此。）

一見鍾情是作家的虛構？還是作家的實踐？

日記裏提到的孫君叫孫百剛，他後來為這個事情寫了不少回憶文章，反覆記錄他一生碰到的最重要的文學事件。1 月 14 日以後，郁達夫幾乎天天到孫百剛家裏，表面上請他們吃飯、看電影，其實是找藉口見王映霞。孫百剛夫人馬上就問了，郁先

生，您夫人來了嗎？目的當然就是提醒女學生小心「老司機」。《小團圓》裏邵之雍拜訪九莉，張愛玲的姑媽也問了同樣的問題。但是孫百剛和周圍的人哪裏擋得住郁達夫的熱戀之火。

第二天日記寫，郁達夫出席邵洵美的婚禮，和周作人通信，老婆又來信，「荃君信來，囑我謹慎為人，殊不知我又在為女士顛倒」，「王映霞女士，為我斟酒斟茶，我今晚真快樂極了。我只希望這一回的事情能夠成功。」1月16日的日記又寫，「王女士待我特別的殷勤，我想這一回，若再把機會放過，即我此生就永遠不再能嘗到這一種滋味了，幹下去，放出勇氣來幹下去吧！」

之後的郁達夫日記，真是「日記」——幾乎天天記載，1月17日，「飲至夜九時，醉了，送她還家，心裏覺得總不願意和她別去。」1月18日下午，「訪王女士，不在。等半點多鐘，方見她回來，醉態可愛，因有旁人在，竟不能和她通一語，即別去。」1月19日，拉了蔣光赤一起拜訪王女士，晚上又看電影，不知怎麼，感到「這一回的戀愛，又從此告終了，可憐我孤冷的半生，可憐我不得志的一世。」「茫茫來日，大難正多，我老了，但我還不願意就此而死。要活，要活，要活着奮鬥，我且把我的愛情放大，變作了對世界，對人類的博愛吧！」

（「作」啊，甚麼叫作家，就是「作」的專家。）

王映霞是一個聰明的杭州女生，學校課文裏已讀過郁達夫的作品（很多青少年是因為課本才讀文學）。周圍的人都很理智地反對，因為郁達夫年紀大，已婚，頹廢浪漫「人設」等等。之後幾天郁達夫再找，王映霞就迴避。沒有明確表態，把郁達夫急死了。

1月20日他找徐志摩談，找徐志摩能請教甚麼經驗？1月

21 日日記說,「完了,事情完全被破壞了」。1 月 23 日,聽說王映霞回杭州,郁達夫一個人到上海火車站,先坐到龍華,然後坐車到杭州,一路等到半夜,在西湖邊上開小旅館,第二天又到城站去死守,下雪天,沒有結果。1 月 24 日,只能回上海,一個人哭了個痛快,那個時候他認識王映霞已經十天了,或者說還只有十天而已。

三、革命文學與戀愛傷感兩不誤

再回到作為轉捩點的 1 月 14 日的日記,郁達夫在孫百剛家裏偶遇王映霞以後,下午就去閘北創造社出版部,聽說上海當局要封鎖創造社出版。1927 年 1 月,北伐軍正在浙江和孫傳芳作戰,日記最後一句是,「從明天起,當做一點正當的事情,或者將把《洪水》第二十六期編起來也」。說明 1 月 14 日日記裏的郁達夫,革命文學和戀愛傷感兩不誤。

這一時期的《日記九種》,常常談論政治。1926 年 11 月 12 日在廣州,「今朝是中山先生的誕期,一班無聊的政客惡棍,又在講演,開紀念會,我終於和他們不能合作,我覺得政府終於應該消滅的。」1926 年 11 月 21 日,創造社內鬥,他從這個話題講到了「現代青年的不可靠,自私自利,實在出乎我的意料之外,我真覺得中國是不可救藥了。」11 月 26 日,他說,「閱報知國民政府有派員至日本修好消息。我為國民政府危,我也為國民政府惜。」(為政府危,也為政府惜,這是知識分子常見的感時憂國自作多情。)

再看 1 月 25 日的日記，白天處理了創造社的出版事務，碰到了林徽因，晚上和朋友去南國社，「看了半夜的跳舞，但心裏終是鬱鬱不樂，想王女士想得我要死。」十二點後，和葉鼎洛到四馬路痛飲，兩人都喝醉了，「就上馬路上打野雞，無奈這些雛雞老鴨，都見了我們而逃」，這兩個醉漢，連人家街上的妓女都害怕了。「走到十六鋪，又和巡警衝突了很多次，終於在法界大路上遇見了一個中年的淫賣，就上她那裏去坐到天明」。[4]

一個男人，一個作家怎麼可以在幾天之內，又懷念妻兒，又狂戀女學生，又鼓吹革命，又流落街頭，碰到中年性工作者⋯⋯更重要的問題是：一個人做這麼多不同的事情，不被懲罰已算幸運，為甚麼要寫出來？發表了，人們又會怎麼看呢？那個時代，當時社會又怎麼會容忍甚至理解這種現象呢？

據郁達夫日記，1927 年 1 月 25 日半夜，他遇到了一個中年的淫賣，就上她那裏坐到天明（原來只是坐到天明）。第二天日記說，「從她那裏出來，太陽已經很高了。和她吃了粥，又上她那裏睡了一睡。」（甚麼叫睡了一睡？含糊其詞，何必寫出來呢？）。「九點前後，和她去燕子巢吸鴉片，吸完了才回來，上澡堂洗澡。」然後郁達夫又去創造社出版部鼓吹革命文學，又給妻子和岳母寫信，晚上又在打聽王映霞的地址。

郁達夫之後能和王映霞在一起，也不完全是因為死纏爛打、狂追熱戀，部分原因是王映霞的外公 —— 王二南先生自己寫詩，很欣賞郁達夫的文才。王映霞小名金鎖，金鎖改姓王，就是因為她外公。郁達夫後來也沒有跟孫荃離婚，只是出現了一種當時叫「兩頭大」的局面，當時的社會習俗也允許，誰也不做

小，誰也不做「小三」。王映霞當年如何大美人？照片上也看不出來。不過八十年代，我的碩士論文研究郁達夫，丁景唐先生建議我去拜訪王映霞。那時她應該七十多了，但確是儀表非凡，很有風度。這次再寫有關郁達夫的文章，在下書架上找到一本《達夫書簡》，上面寫着「給子東小友」，還蓋了兩個章。很少有誰稱我「子東小友」，聽上去很舒服。

王映霞送贈作者的《達夫書簡》。

郁達夫和王映霞在一起以後，創作完全轉向了，之前是頹唐、傷感、民族、性、鬱悶，之後就是瀟灑、遊記、散文、寓情、淨化。一個女人對作家有這麼大的影響，即使在五四時期，這樣的例子也不多。

《日記九種》還有很多精彩細節。如 1927 年 3 月 7 日，初見王映霞的一個多月之後，「約她一道出來，上世界旅館去住了半天」，（旅館開半天，做甚麼？）「外面雨很大，窗內興很濃，我和她抱着談心，親了許多的嘴，今天是她應允我 kiss 的第一日。她激勵我，要我做一番事業，她勸我把逃往外國去的心思丟了。她更勸我去革命，我真感激她到了萬分。答應她一定照她所囑咐我的樣子做去，和她親了幾個很長很長的嘴。」Kiss 激勵革命、愛國！「今天的一天，總算把我們兩人的靈魂融化在一處了。晚上獨坐無聊，又約了蔣光赤談到天明。」

蔣光赤是當時左翼文壇的代表人物，原名蔣光慈，為了表示左傾特地改名。五十年代復旦學生一度也重寫文學史，魯郭茅之後，第四位就是蔣（可是在特定時代語境，又姓蔣，又一個光，怎麼改也沒用）。真不知道郁達夫初次 kiss 以後，跟蔣光慈這一個晚上談了一些甚麼。但是僅僅四天以後，3 月 11 日記，「映霞在我的寢室裏翻看了我這日記，大發脾氣，寫了一封信痛責我，我真苦極了……一個人在風雨交迫的大路上走着，我真想痛哭起來，若戀愛的滋味，是這樣痛苦的，那我只願意死。不願再和她往來……我恨極了，我真恨極了。「（原來 Kiss 是可以的，但寫 Kiss 是不好的。）不過這些日記，幾個月郁王在一起後就發表，並沒怎麼刪改。

　　人們不禁會有疑問：郁達夫的這些日記，不管是真的記事備忘，或者有意無意的有虛構創作成分，寫戀愛寫革命就可以了，寫愧對妻兒也還可以理解，但何必要寫隱私當中那些見不得人的一面呢？何必要追女生不成，就去四馬路宿娼、吸鴉片呢？不管是真宿還是假睡。他較早的日記裏邊也有一筆，1927 年的 1 月 3 日，「路上遇見了周靜豪夫婦。周夫人是我喜歡的一個女性，她教我去飲酒，我就同她去了，直喝到晚上的十點鐘才回家睡覺。」跟人家夫婦一起去，直接在日記裏說，喜歡人家的太太。想想就行了，還需要在日記裏記下來並拿出來發表？同月 9 日記，「和兩位俄國夫婦上大羅天去吃點心和酒。到十一點鐘才坐汽車返寓。這一位俄國太太很好，可惜言語不通。」同樣的道理，這些都是不重要的小事，你跟人家俄國人的太太，根本話都說不了，記在日記裏說誰的太太好⋯⋯

　　我們在一百年後寫日記，這種心思還會寫嗎？出版社發表之前，不看看嗎？這又不是微信，現在微信、臉書也一樣不敢寫吧。

　　這些看似無關大局的小事情，卻帶出兩個嚴肅的問題。第一，說明郁達夫無論為人，或者是寫作發表日記，都是不拘小節。或者他不認為自己生活和人性中的這些弱點有甚麼錯，至少它不是罪。這是一種對自我，對人性的一種信任。或者他明知人人都會掩飾這些「小節」，其實是習慣成自然的虛偽，所以他就故意暴露自己缺陷弱點，「隱善揚惡」，以顯示真實。第二，也說明五四時期社會道德氛圍相當寬容，允許、理解，甚至欣賞文人有可以這樣自己表達的真性情。

　　二十年代中國作家的這種心態和生態環境，後來再也沒有了。

四、郁達夫與王映霞的戲劇性愛情

王映霞後來也介入了三十年代上海的文化圈。魯迅著名的舊體詩句「橫眉冷對千夫指，俯首甘為孺子牛」，前面題字就是「達夫、映霞賞飯」。王映霞主張移居杭州，在杭州蓋了一個別墅「風雨茅廬」，也和很多國民黨要人交往，當時她喜歡坐的車就是杭州的 002 號，是市長的車。但蓋別墅也欠了債，現代文學史上極少能有純粹的職業作家，郁達夫 1936 年就去福建做參議員。抗戰中「風雨茅廬」成了日本人的養馬圈。郁達夫認為王映霞逃亡途中在蘭溪和國民黨官員許紹棣有染。許紹棣之前因為通緝魯迅而出名。郁王的婚變在武漢鬧上了報紙，不少朋友去調解。1989 年夏天，我在德國巧遇九十四歲的畫家劉海粟，他告訴我一些他對這個事情的看法，因為他當時也參與調停。劉海粟認為郁達夫小說散文都不如他的舊體詩。郁達夫、王映霞後來去了新加坡，郁達夫把他想像的太太出軌的細節全放進古體詩集《毀家詩紀》的注解裏，發表以後王映霞才看到。所以關係徹底破裂。狂戀的另一面，就是超級嫉妒，甚至演變成仇恨。

無論如何，王映霞改變了郁達夫的一生。作家後來逃亡印尼，二戰結束時被日本憲兵所殺，郁達夫最後的故事也極有戲劇性。[5] 王映霞四十年代以後，嫁了一個鍾姓商人，平安度過了一生。九十年代以後，詩人汪靜之，回憶說王映霞原來跟軍統的戴笠有染，相關材料在百度上也有，不知真假，「小友」許子東不敢亂說。

注

1　郁達夫：《日記九種》，1927 年 9 月 1 日，上海北新書局初版；《郁達夫文集》第九卷（廣州：花城出版社；香港：三聯書店，1982 年），頁 46-47。

2　郁達夫：〈村居日記〉，1927 年 1 月 1 日—1 月 31 日，收入《日記九種》，1927 年 9 月 1 日，上海北新書局初版。

3　「白薇女士也在座，我一人喝酒獨多，醉了。十點多鐘，和石君洪君白微女士及陳震君又上電影院去看《三劍客》。到十二點散場出來，酒還未醒。路上起了危險的幻想，因為時候太遲了，所以送白薇到門口的一段路上，緊張到了萬分，是決定一齣大悲喜劇的楔子，總算還好。送她到家，只在門口遲疑了一會，終於揚聲別去。這時候天又開始在下微雨，回學校終究是不成了，不得已就坐了洋車上陳塘的妓窟裏去。……」〈病閑日記〉，1926 年 12 月 1 日—12 月 14 日，見《日記九種》，另收入《郁達夫文集》第九卷（廣州：花城出版社；香港：三聯書店，1982 年），頁 26-27。

4　郁達夫：〈村居日記〉，1927 年 1 月 1 日—1 月 31 日，《日記九種》，1927 年 9 月 1 日，上海北新書局初版；《郁達夫文集》第九卷（廣州：花城出版社；香港：三聯書店，1982 年），頁 56-57。

5　1985 年北京開會紀念郁達夫逝世四十週年，我曾負責為人大副委員長胡愈之起草報告。日本學者鈴木正夫懷疑郁達夫是否死於日軍之手，但經過非常認真的南洋實地研究考證，最後他找出了確鑿的證據，的確為日本憲兵所殺。但細節和時間地點，均和胡愈之的回憶不同。見《蘇門答臘的郁達夫》，鈴木正夫著，李振聲譯（上海：上海遠東出版社，2004 年）。

個人命運與大時代

一、《倪煥之》的人物寫法

文學研究會是一九二〇年代最主要的文學團體，葉聖陶（原名葉紹鈞，1894-1988）是文學研究會最資深的作家，《倪煥之》是葉聖陶的代表作。《倪煥之》不僅是新文學第一個十年中屈指可數的長篇小說，而且還開創了現當代中國小說的一個典型模式，即以一個主人公的個人命運書寫他身後的大時代。

1894 年，葉聖陶出生於蘇州。他比茅盾大兩歲，和許地山同年。《倪煥之》1928 年 1 月開始連載於《教育雜誌》第二十卷第一至第十二號。小說裏明確寫到 1925 年的五卅運動和 1927年的北伐等具體社會政治事件。茅盾說：

> 把一篇小說的時代安放在近十年的歷史進程中，不能不說這是第一部；而有意地要表示一個人 —— 一個富有革命性的小資產階級知識分子，怎樣地受十年來時代的壯潮所

激蕩，怎樣地從鄉鎮到都市，從埋頭教育到羣眾運動，從自由主義到集團主義，這《倪煥之》也不能不說是第一部。[1]

　　茅盾的〈幻滅〉、〈動搖〉、〈追求〉三部曲也是直接描寫北伐等歷史事件，但出版時間稍晚。[2] 早在一九二〇年代初，葉聖陶就以短篇小說出名。他用一種比較溫情的諷刺手法，刻畫小市民的無奈，相當有人情味。〈潘先生在難中〉、〈遺腹子〉都是名篇。在長篇《倪煥之》裏，葉聖陶放棄了溫情的嘲諷，改為正面描寫時代弄潮兒。小說開始時，男主角倪煥之是一個對生活充滿理想的年輕的讀書人，到江南某鄉鎮學校做教員。小鎮離上海一百多里，人口兩萬多，有一個中學，幾個小學，還有一個女校。校長蔣冰如是地方紳士，有地有錢，熱心教育。倪煥之剛來時，蔣校長就把自己一篇討論教育的文章給倪煥之看。[3] 倪煥之看了以後，真的很喜歡蔣校長的辦學理念。但在交流過程當中，其他一些老師都在冷眼旁觀 —— 新老師跟校長講話這麼投機，旁邊的老師甚麼感受呢？

　　小說是第三人稱全知角度。但凡不贊成校長和倪煥之的老師，表情都被負面描寫。徐佑甫，三年級的級任先生，「四十光景的瘦長臉。那瘦長臉便用三個指頭撮着眼鏡腳點頭。臉上當然堆着笑意；但與其說他發於內心的喜悅，還不如說他故意叫面部的肌肉鬆了一鬆；一會兒就恢復原來的呆板。」[4] 教理科的李毅公先生，小說這樣寫：「李毅公也戴眼鏡，不過是平光的，兩顆眼珠在玻璃裏面亮光光的，表示親近的意思」。還有一位「陸三復先生，我們的體操教師」，「陸三復漲紅了臉，右頰上一

個創疤顯得很清楚。」相比之下，倪煥之長甚麼樣呢？在校長看來：「煥之有一對敏銳而清澈的眼睛；前額豐滿，裏面蘊蓄着的思想當然不會儉約；嘴唇秀雅，吐出來的一定是學生們愛悅信服的話語吧；穿一件棉布的長袍，不穿棉鞋而穿皮鞋，又樸素，又精健……」（仔細想想校長的邏輯很好笑，他的眼睛清澈明亮，就說明裏面思想一定有很多。）

李伯元敍事是一視同仁的，用故事本身和人物對白（「清官、清倌人」等）嘲諷官場；魯迅是純粹白描，讓〈藥〉裏邊的茶館眾人用自己的言行，暴露自己的無知。葉聖陶 1928 年在《教育雜誌》上的這種通過外貌描寫顯示人物褒貶的寫法，其實後來在巴金等人的新文學，還有中學課文當中十分流行。

小說裏，蔣校長跟倪煥之一拍即合、互相欣賞。徐佑甫則把學校看成一個商店。李毅公很快就不願教書，轉到甚麼公司做事。陸三復是因為窮才教書，後來參加革命，態度非常奇怪。另一位倪煥之的同學樹伯，認為教育就是遊戲，不必認真。大約是應《教育雜誌》的刊物需要，小說羅列展覽了人們對教育的不同態度。幾個老師在一起講辛亥革命或歐戰，倪煥之認為一切希望在教育。他和校長的政見相近，校長說：「有昏聵的袁世凱，有捧袁世凱的那班無恥的東西，帝制的滑稽戲當然就登場了。假如人人明白，帝制是過去的了，許多人決沒有屈服於一個人的道理，誰還去上勸進表？並且，誰還想，誰還敢想做皇帝？」

這是在北伐之後 1928 年，在文學研究會作家葉紹鈞的小說裏，當時的校長、老師、學生以及小說的假想讀者或真實讀者，都認為「帝制是過去的了，……誰還想，誰還敢想做皇帝？」

校長和倪煥之覺得「辦教育若不趕快覺醒，朝新的道路走去，誰能說並不會再有第二回、第三回的帝制把戲呢？」這應該是中國現代小說中最早出現的正面政治議論（沒想到最早發表政治議論的是葉聖陶）。嘗試新法教育有成效也有阻力，倪煥之不靠體罰靠感化，體育老師就看不慣。而且倪煥之的辦學理念也很超前，他不但上課，還辦農場，讓學生邊學習、邊勞動，有點像很早的「五七幹校」。[5] 但因農場涉及墳地，村民反對。當地土豪蔣老虎出頭阻撓，所以倪煥之也碰到很多困難。

二、倪煥之的愛情故事

小說上半部最中心、最主要的情節是倪煥之戀愛，女主角是這樣出場的：

> 煥之注意望前方，一個穿黑裙的女子正在那裏走來；她的頭低了一低，現出矜持而嬌媚的神情……聲音飄散在大氣裏，輕快秀雅；同時她的步態顯得很莊重，這莊重裏頭卻流露出處女所常有而不自覺的飄逸。
>
> 「她是樹伯的妹妹。」冰如朝煥之説。

《倪煥之》裏這段一見鍾情，相當文藝腔。甚麼是「處女所常有的不自覺的飄逸」？需要甚麼樣的經驗和眼光，才能洞察處女所常有的飄逸？倪煥之據說是從來沒有戀愛經驗的青年，文學研究會作家筆下的人物應該不會像郁達夫那樣「性」趣濃厚。

金小姐聽別人介紹，緩緩地鞠躬。「頭抬起來時，粉裝玉琢似的雙頰泛上一陣紅暈。」後來她有機會看了男主角一眼，終於禁抑不住，「偷偷地抬起睫毛很長的眼皮，裏面黑寶石似的兩個眼瞳就向煥之那邊這麼一耀。煥之只覺得非常快適，那兩個黑眼瞳的一耀，就洩露了無量的神秘的美。再看那出於雕刻名手似的鼻子，那開朗而彎彎有致的雙眉，那勾勒得十分工致動人的嘴唇，那隱藏在黑縐紗皮襖底下而依然明顯的，圓渾而毫不滯鈍的肩頭的曲線……」

不知道為甚麼讀到這裏，想起了鴛鴦蝴蝶派。原來最早葉聖陶創作是從文言開始，蘇州也是鴛鴦蝴蝶派的大本營。而且江南某鎮青年男教師，與二十年前《玉梨魂》男主角身分處境頗類似。葉聖陶主編《小說月報》時，曾發現支持巴金、老舍等人的早期作品，但他自己寫愛情文字，不自覺中證實了五四新文學與晚清鴛鴦蝴蝶小說之間的文字腔調聯繫。

倪煥之和女主角的戀愛是這樣開始的：「煥之這一句話，好像那生翅膀的頑皮孩子的一箭，不偏不倚正射中金小姐的心窩。她喝醉了酒似的，渾身酥酥麻麻，起一種不可名狀的快感；同時，一種幾乎是女郎的本能的抗拒意識也湧現了，她知道這一齣戲再演下去將是個怎樣的場面……」突破口是男主角寫了封情書：「我的話只有一句，簡單的一句，就是我愛你！」倪煥之和夢霞有所不同了，不過女的痛哭一場，回信卻是梨娘般的文言：「接讀大札，惶愧交並。貢獻花朵云云，璋莫知所以為答……諒之，諒之！」

老師求愛寫白話，女生婉拒用文言，這段書信文字來回很

有象徵性。傳統女性面對五四青年：我沒法回答，你的這個心我不敢接受。但之後小說情節倒沒有在「五四」和「晚清」的戀愛關係上大做文章，從一見鍾情到結婚，竟沒有太多曲折。男方託校長去做媒，金小姐的哥哥樹伯覺得男家不夠有錢，但是女生自己願意，也就同意了。幾個月的準備，書信還是白話來文言回，文明婚禮，租房成家。金小姐也到鎮上來教書了。

小說第十八章是一個轉折 —— 天仙般的女主角懷孕生子，從此性情大變，不再教書，也全無教育救國理念了。於是男主角非常失望，整個情況很像〈傷逝〉中涓生的故事。或者情況更嚴重：子君從來沒就業，金小姐卻是一個老師。不知道是五四知識分子對新女性期望太高，還是骨子裏面仍然有些「大男人主義」，不懂得做女人的艱辛。反正葉聖陶筆下的愛情故事，開端是鴛鴦蝴蝶般的甜蜜，結合以後變成了「五四」低潮後的徬徨。

三、以小人物命運，書寫大時代

《倪煥之》除了加長篇幅重複〈傷逝〉愛情小說模式外，另外一個重要價值就是後半部分直接記錄大時代。所以《倪煥之》是在鴛鴦蝴蝶遺風與五四啟蒙及後來的革命文學之間，架了一座文學史意義大於藝術價值的過渡橋樑。

男主角對家庭、對學生雙重失望，便到上海教書，參加五卅運動。思想也發生變化，從相信教育救國轉向相信革命救國。有個朋友王樂山，小說沒有明說，似乎是革命黨。當時國共合作，倪煥之對王樂山訴說自己對將來教育救國的前景夢想，王樂

山突然說自己可能會掉腦袋，把倪煥之嚇了一跳。國共合作，北伐順利。這時如果預感自己會被殺，王樂山可能是隱藏的清醒的共產黨。不久北伐軍打到上海，小說描寫女學生上街歡迎，甚至願意給每個大兵一個吻。這時突然有兩章，又轉回來寫倪煥之教書的小鎮。原來革命到來以後，小鎮上成功的倒是土豪蔣老虎。他利用他的兒子，還有一些學生的無知，倒過來要打倒鎮上的開明紳士 —— 校長蔣冰如。體育老師陸三復也不滿現狀，參雜在「革命」，顯示北伐時期階級鬥爭的複雜性。當然茅盾後來把這些社會政治衝突及背景寫得更加複雜，但葉聖陶是第一個作家直接描寫革命與戰爭。小說沒有明寫「四一二大屠殺」，但側面敍述了大革命的危機和轉向。北伐軍殺了一部分的革命黨，包括王樂山。知識分子倪煥之看不懂，受了太大的刺激，在上海混亂的革命／反革命現場，先是醉酒，然後重病。等到蔣冰如，還有他的太太一起聞訊趕來，男主角倪煥之已經病死了（在某種意義上，也是重蹈鴛鴦蝴蝶派《玉梨魂》男主人公愛情失敗死於戰場的宿命）。

通過一個主人公的戀愛、家庭、工作，寫出背後的時代、動亂、革命。這種寫作模式，後來貫穿二十世紀的中國小說。可以說，是現當代中國小說的一個典型格式。《青春之歌》、《白鹿原》、李碧華的《霸王別姬》、格非的《江南》三部曲……太多這樣的例子。但是原來這個模式的起點，竟是溫柔敦厚從鴛鴦蝴蝶派起步的教育家葉聖陶。

《倪煥之》前半部分像說教一樣宣傳「教育救國論」。到了一九三〇年代，葉聖陶把這些理念付諸實踐。他和夏丏尊、朱自

清辦中學生雜誌和開明書店，他們主編的中學語文教材，後來一直影響大半個世紀的兩岸三地中小學教育。葉聖陶在一九五〇年代也不再寫小說，而是擔任中華人民共和國教育部的副部長。倪煥之在一九二〇年代沒有做到的事情，葉聖陶為之努力一生，所以也對得起他的主人公了。

注

1　蔡宗雋、陳明華編：《中國現代文學作品選讀上》（瀋陽：遼寧教育出版社，1987年），頁 219-224。

2　茅盾的《蝕》（〈幻滅〉、〈動搖〉、〈追求〉三部曲）1930 年在上海開明書店出版。

3　《倪煥之》小說的創作初衷也是討論教育問題。1927 年冬，商務印書館編輯的《教育雜誌》，希望刊物中〈教育文藝〉一欄能連載一種與教育有關的小說，於是找到葉聖陶。《倪煥之》其實醞釀已久，小說從 1928 年 1 月 20 日《教育雜誌》第二十卷第一號起連載，11 月 15 日寫畢，第二十卷第十二號刊畢，前後恰好一年。

4　葉聖陶：《海上文學百家文庫‧葉聖陶卷》，陳福康編（上海：上海文藝出版社，2010 年）。以下引文同。

5　1966 年 5 月 7 日，毛澤東看了總後勤部《關於進一步搞好部隊農副業生產的報告》後，給林彪寫了一封信。原文如下：

　　林彪同志：

　　你在 5 月 6 日寄來的總後勤部的報告，收到了，我看這個計劃是很好的。是否可以將這個報告發到各軍區，請他們召集軍、師兩級幹部在一起討論一下，以其意見上告軍委，然後報告中央取得同意，再向全軍作出適當指示。請你酌定。只要在沒有發生世界大戰的條件下，軍隊應該是一個大學校，即使在第三次世界大戰的條件下，很可能也成為一個這樣的大學校，除打仗以外，還可做各種工作。第二次世界大戰的八年中，各個抗日根據地，我們不是這樣做了嗎？這個大學校，學政治，學軍事，學文化。又能從事農副業生產。又能辦一些中小工廠，生產自己需要的若干產品和與國家等價交換的產品。又能從事群眾工作，參加工廠農村的社教「四清」運動；「四清」完了，隨時都有群眾工作可做，使軍民永遠打成一片。又要隨時參加批判資產階級的文化革命鬥爭。這樣，軍學、軍農、軍工、軍民這幾項都可以兼起來。但要調配適當，要有主有從，農、工、民三項，一個部隊只能兼一項或兩項，不能同時都兼起來。這樣，幾百萬軍隊所起的作用就是很大的了。

　　同樣，工人也是這樣，以工為主，也要兼學軍事、政治、文化，也要搞「四清」，也要參加批判資產階級。在有條件的地方，也要從事農副業生產，例如大慶油田那樣。

　　農民以農為主（包括林、牧、副、漁），也要兼學軍事、政治、文化，在有條件的時候也要由集體辦些小工廠，也要批判資產階級。

一九二〇年代的女性主義

一、最有代表性的二十世紀中國作家？

假如一定要選一位作家，來概括整個二十世紀中國文學的面貌和歷史，我會首選丁玲。

因為二十世紀中國文學有三個關鍵時期，一是五四浪漫時期，二是延安到五十年代革命時期，三是八十年代。魯迅只經過了第一個時期，郭沫若、茅盾還有巴、老、曹以及沈從文等都沒有親歷延安時期。之後當代作家自然缺少前兩個時期的經歷，所以丁玲是最有代表性的二十世紀中國作家。她的生平和作品最典型地概括了文學和政治的關係，用瞿秋白早年的一句評價就是「飛蛾撲火，至死方休」。[1]

丁玲原名蔣偉，字冰之，湖南人。父親是秀才，在丁玲幼年時就去世。母親余曼貞是一個新派女子，認識楊開慧。後來丁玲到陝北見到毛澤東，這是兩人最初的話題。1922年丁玲和她的好朋友王劍虹一起到上海讀書，先是平民女校，後來是上海

大學。這個時期丁玲很崇拜俄語老師瞿秋白。然而瞿秋白和王
劍虹相愛、同居，這是丁玲第一次處在某種無奈的三角關係當
中。不久，王劍虹去世，瞿秋白忙於革命，甚至沒有出席葬禮，
之後又和另外一個民國才女楊之華結婚，這時丁玲的感想，可
想而知。

　　三角關係一旦出現，就可能重複。爭奪與被爭奪，可能就
是人性的一部分。丁玲、胡也頻、沈從文一度在上海辦雜誌，
住在一幢樓裏，關係很密切，但這是一個假的「三角」。真的三
角是丁玲和胡也頻同居以後仍然喜歡馮雪峰。丁玲對馮雪峰的
崇拜愛慕，一直持續到晚年。馮雪峰是魯迅最接近的一個地下
黨文化人，他對丁玲的創作幫助很大，但是處理兩人關係非常理
性。胡也頻作為左聯五烈士之一犧牲以後，馮雪峰介紹馮達成
為丁玲的丈夫。[2]

　　丁玲處女作《夢珂》，寫一個湖南少女到上海，先是被時髦
衣服、法國繪畫、在卡爾登演出的《茶花女》，還有馬車接送等
種種都市生活方式搞得頭暈。然後她發現自己傾心的表哥，竟
有一個娼妓般的女友，傷心透了。但又不願意回鄉，最後在純肉
感的社會裏墮落成了明星。今天很多網紅的「美夢」，丁玲九十
年前視為噩夢。丁玲真正的成名作是〈莎菲女士的日記〉。小說
很大程度上以好友王劍虹為原型，但丁玲後來一生都被人認為
就是莎菲女士。一九四〇年代到延安親吻黃土地的是莎菲女士，
一九五〇年代以後流放北大荒的也是莎菲女士。

二、莎菲女士——出走的娜拉

〈莎菲女士的日記〉由三十一段長短不同的日記組成，從 12 月 24 日到 3 月 28 日。都市女生莎菲，在療養中，有一段時間 (1 月 18 日到 3 月 4 日)，日記中斷，應該是莎菲病重。女生不算貧窮，日記裏寫吃雞蛋，喝牛奶，還為了戀愛而搬家，全部日記都沒有講到需要打工付學費等等。所以莎菲的「作」是有一定經濟基礎支撐的。同時莎菲又有文化，在家裏看報紙，國內外新聞都看，各種廣告也留意，顯然是一個二十世紀現代都市女性。放回「五四」娜拉出走的時代背景中，莎菲是一個已出走 (或不需出走) 的娜拉，沒有受困於家庭，也還沒有墮落。相比離家出走的魯迅〈傷逝〉中的子君，或者凌叔華〈繡枕〉恨嫁的大小姐，莎菲應該是比較幸運的女性。

不過她並不覺得自己幸運，從第一篇日記起，又怕吵，又怕安靜，找不出一件事情令她不生厭惡之心，「我寧肯能找到些新的不快活，不滿足；只是新的，無論好壞，似乎都隔我太遠了」。[3] 莎菲病在家中，但有一個忠實的追求者，明明比她大四歲，卻叫做葦弟。莎菲對葦弟的態度充滿矛盾，聽到葦弟來的腳步聲，「我的心似乎便從一種窒息中透出一口氣來的感到舒適。」但是葦弟來了以後，姐姐、姐姐不斷叫喚她，莎菲卻笑了，一種殘酷的嘲笑。「你，葦弟，你在愛我！但他捉住過我嗎？自然，我是不能負一點責，一個女人應當這樣。其實，我算夠忠厚了；我不相信會有第二個女人這樣不捉弄他的，並且我還確確實實地可憐他。」到底莎菲對這個男的甚麼不滿呢？「為甚麼他不可

以再多的懂得我些呢？我總願意有那末一個人能了解得我清清
楚楚的，如若不懂得我，我要那些愛，那些體貼做甚麼？」[4]

張愛玲說女人要是被男人完全了解的話，他們的關係就成
問題了。[5]可是丁玲筆下的莎菲，還是盼望要男人了解她（范柳
原後來在淺水灣跳舞，也對白流蘇說：「我自己也不懂得我自己
──可是我要你懂得我！」[6]）葦弟來看莎菲，莎菲說，「我是拿一
種甚麼樣的心情在陪葦弟坐。但葦弟若站起身來喊走時，我又
會因怕寂寞而感到悵惘，而恨起他來……或竟更可憐他的太不
會愛的技巧了。」陪她，心情不好，走了，又寂寞惆悵。這種矛
盾態度，香港女生叫「收兵」──凡是死追你的男生，自己雖然
不那麼喜歡，或者還沒有甚麼決定，就先留在邊上吧，這是你的
「兵」──收兵。丁玲在一九二○年代就能寫出百年後部分香港
女生的心情，十分穿越。同時期茅盾也描寫過一些希望能掌控、
「玩弄」男人的新女性，如〈蝕〉中的慧女士、孫舞陽、章秋柳等，
既有時代特徵，也超越時空。

莎菲身邊還有一些男女朋友，毓芳一直忠心照顧她。毓芳
和雲霖因害怕生小孩而禁慾不同居，被莎菲嘲笑。還有朋友劍
如、金夏，不太重要。莎菲在朋友面前也很「作」。「朋友們好，
便好；合不來時，給別人點苦頭吃，也是正大光明的事。」基本
上她是一個被寵壞的女生，極其多愁善感。她自己分析自己，
「有時為一朵被風吹散了的白雲，會感到一種渺茫的，不可捉摸
的難過；但看到一個二十多歲的男子（葦弟其實還大我四歲）把
眼淚一顆一顆掉到我手背時，卻像野人一樣在得意的笑了。」
「還要哭，請你轉家去哭，我看見眼淚就討厭……」眼看葦弟老

老實實坐在角落裏流眼淚，莎菲說，「我，自然，得意夠了，又會慚愧起來」，莎菲很清楚自己在做甚麼，「在一個老實人面前，我已盡自己的殘酷天性去磨折他。」

回想二十世紀初的小說，子君、陳二妹、《玉梨魂》裏的寡婦、倪煥之愛上的金小姐，個個都是玉潔冰清，善良可愛，有哪個女生像莎菲女士那樣不但「收兵」，還要加以磨折？一九五〇年代中期，丁玲被打成反黨集團，有大字報揭發她一貫玩弄男性，便以莎菲女士為例證。

三、第一次感覺到男人的美

從第四篇起，1月1日，新年開始之日，出現了一個高個兒，開始沒有名字，只有外貌。「那高個兒可真漂亮，這是我第一次感覺到男人的美……他，這生人，我將怎樣去形容他的美呢？固然，他的頎長的身軀，白嫩的面龐，薄薄的小嘴唇，柔軟的頭髮，都足以閃耀人的眼睛……我抬起頭去，呀，我看見那兩個鮮紅的，嫩膩的，深深凹進的嘴角了。我能告訴人嗎，我是用一種小兒要糖果的心情在望着那惹人的兩個小東西。」在1928年，莎菲可以宣稱，女人看男生的嘴唇，像小兒要糖果一樣……小說於是一舉成名。但是以後，一九四〇年代到了延安，一九五〇年代革命浪潮，再回首這種看見「小鮮肉」想要糖果的心情，丁玲必須不斷懺悔。

當時男作家寫的戀愛小說，通常不描寫男主人公外貌。可能小說假定是從男性視角去閱讀（一定細寫女性外貌），同時也

假設男主角的魅力來自才華思想而非「顏值」。所以，不僅是多情女生莎菲「第一次感覺到男人的美」，而且迄今為止的晚清和「五四」小說，也是「第一次感覺到男人的美」。接下去的日記，基本上就貫穿了兩件事，一是莎菲病重，一度以為沒救了，「不是我怕死，是我總覺得我還沒享有我生的一切。我要，我要使我快樂。」二是莎菲搞不清楚自己是不是愛上了高個子南洋華僑凌吉士。她主動搬家，為了接近凌，在日記裏反覆糾結，「我不能不向我自己說：『你是在想念那高個兒的影子呢！』是的，這幾天幾夜我無時不神往到那些足以誘惑我的……難道我去找他嗎？一個女人這樣放肆，是不會得好結果的。」和這個男人談話的時候，「我覺得都有我嘴唇放上去的需要。」其實這個時候莎菲「還一絲一毫都不知道他呢。甚麼那嘴唇，那眉梢，那眼角，那指尖……多無意識……」。女主角一會兒癡迷，一會兒懊惱，當凌吉士詢問她搬家時，莎菲又裝模作樣：「我把所有的心計都放在這上面……我務必想方設計讓他自己送來……我要佔有他，我要他無條件的獻上他的心，跪着求我賜給他的吻呢。」但莎菲馬上清醒，「我簡直癲了」——這一切只是女人的想像，現實當中就是偶然握了一兩次手而已，看到莎菲姐姐兒子的一張照片，莎菲還要故意騙凌吉士說，這是我的兒子。欲擒故縱。

小說除了莎菲和兩個男人的關係以外，還有一個沒出過場的重要人物叫蘊姊。這些日記原來是為了寫給蘊姊看的，莎菲覺得只有蘊姊懂得她的心。在上海的蘊姊，自己受不了婚後的冷淡、虛情，然後病死。所以莎菲日記沒了讀者。後來周蕾等研究者認為，這是對女性主義的一種呼喚。[7]

　　小說的轉捩點是 3 月 13 日，那一天的日記裏又出現了「頎長的身軀，嫩玫瑰般的臉龐，柔軟的嘴唇，惹人的眼角」，但緊接着莎菲說她「懂得了他的可憐的思想」。原來凌吉士的人生理想是金錢、能應酬的太太、胖兒子，以及妓院裏的享受。凌吉士追求的是演講辯論會、網球比賽、留學哈佛、做外交官。總之，莎菲忽然發現了凌吉士太資產階級了。「我有如此一個美的夢想，這夢想是凌吉士給我的。然而同時又為他而破滅……因了他，我認識了『人生』這玩藝，而灰心而又想到死；至於痛恨到自己甘於墮落。」於是莎菲託人到西山找房，想躲開眼前這個男人。男人不來了，莎菲又是失望的。3 月 19 日的日記說，「凌吉士居然幾日不來我這裏了。自然，我不會打扮，不會應酬，不會治事理家，我有肺病，無錢，他來我這裏做甚麼！」莎菲想見他一面，等到 3 月 21 日，凌吉士真的來了，「這聲音如此柔嫩，令我一聽到會想哭。」小說其實是女版的〈沉淪〉，靈與肉的衝突。凌吉士只覺得莎菲，「你真是一個奇怪的女子」。但莎菲想「當他單獨在我面前時，我覷着那臉龐，聆着那音樂般的聲音，心便在忍受那感情的鞭打！為甚麼不撲過去吻他的嘴唇，他的眉梢，他的……無論甚麼地方？」這裏省略號，無論甚麼地方，厲害！

　　結果真的 kiss 了，3 月 27 日晚上，等到 9 點半還不來。最後一段日記寫於次日凌晨三點，記錄「一個完全癲狂於男人儀表上的女人的心理！自然我不會愛他，這不會愛，很容易說明，就是在他丰儀的裏面是躲着一個何等卑醜的靈魂！可是我又傾慕他，思念他，甚至於沒有他，我就失掉一切生活意義了。」最後，「當他大膽的貿然伸開手臂來擁我時，我竟又忘了一切。」Kiss

完了莎菲想,「我勝利了!我勝利了!」因為他所使我迷戀的那東西,在吻我時,我已知道是如何的滋味 —— 我同時鄙夷我自己了!於是我忽然傷心起來,我把他用力推開,我哭了。」

就是靠這個 kiss,她戰勝了所有糾纏自己的情慾。小說結尾是莎菲決心南下,「悄悄的活下來,悄悄的死去,啊!我可憐你,莎菲!」

看上去也是靈肉衝突,既貪戀丰儀的外表,又討厭醜惡的靈魂。我以為,莎菲恐怕也不是迷戀那個高個子,而是迷戀自己能夠不顧一切迷戀別人的迷戀精神。看上去她是玩弄葦弟,和凌吉士玩遊戲,其實她就是玩弄自己。莎菲最後也說,「我的生命只是我自己的玩品。」

丁玲並不知道後來在學術界流行的西方女性主義文學批評,但是莎菲女士早就身體力行。從女性的角度,重新看見世界,看見女人,也看見男人。不以女性的性意識為羞為恥,大膽發現、承認、欣賞或拋棄男人的美。孟悅、戴錦華在《浮出歷史地表》裏,激情盛讚〈莎菲女士的日記〉:「現代女作家因一場文化斷裂而獲得語言、聽眾和講壇,兩千多年始終蜷伏於歷史地心的緘默女性在這一瞬間被噴出、擠出地表,第一次踏上了我們歷史那黃色的地平線。」[8]對丁玲本人來說,莎菲的戀愛模式後來也有意無意貫穿了她的一生 —— 她總是崇拜精神上的高個子,瞿秋白、馮雪峰、毛澤東、彭德懷等。但同時總是有男人在生活中對她忠心耿耿,做她的「兵」,胡也頻、馮達、陳明等。在愛情方面,莎菲女士一直是勝利者,在政治方面,丁玲卻是飛蛾撲火,至死方休。

注

1　李向東、王增如：《丁玲傳‧上》（北京：中國大百科全書出版社，2015 年），頁 32。

2　同注 1，頁 105。

3　丁玲：〈莎菲女士的日記〉，1928 年 1 月發表於小說月報第十九卷第二號，收入《海上文學百家文庫‧丁玲卷》，陳惠芬編，（上海：上海文藝出版社，2010 年），以下引文同。

4　同注 3，頁 43。

5　「戀愛着的女人破例地不大愛說話，因為下意識地她知道：男人徹底地懂得了一個女人之後，是不會愛他的。」張愛玲：〈封鎖〉，《傳奇（增訂版）》（上海：山河圖書公司，1946 年 11 月），頁 385。

6　張愛玲：〈傾城之戀〉，《傳奇（增訂版）》（上海：山河圖書公司，1946 年 11 月），頁 171。

7　Chow, Rey. *Woman and Chinese Modernity: The Politics of Reading Between West and East* (US: University of Minnesota Press,1991)．

8　孟悅、戴錦華：《浮出歷史地表》（河南：河南人民出版社，1989 年），頁 2。

為文學而革命，還是為革命而文學？

一、攻擊魯迅的年輕革命作家

二十年代和三十年代之交中國文學批評界出現的變化，當然還沒有後來 1928 年那麼大，但已經足以影響現代文學史甚至中國現代史的發展。簡單來說，二十年代的社團、風格、流派之爭，基本上都是作家之間的文藝批評，三十年代以後，雖然作家也在爭論、筆戰，但實際上是社團、集團甚至黨派之間的論戰。[1]

二十年代文壇也一直充滿了爭吵、筆戰。大致劃分至少有四派。一是胡適、陳西瀅、徐志摩、梁實秋等現代評論派，也叫新月派，英美留學，大都是學者、詩人，政治上傾向自由主義。二是創造社，郭沫若、郁達夫、成仿吾、張資平、田漢等等，留日歸來，早期主張「為藝術而藝術」，1926 年後和太陽社一起傾向激進的革命。郁達夫離開，郭沫若等主張文學「要做黨的喇叭」。三是魯迅、周作人、林語堂等人主辦的《語絲》雜誌，

雖然周氏兄弟 1923 年失和，魯迅和林語堂關係後來也轉差，但是《語絲》在文壇上比較中立，對現代散文的影響也比較久遠。後來魯迅又辦《奔流》。類似傾向還有沉鐘、淺草、莽原等社團。四是人數眾多的文學研究會，提倡「為人生而藝術」，成員非常龐雜，傾向不太明顯，大部分是教授、學者，或雜誌主編。茅盾等人和創造社一直關係不好，文人相輕。

這裏所謂一二三四排序並無特別含義，完全可以顛倒，很難說哪一派是主流。後來的情況就不同了。簡單回顧二十年代後期文壇形勢，是為了觀察「批判魯迅」的歷史背景。魯迅之前一直和現代評論派筆戰，反覆嘲笑攻擊陳西瀅等「正人君子」。明的理由是魯迅看不慣歐美派的紳士靠近統治階級，不夠同情工農。暗的原因，部分也因為顧頡剛曾和陳西瀅議論《中國小說史略》抄襲日本人鹽谷溫的書。對文人學者來說，抄襲指控可能比政治批判更加刺激自尊心。因為與胡適陣營不和，魯迅去廣州時，曾經計劃要和創造社聯手，成立新的戰線。但是萬萬沒有想到，魯迅 1927 年到了上海從事職業寫作，第一批攻擊他的，恰恰是創造社和太陽社的年輕革命作家。

1928 年 1 月，馮乃超在創造社新辦的雜誌《文化批判》撰文，說「魯迅這位老生 —— 若許我用文學的表現 —— 是常從幽暗的酒家的樓頭，醉眼陶然地眺望窗外的人生。世人稱許他的好處，只是圓熟的手法一點，然而，他不常追懷過去的昔日，追悼沒落的封建情緒，結局他反映的只是社會變革期中的落伍者的悲哀，無聊賴地跟他弟弟說幾句人道主義的美麗的話。隱遁主義！好在他不效 L.Tolstoy 變作卑污的說教人。」[2]

年輕革命作家真是年少氣盛，說魯迅還好沒學托爾斯泰。馮乃超也不只是批評魯迅，他說葉聖陶是中華民國一個最典型的厭世家。他也批評郁達夫、張資平，被肯定的作家只有一個郭沫若。魯迅一向相信進化論，相信青年，也一直覺得自己是一個戰士的形象。現在卻被人說是「落伍者的悲哀」，「隱遁主義」，可想魯迅當時如何感到吃驚。

緊接着，《文化批判》第二期發表了後期創造社成員李初梨的文章〈怎樣地建設革命文學〉（李初梨後來是中共中聯部的副部長）。

> 一個作家，不管他是第一第二……第百第千階級的人，他都可以參加無產階級文學運動；不過我們先要審察他們的動機。看他是「為文學而革命」，還是「為革命而文學」。[3]

李初梨在 1928 年所提出的這個尖銳的問題：「為文學而革命」，還是「為革命而文學」，一針見血地觸及到了二十世紀中國文學的一個核心矛盾。

二、為文學而革命 VS 為革命而文學

「為文學而革命」，就是作家要寫出偉大的作品，他應該或者必然關心社會，關心現實，同時也關心革命，因為革命是當時中國最主要的社會現實。所以文學可以是使命，是目的，革命

可能是工具、是手段。反過來，如果是「為革命而文學」，那革命就是目的，就是使命，文學就變成了工具和手段。作家為甚麼而從事文學？如果只是為了救國憂民，從巴金、左聯、延安文藝、五十年代，這是一條紅色的主線，比較更接近於職業革命者的追求。

回到二十年代歷史語境，這兩個口號、兩種說法其實都成立，都有自己的邏輯，關鍵是寫小說的人，把自己看作是藝術家，還是革命家？當然兩者也可以統一，比方說在魯迅的身上。李初梨當年批判魯迅，意思就是必須以革命為目的，以文學為手段，否則，「他如果為保持自己的文學地位，或者抱了個為發達中國文學的宏願而來，那麼，不客氣，請他開倒車，去講『趣味文學』。假若他真是『為革命而文學』的一個，他就應該乾乾淨淨地把從來他所有的一切布爾喬亞（bourgeoisie：資產階級）意德沃羅基（ideology：意識形態）完全地克服，牢牢地把握着無產階級的世界觀——戰鬥的唯物論，唯物的辯證法。……所以我們的作品，不是像甘人君所說的。是甚麼血，甚麼淚，而是機關槍，迫擊炮。」李初梨的文章，最後告白，「魯迅究竟是第幾階級的人，他寫的又是第幾階級的文學？他所曾誠實地發表過的，又是第幾階級的人民的痛苦？」[4]

李初梨在二十年代末提出的這三個問號，在後來二十世紀的中國文學界一直反覆地響起，一直到七十年代末，除了去世後的魯迅，其他幾乎每個作家都要面對這三種質問，都要拷問自己：我是甚麼階級的人？我寫了甚麼階級的文學？表達了甚麼階級的痛苦？

偉大堅強的魯迅，當時也有點懵了，批評文章發表以後，他沉默了好幾個月，才有應戰文字。

> 各種刊物，無論措辭怎樣不同，都有一個共通之點，就是：有些朦朧。這朦朧的發祥地，由我看來，——雖然是馮乃超的所謂「醉眼陶然」——也還在那有人愛，也有人憎的官僚和軍閥。[5]

意思是說這些人把文章寫得朦朦朧朧，是因為官僚軍閥的壓力，使得批評家不敢放開說話。這番話其實講現代評論派倒是符合實際，用來回應年輕激進的後期創造社，魯迅說得也有些朦朧。

不過他說，「其實朦朧也不關怎樣緊要……然而革命者決不怕批判自己……我並不希望做文章的人去直接行動，我知道做文章的人是大概只能做文章的。」[6]魯迅在這裏婉轉表示，我其實是革命的，但你不要叫我當機關槍、迫擊炮。回答李初梨的三個問號，我傾向革命，但歸根結底我是一個作家。「我知道做文章的人是大概只能做文章的。」[7]

魯迅的另一段話其實更能說明他理解的文學與革命之關係：「我以為一切文藝固是宣傳，而一切宣傳卻並非全是文藝，這正如一切花皆有色，而凡顏色未必都是花一樣。革命之所以於口號標語、佈告、電報、教科書……之外，要用文藝者，就是因為它是文藝。」[8]

三、魯迅被兩面圍攻

　　魯迅當時懷疑創造社突然激進，有投機成分。回頭看歷史，公平地說，李初梨、成仿吾這些人雖然觀點有點幼稚激進，但是他們投身革命，冒着生命危險，甚至參加長征，確實不是投機。他們對魯迅的批判，是集團作戰，一浪接一浪，成仿吾寫文章，說魯迅「閒暇，閒暇，第三個閒暇；他們是代表着有閒的資產階級」。[9] 魯迅很生氣，後來就乾脆把他當年的雜文集題為叫《三閒集》。李初梨在《文化批判》第四期上又說，「魯迅，對於布爾喬亞是一個最良的代言人，對於普羅列塔利亞（proletariat：無產階級）是一個最惡的煽動家」。還有一個潘梓年的文章稱魯迅是「老頭子」。[10] 這整批的批判當中，最激烈的帽子，來自於杜荃的一篇文章，說魯迅是「二重的反革命的人物」，說他是一位「不得志的法西斯諦」。[11] 杜荃就是郭沫若。面對這麼嚴重的指控，有幾個月魯迅居然沒有正面回擊，平常誰吵得過魯迅？

　　魯迅的一時手足無措，既因為來自左翼的批評貌似有左翼理論支撐，也因為同時他還受到另一方面的攻擊。1929 年，留美回來，還不滿二十六歲的梁實秋在《新月》雜誌上批評魯迅翻譯是「硬譯」。「硬譯」，和「抄襲」、「老頭子」一樣，都是傷人自尊的標籤。魯迅在〈「硬譯」與「文學的階級性」〉一文中描繪了自己兩面受敵的處境：「假如在『人性』的『藝術之宮』（這須從成仿吾先生處租來暫用）裏，向南面擺兩把虎皮交椅，請梁實秋錢杏邨兩位先生並排坐下，一個右執『新月』，一個左執『太陽』，那情形可真是『勞資』媲美了。」[12]

　　對着「新月」、「太陽」，左右開弓，比較起來，魯迅對梁實秋是正面作戰，火力全開，對創造社等人卻只是譏笑嘲諷，曲折警告。為甚麼呢？原來就在後期創造社、太陽社一些年輕革命黨人激烈批判魯迅的時候，據朱正的《魯迅傳》記載，1929年11月，李立三找到了中共中央宣傳部文化工作委員會的吳黎平，指示，「一、文化工作者需要團結一致，共同對敵，自己內部不應該爭吵不休；二、我們有的同志攻擊魯迅是不對的，要尊重魯迅，團結在魯迅的旗幟下。」[13] 在中宣部長的勸導下，夏衍、馮乃超、錢杏邨等人去拜訪魯迅，認錯道歉，再請魯迅出山，做左翼作家聯盟的領袖（後來才知道是個名義上的領袖）。

　　當時黨的總書記是向忠發，實際主持中央工作的是李立三，史稱「立三路線」。 對魯迅來說，兩面作戰也是太累了。其中一方原來罵他為法西斯、老頭子的年輕激進作家突然上門道歉，多少有點彌補老作家的自尊心。所以後來魯迅、茅盾、葉聖陶，包括郁達夫等在內的很多作家，都參加左聯的活動。李立三甚至親自約見魯迅，希望他公開支持他的「立三路線」。「立三路線」就是革命可以先在一省或數省首先勝利，魯迅是拒絕了。[14] 但在這個時候魯迅認識了兩個他喜歡和信任的共產黨人，瞿秋白和馮雪峰。他們對晚年魯迅的文學和政治活動有非常大的影響。

　　和「左聯」合作以後，魯迅寫文章批判梁實秋和新月派，就從翻譯問題上升到文學的階級性了。他也譏笑批判施蟄存等想做「第三種人」的作家，三十年代的文藝批評空氣就有了很大的變化。二十年代末那一系列對魯迅的批判，最後導致了「左聯」時期魯迅表面上成為文壇主帥。他自己的小說少了，但他參與

的多次文學論爭，對中國文學後來的發展影響深遠。

　　簡而言之，二十年代文壇是流派之爭，其中也夾雜幫派意氣；三十年代看似幫派論爭，其實包含黨派因素。對魯迅的批判和團結，就是一個轉折點。

注

1　許子東：〈現代文學批評的不同類型〉，《文藝理論研究》，2016 年 3 月，頁 6-13。

2　馮乃超：〈藝術與社會生活〉，載《文化批判》創刊號（1928 年 1 月 15 日）。

3　李初梨：〈怎樣地建設革命文學〉，載《文化批判》月刊第二號（1928 年 2 月 15 日）。

4　1927 年 11 月《北新》第二卷第一號發表了署名為甘人的〈中國新文學的將來與其自己的認識〉一文。其中提到：「魯迅從來不說他要革命，（不錯……梨）也不要寫無產階級的文學，（不錯……梨）也不勸人家寫，（不錯……梨）然而他曾誠實地（未必……梨）發表過我們人民的痛苦，為他們呼寃，他的是淚裏面有着血的文學，所以是我們時代的作者」。李初梨本段話便是針對該文所做出的回應。參見：李初梨：〈怎樣地建設革命文學〉，載於《文化批判》月刊第二號（1928 年 2 月 15 日）。

5　魯迅：〈「醉眼」中的朦朧〉，《魯迅全集》第四卷（北京：人民文學出版社，2005 年），頁 61-62。

6　同注 5，頁 62。

7　同注 5，頁 62。

8　魯迅：〈文藝與革命〉，《三閒集》，《魯迅全集》第四卷（北京：人民文學出版社，2005 年），頁 85。

9　成仿吾：〈從文學革命到革命文學〉，載《創造月刊》第一卷第九期（1928 年 2 月 1 日）。

10　潘梓年（署名弱水）：〈談現在中國的文學界〉，載《戰線》週刊創刊號（1928 年 4 月 1 日）。

11　「魯迅先生他的時代和階級性已經完全決定了，他是資本主義以前的一個封建餘孽，資本主義對於社會主義是反革命，封建餘孽對社會主義是二重反革命，魯迅是二重的反革命人物，以前說魯迅是新建過渡期的反革命分子，說他是人道主義者，這完全錯了，他是一位不得志的法西斯諦，就法西斯。」杜荃：〈文藝戰線上的封建餘孽〉，原載《創造月刊》第二卷，第一期（1928 年 8 月 10 日）。收入《中國現代文學史參考資料·文學運動史料選》，第二卷（上海：上海教育出版社，1979 年），頁 126。

12　魯迅：〈「硬譯」與「文學的階級性」〉，《魯迅全集》第四卷（北京：人民文學出版社，2005 年），頁 212。

13　朱正：《魯迅傳》（北京：人民文學出版社，2013 年），頁 250。

14　同注 13，頁 255-284。

新女性與新官場

茅盾（沈雁冰）的第一個短篇〈創造〉，1928年4月發表於《東方雜誌》，1929年7月收入小說集《野薔薇》，由上海大江書鋪出版。大江書鋪1928年由陳望道等人創辦，店址在上海虹口景雲里四號。當時茅盾，還有葉聖陶、魯迅、周建人等人都住在景雲里。放在茅盾全部的作品裏面，〈創造〉並不是最有代表性的作品，但這個短篇卻是五四愛情小說模式的一個新發展或者說一次反轉。

一、「五四」愛情小說模式的反轉

從1912年鴛鴦蝴蝶派教師孀婦苦戀的《玉梨魂》，到1923年創造社頹廢文人遇到妙齡女工的〈春風沉醉的晚上〉，從1925年魯迅在自己成功戀愛期間所寫的愛情悲劇〈傷逝〉，到文學研究會葉聖陶的「青春之歌」《倪煥之》，這些小說的共同點相當明顯——

　　第一，男主角都是書生，他們主要不是以財富或者顏值，而是以知識、才華、熱情來吸引女性。第二，女主角大都有文化追求（女工陳二妹也尊重文化），都是美麗、善良、玉潔冰清。第三，他們的戀愛，總有原因不為世俗所容。《玉梨魂》因為寡婦身分；〈傷逝〉子君因為私奔同居，〈春風沉醉的晚上〉陳二妹因為階級地位；《倪煥之》女主角的哥哥也嫌棄男方家境不好。

　　當然，更重要的相通之處是男女感情交流的過程 —— 都有點像男老師給女學生上課。〈傷逝〉最為典型。《玉梨魂》裏「教與學」的關係模式表面上是男主角教女主角的小孩，女方好像更有才。但是在思想觀念上還是男的比較開放。郁達夫寫文人女工交流，也包含着啟蒙拯救的用意。倪煥之追求金佩璋，也是在宣傳教育救國的理念，拖手仔（拍拖）、Kiss、炒飯（做愛），都是沒有的。

　　在重讀〈傷逝〉時我們已經概括，愛情小說＝教育小說＝知識分子啟蒙大眾。結果，除了〈春風沉醉的晚上〉「發乎情，止乎禮」以外，鴛鴦蝴蝶《玉梨魂》，新文學的《倪煥之》，竟然重複同一個悲劇結尾 —— 女方成了犧牲品，男人死於革命戰場。〈傷逝〉再發展下去，涓生恐怕也是同一命運。

　　茅盾的〈創造〉，既延續又反轉了二十年代這些愛情小說的啟蒙教育模式。

　　小說只寫早上起床前男人的意識流。君實又有錢又有文化，但找不到合意的女人。他想「社會既然不替我準備好了理想的夫人，我就來創造一個！」「創造」這個詞可能有點諷刺創造社。

男女相愛，互相影響有可能，有意改造已不妥，何況「創造」？難道要找一張白紙，好讓男人畫最新最美的圖畫？

男人「創造」女人的方法還是讀書——推薦閱讀古今中外「先進文化」代表作。女主角嫻嫻，家境很好，父親頗有道家風範。和君實在一起一開始拖手都害羞。經過文化啟蒙，後來走在街上也要和君實 kiss 了。在龍華坐在一棵樹下，桃花掉進領口，也非常享受。之前一點也不關心政治，在丈夫引導下讀了羅素、馬克思，後來主動參加婦女解放運動。小說強調男主人公的「創造」成功了，同時也失敗了。成功在於新知識、新觀念明顯改變女生三觀，失敗在於女生現在再也不聽男的教育輔導了。所以男人早上醒來很失落，女人性感肉體就在旁邊，心卻不在他的身上。小說的結尾很有象徵性，女人洗完澡從另外一個門走掉了，叫家裏工人傳話：「她先走了一步了，請少爺趕上去罷。……倘使少爺不趕上去，她也不等候了。」[1]

放回二十年代看，〈傷逝〉也好、《倪煥之》也好，男的始終在戀愛格局佔有文化優勢。涓生、倪煥之等，都是先幫助女人進步，後嫌棄女人不再進步，進入家庭變得庸俗，所以阻礙了他們的憂國憂民。從「熱戀」到「家庭」到「分手」，就是一個從「浪漫」到「庸俗」到「失敗」的過程。但茅盾的處女作把這一種「戀愛—教育—啟蒙」的格局反轉過來了：啟蒙結果是學生超過了老師，就要拋棄，甚至可能打倒老師。怎麼辦？再放到整個二十世紀中國小說知識分子與民眾關係的背景上，這更是一個重要的轉折。

二、小説〈創造〉的政治背景

沈雁冰和很多現代作家一樣，父親很早去世，母親是啟蒙老師。他在北大讀預科，英文很好，但沒有考到留美名額，結果到上海商務印書館做編輯。年紀很輕就擔任中國當時最重要的文學雜誌《小說月報》的主編，並將雜誌從文言改成白話文。沈雁冰也有一個傳統的婚姻，娶了不識字的孔德沚。但是孔德沚跟朱安、孫荃不一樣，她努力學習，在沈雁冰母親幫助下，有了文化，後來一輩子都是茅盾的秘書助手。可以說五四愛情小說模式的反轉，和茅盾個人經歷也有關聯。

〈創造〉寫於北伐失敗茅盾流亡日本時期，當時他和情人秦德君同居。但後來回國後依然和母親及孔德沚一起生活。可以作為〈創造〉閱讀背景的，不僅是沈雁冰的私人生活，更重要是他的政治生涯。早在 1921 年編《小說月報》時期，沈雁冰便參加了《共產黨宣言》的譯者陳望道主持的上海共產主義小組，也叫馬克思主義研究會。這個共產主義小組，後來籌備了 1921 年 7 月 23 日召開的中共第一次代表大會。沈雁冰應該也在這一時期由共產主義小組成員轉為二十世紀中國小說家當中第一個共產黨員。

北伐前期國共合作，共產黨員被要求去加入國民黨，沈雁冰曾擔任了國民黨中宣部長的秘書。中宣部長是汪精衛，但是汪精衛有一段時間不在，代理中宣部長是毛澤東。1927 年 4 月蔣介石在上海「清黨」，當時寧漢還沒有合流，沈雁冰在武漢主辦主編國民黨黨報《漢口民國日報》。作為中共地下黨員，沈雁

冰的上級是董必武。不久沈雁冰接到通知，要在 7 月底趕去南昌。茅盾後來在三卷本的《我走過的道路》中，詳細解釋他接到通知以後買不到車船票，去不了南昌，結果就和同伴一起上了休養名勝廬山。茅盾有篇很著名的文章叫〈從牯嶺到東京〉，講述的就是這段經歷。回頭想想，沒去成南昌，應該有點後悔。當時周恩來、林彪、賀龍、葉挺、葉劍英，甚至郭沫若都在南昌。魯、郭、茅，這個次序後來是怎麼排出來的？沈雁冰在回上海的船上，又因為搜捕丟了一筆黨的經費。大革命失敗後，他既被國民黨通緝，也和共產黨失去了聯繫，當時叫自動脫黨。流亡到了日本以後沈雁冰就變成了茅盾，評論家、革命家變成了小說家，於是就有了小說〈創造〉，後來還有〈動搖〉，還有《子夜》。

三、「超越」與「被超越」之間的矛盾

愛情小說〈創造〉裏，其實充滿了矛盾。小說第一個層面，是同情新女性反對大男人主義，男人想要創造一個女的，荒唐。第二個層面，作家自己有個解釋說想寫革命一旦發動就不可阻擋。作家好像是站在女主角的立場歌頌革命，但問題是讀者卻不難感到作家有意無意對君實的理解和同情。小說不僅有意描寫「超越」的合理性，也在無意當中透露了「被超越」的可悲可憐——茅盾自己也是最早的革命發動者，當他走到了 1927 年大革命失敗，走到被兩黨都「拋棄」的處境，想想他這是一個甚麼樣的心情？

　　所以〈創造〉對五四愛情小說所承擔（或者說難以承擔）的教育啟蒙主題，既有延伸，又有反轉。延伸的是啟蒙模式，反轉的是啟蒙後果。而且這種反轉有驚人的預言性——若干年後，鐵屋中睡覺的人們，被喚醒以後會怎麼對待那些自以為「世人皆醉我獨醒」的啟蒙者？往後看四十年代、五十年代、六十年代、七十年代、八十年代，每隔十年主流意識形態總要否定上一個十年，每個歷史階段都會有小說在延續這個主題：你喚醒民眾，民眾「醒了」（或裝睡）以後會怎麼對待你？

　　當然，這種在失敗情緒中對革命的反省，茅盾的中篇小說〈動搖〉裏寫得更加深刻。中篇小說集《蝕》1930 年 5 月在上海開明書店出版，包括三篇小說：〈幻滅〉、〈動搖〉和〈追求〉。茅盾自己說「是在貧病交迫中用四個月功夫寫成的，事前沒有充分的時間構思，事後亦沒有充分的時間來修改。」[2] 這幾篇小說，特別是中篇〈動搖〉，無論在茅盾創作生涯中，還是在整個二十世紀中國小說的發展過程中，其重要性都是一直被低估的。[3]

　　〈幻滅〉的故事相對簡單，女主人公有兩個，慧女士和靜女士。如名字顯示，前者智慧、聰明、漂亮，有時放浪不羈；後者文靜、內向、優雅，矜持善良。兩人住在上海，又厭惡都市繁華，生活事業都找不到方向。男主人公也有兩個，一個叫抱素，名字很特別，人卻很庸俗，一會追靜，一會想慧（後來張煒《古船》有兩兄弟抱朴、見素，不知是否在名字上受到茅盾文風影響）。另一男主角是靜女士在醫院當看護時認識的強連長，如名所示，剛強的男人。〈幻滅〉結尾是強連長又上前線，靜願意等他——好像也並不幻滅。

四、〈動搖〉中的新官場與新女性

〈動搖〉卻是一部十分複雜的中篇。複雜性表現在三個方面，一是歷史現場，二是革命官場，三是新派女性。

在複製歷史現場方面，小說裏的政治局勢顯得十分混亂，既不是李伯元、劉鶚筆下的官民對立，是非分明，也不如後來「十七年文學」裏的國共鬥爭，黑白清晰。〈動搖〉的背景是北伐之中「寧漢合流」前的一個縣城，城裏有各種不同的政治勢力：土豪劣紳（或開明士紳）、縣黨部（仍然處在國共合作之中的青天白日旗）、縣長（地位不在縣黨部之下，可以指揮警隊），還有工會糾察隊（卻有反派主角的兒子參與指揮），還有鄉村來的有點失控的農民自衛軍，城裏罷工的店員工會，等等。小說描寫城裏局勢緊張：「縣前街上，幾乎是五步一哨，藍衣的是糾察隊，黃衣的是童子團，大箬笠掀在肩頭的是農軍，」[4] 再加上警察、流氓、閒人……

小說描述街頭混亂局勢，並不標明哪些是國民黨右派（僅有一處注釋敵軍是夏斗寅部），哪些是汪精衛武漢派，哪些是維護國共合作的共產黨溫和派，哪些勢力是激進的「湖南農民運動」……這當然不是因為茅盾自己缺乏政治立場（他曾擔任《漢口民國日報》主編，是在國民黨左派中工作的中共黨員），而是作家有意要複製再現大革命中的紛亂政治局面——讓小說中的主人公找不着方向，也讓當時（甚至今天）的讀者設身處地在這前所未有眼花繚亂的革命浪潮中無所適從。這是二十世紀中國小說中極罕見的一章。在這之前，清末民初的奴隸們沒有權

利「幻滅」、「動搖」。在這之後，戰士們有了明燈指路，也不再可以「幻滅」、「動搖」。茅盾記錄的，恰恰是現代中國革命的迷亂一頁。

舉兩個小說中的核心情節作為實例：

第一個是縣城店員工會與店東發生了衝突，店員提出三大要求：加薪 20-50%，不准辭歇店員，店東不得停業。縣黨部討論局勢，有三個方案。一是同意支持工會三大要求；二是讓省裏派專員來解決，同時鎮壓土豪劣紳反動陰謀騷亂；三是支持加薪，辭退店員要工會同意，歇業要調查，糾察隊童子軍撤走，不得捕捉店東。總之一是全幫店員，三是部分維護店東，二是等上級政策。

如果到了五、六十年代再寫北伐歷史，店員屬半無產階級，店東乃資本家，階級鬥爭豈容調和？如果再到八、九十年代如《古船》、《笨花》、《白鹿原》等書寫同類故事，主人公可能是辛苦維持社會局面的士紳。茅盾小說最接近歷史現場，卻最缺乏傾向性，好像勞資衝突各有其難。縣黨部逐一討論並表決上述三個方案（現代文學出現難得的投票細節過程描寫），最後第一、第三選項都不過半數，於是等省裏專員。街上繼續亂，農會、糾察隊聲援店員工會，士紳代表也到公安局請願，要求「營業自由」、「反對暴民專制」。省專員來後決定：一加薪，二不得辭退店員，三制止店東用歇業做手段破壞市面。基本上比較傾向無產階級。但小說又特意讓反派胡國光在這場店員運動中投機成功，成為「革命的店東」。激進的革命運動竟被混水摸魚的劣紳操控，不僅局中人愕然，而且當時甚至今天的讀者也會困惑。

　　第二個實例是更加令人驚奇迷亂的鄉村裏的「公妻」。

　　「公妻」是土豪劣紳對農運的造謠破壞。新任縣黨部常務的胡國光建議：「我們只要對農民說，『共妻』是拿土豪劣紳的老婆來『共』，豈不是就搠破了土豪劣紳的詭計嗎？」這個方法居然得到省專員贊同。不久縣農協特派員王卓凡下鄉查察——

　　　　事情是不難明白的，放謠言的是土豪劣紳，誤會的是農民。但是你硬說不公妻，農民也不肯相信；明明有個共產黨，則產之必共，當無疑，妻也是產，則妻之竟不必公，在質樸的農民看來，就是不合理，就是騙人。王特派員卓凡是一個能幹人，當然看清了這一點，所以在他到後一星期，南鄉農民就在爛熟的「耕者有其田」外，再加一句「多者分其妻」。在南鄉，多餘的或空着的女子確實不少呀：一人還有二妻，當然是多餘一個；寡婦未再醮，尼姑沒有丈夫，當然是空着的。現在南鄉的農民便要彌補這缺憾，將多餘者空而不用者，分而有之用之。

　　這不是小說家的段子，這是中共最早期黨員沈雁冰對北伐途中農民運動的一段自然主義寫實，很可以作為現在《中流擊水》等黨史劇的一個注解。某個晴朗的下午，南鄉農民在土地廟裏開會，王特派員做主席，三個臉色驚慌的婦女，在等待重新分配。一個是十八歲的地主小老婆，一個是三十歲的寡婦，還有一個十七歲的鄉董婢女。後來又加了兩個尼姑，但來開會的農民有點多，五個女人不夠分只好抽籤。土豪小老婆被一個癩頭的

三十多歲的農民抽中，女人又哭又喊：「我不要！不要這又髒又醜的男子。」但是大家還是尊重遊戲規則，癩子不配？不公平！當然也有反對「公妻」的農民，組成了「夫權會」反對農協。又有婦女抗議「夫權會」，口號是「擁護野男人！打倒封建老公！」

消息傳到縣城，縣黨部負責人方羅蘭問婦女部長張小姐，是糾正還是獎勵？張小姐說「這是農民的羣眾運動，況且被分配的女子又不來告狀。」只好聽其自然的結果，「有許多閒人已經在茶館酒店裏高談城裏將如何『公妻』，計算縣城裏有多少小老婆，多少寡婦，多少尼姑，多少婢女，甚至於說，待字的大姑娘也得拿出來抽籤。」雖然作家描繪「公妻」運動的筆調有點嘲諷意味，但小說裏的正面人物如孫舞陽，也在「三八」婦女節大會上代表婦女協會提到南鄉的事，很鄭重地稱之為「婦女覺醒的春雷」、「婢女解放的先驅」。再進一步，官員胡國光建議「一切婢妾，孀婦，尼姑，都收為公有，有公家發配。」這個主張雖然為婦女協會張同志反對，但最後還是折衷成一個議案：「——婢，一律解放；妾，年過四十者聽得其仍留在雇主之家；尼姑：一律解放，老年者亦得聽其自便；孀婦，年不過三十而無子女者，一律解放，餘聽其自便。」

最不可思議的是，為具體落實上述議案，成立了「解放婦女保管所」。另一個負面角色陸慕游的寡婦女友錢素珍負責管理這個保管所。當然後來這個「解放婦女保管所」就成了胡國光、陸慕游等官員的私人俱樂部。

除了顯示歷史現場的複雜性，〈動搖〉的文學史意義，還在於描寫革命中的新官場。晚清小說認為中國的病因主要在官場。

五四以後魯迅等作家將文學的注意力轉向國民性，即民族靈魂的改造。官場只是以隱形方式在小說裏作背景（或多寫爪牙幫兇少寫官員，或視仕途為無奈沉淪）。官員再次成為二十世紀中國小說的主要人物，要到延安文藝以後。也就是說，從1918年到1942年，官場基本上不再成為現代小說的重要場景 —— 除了茅盾的中篇〈動搖〉。

〈動搖〉有兩個男主角，胡國光和方羅蘭。胡的父親是縣育嬰堂董事，他原來相信「沒有紳就不成其為官」。可是縣黨部掛青天白日旗後，國民黨一度也支持打倒土豪劣紳，這就迫胡國光要自己進入官場。「從前興的是大人老爺，現在興委員了！」他把自己的名字從胡國輔改成胡國光，先競選商民協會執行委員。執行委員共五人，三個由縣黨部指定，兩個由商民協會選舉 —— 清代官員有兩個來源，科舉或捐官；民國以後官員也有兩個來源，指派或選舉。〈動搖〉既寫省裏派來專員，縣裏派王卓凡特派員下鄉，也詳細描寫了協會的選舉過程。選舉也要靠運動人事，也要花錢。結果陸慕游得二十一票，胡國光二十票。剛要宣佈結果，會員中就有人反對說，胡國光是本縣劣紳，應取消他的委員。「全場七十多人的喁喁小語，瞬間聚成了震耳的喧音」。像是西洋婚禮時給人最後異議的機會，也像現今幹部任命前的公示期。但那個反對者、南貨店老闆倪樸廷一旦當場「被實名」後，原來和胡國光有私仇，所以胡還是當了委員。

這種現代文學中罕見的民主選舉場面，卻是一個投機分子的從政敲門磚，令人深思。讀者熟悉的晚清小說官場，要麼貪腐是「剛需」，無官不騙，要麼認為考出來的好過用錢買的，或

者認為貪官不好，清官更壞。到了茅盾筆下的革命官場，兩個男主角胡國光、方羅蘭的主要分別並不在政見實績（胡支持店員運動，姿態比方更「左」；胡熱心「解放婦女」，方也沒有堅決反對），差異主要在個人私德。胡國光家有婢女金鳳姐，又是丫鬟，又是妾侍，還跟胡的兒子胡炳勾搭。之後胡又看上同僚陸慕游的寡婦愛人，更經常出入「解放婦女保管所」。方羅蘭則被描寫成正人君子，一方面被嬌艷女同事孫舞陽誘惑，一方面真誠反省覺得愧對自己的太太，儼然一個多情脆弱又有良心的官員。茅盾〈動搖〉裏的革命官場已帶出一個日後在當代小說中被反覆討論的問題：即官員的私人道德與政治表現之複雜關係。簡而言之，是否「好人」才能或必定是「好官」？

　　一般文學史都很注重茅盾早期小說中的女性形象，尤其是放浪反叛的新女性系列。在〈幻滅〉裏，與主角靜女士形成鮮明對照的「剛強與狷傲」的慧女士早就發表過她的宣言：「她對於男性，只是玩弄，從沒想到過愛。議論譏笑，她是不顧的；道德那是騙鄉下小姑娘的圈套……她回想過去，絕無悲傷與悔恨」。[5]〈動搖〉裏的孫舞陽也是特立獨行，舉手投足散發出令男人暈眩的力量。「孫舞陽穿了一身淡綠色的衫裙……很能顯示上半身的軟凸部分。」「孫舞陽不回答，唱着『起來！飢寒交迫的奴隸』，在房間裏團團轉轉的跳。她的短短的綠裙子飄起來，露出一段雪白的腿肉和淡紅色短褲的邊兒……」身為縣黨部負責人，方羅蘭無可救藥的迷上了孫舞陽。兩人有一次逃避羣眾集會來到一個僻靜處，「伴隨着談話送來的陣陣的口脂香」，孫舞陽卻直言方不應離婚。「因為沒有人被我愛過，只是被我玩過。」這是從莎菲

女士到嫻嫻到慧女士一路發展過來的新女性宣言。為了安慰羅蘭，「我看出你戀戀於我，現在我就給你幾分鐘的滿意。她擁抱了滿頭冷汗的方羅蘭，她的只隔了一層薄綢的溫暖的胸脯貼住了方羅蘭劇跳的心窩，她的熱烘烘的嘴唇親在方羅蘭麻木的嘴上，然後她放了手，翩然自去，留下方羅蘭糊糊塗塗站在那裏。」

和莎菲女士一樣，通過 kiss 超越了一個男人。但女作家筆下的情慾文字，可以被注釋成女性主義的聲音，那麼從男作家視角渲染的女性身體性感，應該怎麼評論呢？

注

1　茅盾：〈創造〉，原載《東方雜誌》半月刊第二十五卷第八號，1928 年 4 月 25 日。茅盾：《海上文學百家文庫‧茅盾卷》，楊揚編（上海：上海文藝出版社，2010 年），頁 524。下同。

2　1930 年 5 月上海開明書店版〈蝕‧題詞〉。

3　為數不多的對茅盾早期小說的重視，包括樂黛雲在 1981 年發表在《文學評論》上的論文《〈蝕〉與《子夜》的比較分析》。

4　茅盾：〈動搖〉，《蝕》（北京：人民文學出版社，1954 年），頁 109。以下引文同。

5　茅盾：〈幻滅〉，《蝕》（北京：人民文學出版社，1954 年），頁 22。

鄉村底層人物

　　沈從文是文學研究會成員，但是有兩個創造社作家，對他一生命運產生過很大影響。一個是郁達夫。沈從文北漂時期，郁達夫曾去看望這位素不相識的年輕投稿者，贈送圍巾，還寫了著名散文〈給一個文學青年的公開狀〉。沈從文曾經撰文評論郁達夫與郭沫若、魯迅的不同：「郁達夫，以衰弱的病態的情感，懷着卑小的可憐的神情，寫成了他的沉淪。這一來，卻寫出了所有年輕人為那故事而眩目的憂鬱了。……人人皆覺得郁達夫是個可憐的人，是個朋友，因為人人皆可從他作品中，發現自己的模樣。郁達夫在他作品中提出的是一個重要問題。『名譽、金錢、女人，取聯盟樣子，攻擊我這零落孤獨的人……』這一句話把年輕人心說軟了。……郭沫若用英雄誇大樣子，有時使人發笑，在郁達夫作品上用小丑的卑微神氣出現，卻使人憂鬱起來了。魯迅使人憂鬱是客觀地寫到中國小都市的一切，郁達夫只會為他本身，但那卻是我們青年人自己。中國農村是崩潰了，毀滅了，為長期的混戰，為土匪騷擾，為新物質所侵入，可讚美的或可憎

惡的，皆在漸漸失去原來的型範，魯迅不能凝視新的一切了。但青年人心靈的悲劇卻依然存在，在沉默中存在，郁達夫則以另一意義而沉默了的。」[1]

看上去是理解郁達夫，其實也在解釋他自己的鄉村觀與魯迅不同。金介甫有過類似比較：「不管是在卓越的藝術才華上，還是在把握二十世紀中國社會生活本質的能力上，沈從文都接近了魯迅的水平。雖然當魯迅已經投身於社會革命的時候，沈從文依然主張中國回復到自發的鄉村社會中去。他的這個社會理想同魯迅的理想一樣，是抽象而不切實際的。」[2]

另一個影響沈從文命運的創造社作家是郭沫若。郭沫若雖在二十年代末化名批判魯迅「雙重的反革命」，「不得志的 Fascist（法西斯諦）」，帽子這麼重，當年卻沒有怎麼傷害到魯迅，因為當時郭沫若的批評不代表組織（魯迅去世以後，郭沫若對魯迅有很多讚頌）。二十年後，1948 年 3 月，郭沫若在香港的《大眾文藝叢刊》上撰文，說「特別是沈從文，他一直是有意識地作為反動派而活動着」。[3]1949 年北大學生把這段話抄成大字報貼在北大校園裏，當時的老師沈從文就要自殺（沒有成功）。[4]

但是在 1999 年《亞洲週刊》的二十世紀中文小說一百強裏，沈從文的〈邊城〉排名第二，僅次於魯迅的《吶喊》。整個二十世紀中國小說史上，一個小說家的地位評價，有這麼大的落差起伏，不知是否僅僅因為政治原因？

一、沈從文的「男歡女愛」故事

〈柏子〉其實比〈蕭蕭〉寫得更早，寫於 1928 年 5 月（載《小說月報》十九卷第八號）。「百度百科」介紹說「作者講述了一個名叫柏子的水手與辰河岸邊一個婦人之間男歡女愛的故事」。這裏的「男歡女愛」，其實是「賣淫嫖娼」，中性一點的說法，是一個船工購買性服務。為甚麼一篇描寫「性服務」的小說，後來會被選進了斯諾（Edgar Snow）翻譯，魯迅參與編選的英文版現代中國小說集《活的中國》呢？

短篇小說，開篇卻寫了整整兩頁水手羣像，如何靠岸，邊拉繩索邊唱歌，然後才聚焦「船夫中之一個，名叫柏子。日裏爬桅子唱歌，不知疲倦，到夜來，還不知疲倦」，上岸走過泥地⋯⋯目的是河街小樓紅紅的燈光，燈光下有使柏子心開一朵花的東西在。」[5] 李伯元、曾樸寫江山船，主要招呼官員商人。郁達夫〈秋柳〉曾替窮人着想，「可憐他們的變態性慾⋯⋯大約只有向病毒很多的土娼家去發洩的」。[6] 沈從文偏偏要寫窮人在性工業中的處境，船工也有購買快樂（或者說「自甘墮落」）的權利，「柏子，為了上岸去河街找他的幸福，終於到一個地方了。」下面一段文字很精彩，「先打門，用一個水手通常的章法，且吹着哨子。門開了，一隻泥腿在門裏，一隻泥腿在門外，身子便為兩條臂纏緊了，在那新刮過的日炙雨淋粗糙的臉上，就貼緊了一個寬寬的溫暖的臉子。這種頭油香是他所熟習的，這種抱人的章法，先雖說不出，這時一上身卻也熟習之至。還有臉，那麼軟軟的，混着粉的香，用口可以吮。到後是，他把嘴一歪，便找到了一個濕的

舌子了，他咬着。」接下來是一段對話，「『悖時的！我以為到常德被婊子尿沖你到洞庭湖底了！』『老子把你舌子咬斷！』『我才要咬斷你……』……『老子搖櫓搖厭了，要推車。』『推你媽！』婦人一面說，一旁便搜索柏子的身上東西。搜出的東西往床上丟，又數着東西的名字。『一瓶雪花膏，一卷紙，一條手巾，一個罐子……』」這是一種又粗魯又溫馨的肉感，一種既講感情又講物質的關係。「肥肥的奶子兩手抓緊，且用口去咬。他又咬她的下唇，咬她的膀子，咬她的腿……婦人望到他笑，婦人是翻天躺的。」沈從文提供了現代文學當中非常罕見的描寫無產階級的三級文字。「累了，兩人就燒煙。」按照李希凡評論阿 Q 的邏輯，燒煙就是統治階級對勞動人民的毒害。[7] 過了幾個小時，柏子冒雨又回船上去了。

小說最後這一段總結特別重要。「他想起眼前的事心是熱的，想起眼前的一切，則頭上的雨與腳下的泥，全成了無須置疑的事了。這時婦人是睡，是陪別一個水手又來在那大白木床上作某種事情，誰知道。柏子也不去想這個。他把婦人的身體，記得極其熟習：一些轉彎抹角地方，一些幽僻地方，一些墳起與一些窟窿，即如離開婦人身邊一千里，也像可以用手摸，說得出尺寸。婦人的笑，婦人的動，也死死的像螞蟥一樣釘在心上。他的所得抵得過一個月的一切勞苦，抵得過船隻來去路上的風雨太陽，抵得過打牌輸錢的損失，抵得過……他還把以後下行日子的快樂預支了……今天所『吃』的足夠兩個月咀嚼，不到兩月他可又回來了……每一隻船，把貨一起就得到另一處去裝貨。因此柏子從跳板上搖搖盪盪上過兩次岸，船就開了。」

這段文字，寫了階級局限，也寫了人性弱點，敍述一個工人卑微的心理和生理快樂，以及性工業的經濟和文化基礎。從最草根的角度，嘗試解釋數千年來各種文明發展，性工業何以始終以各種不同形式存在。晚清狎邪小說裏寫風月場所既揭露官場腐敗又寄託情慾夢幻。「五四」文學把妓女作為一個典型的被侮辱被損害者。沈從文描寫無產者和風塵女的「男歡女愛」，好像不覺得他們誰在被侮辱誰在被損害。不知道是他／她們太麻木，需要哀其不幸？還是城裏人不接地氣，不了解社會底層？經過魯迅推薦，斯諾把這個小說翻譯成英文，收在小說集裏，書名就是《活的中國》。

二、〈蕭蕭〉：鄉土是蒙昧的，還是美好的？

〈蕭蕭〉發表在 1930 年 1 月的《小說月報》上，大部分篇幅沒有故事，只是抒情，基調就是鄉村生活的簡單而平淡。

> 鄉下人吹嗩吶接媳婦，到了十二月是成天有的事情。……也有做媳婦不哭的人。蕭蕭做媳婦就不哭……出嫁只是從這家轉到那家。因此到那一天，這女人還只是笑。她又不害羞，又不怕。她是甚麼事也不知道，就做了人家的新媳婦了。[8]

「她是甚麼事也不知道」，這句話也概括了小說的主題。蕭蕭平靜麻木陌然，卻迫使讀者思考：你「知道」甚麼呢？

寫〈蕭蕭〉的時候，沈從文的敍述文筆已經比較成熟穩定。早期沈從文寫很多苗家神話，故事離奇，文筆冗長。當時蘇雪林等人就有批評，夏志清說那是沈從文不懂外文，有點自卑心理，所以寫歐化的長句，並非他的特長。[9]他不像魯迅、郁達夫、張愛玲等人，一發聲就找到自己獨特的音域。沈從文的創作是歷經曲折磨練，漸入佳境，這種情況後來我們在老舍身上也看到。

也許是偶然，沈從文和老舍，是現代作家當中為數不多的非漢族作家。而且他們的少年經歷都比較特別，不是小康人家墮入困境但還能出國之類，而是從小就親眼看見社會底層。沈從文年紀輕輕就在江湖上混，除軍職外，還做過警察局文書，管過財務，做過報紙校對。他二十歲離開軍隊，寫〈蕭蕭〉時，他開始到胡適任校長的吳淞中國公學教中文。湘西的世俗經驗影響他的一生，也為他在城裏的寫作提供了別人沒有的鄉土材料和底層視角。五十年代以後沈從文一直沒有進入中國作協，作協要求作家必須深入生活，體驗生活，沈從文其實正是先生活後「從文」。生活時不知自己會做作家，所以不是「體驗」而是「生活」──「文革」後的作家也大都如此，「先生活，再從文」。

蕭蕭十二歲時嫁一個三歲剛斷奶不久的小男人，男人整天要新娘子抱着。〈蕭蕭〉一共十三頁篇幅，[10]只有最後一頁講蕭蕭生子不沉潭，以及之後又替兒子娶童養媳等重要情節。前面大段的抒情文字，只有兩個情節。一是鄉村人們怎麼議論過路女學生；二是花狗和蕭蕭「發生性關係」的過程。

「發生性關係」這個措詞有點怪，那怎麼說好呢？強姦？應該不是吧？除非女人去告。誘姦？也許可以算不倫之戀？偷情？

有染？吊膀子？炒飯？不正當男女關係？「男歡女愛」？……

　　不能用城裏現代語彙來描述定義花狗和蕭蕭「那事兒」，恰恰就是小說的核心所在。這個核心問題就是怎麼來用城市的、科學的、文明的觀念來解釋（或無法解釋）傳統文化中的合理與荒唐，無法用所謂「現代性」定義現實鄉土中國。

　　蕭蕭發現肚子大了，求菩薩、吞香灰、喝涼水都沒用。花狗也手足無措。這時蕭蕭說，「花狗大，我們到城裏去自由，幫幫人過日子，不好麼？」這時假如讓女學生接着寫蕭蕭的故事，能有甚麼選擇？

　　第一，說甚麼人生地不熟，都是推脫。假如花狗不害怕，兩人逃走進城 —— 這不就是一個鄉村版的娜拉故事？按照魯迅的預言，將來在城裏要麼墮落，要麼再回鄉。第二，女權主義「米兔」，揭發花狗誘姦甚至強姦，未成年嫌疑，譴責聲討農村渣男花狗大，大家圍住打。第三，老橋段 —— 沉潭。丈夫還沒成年，媳婦已經大了肚子，成何體統？對祖宗不敬，也是對全村人的侮辱。

　　因為同類的故事，總被寫成娜拉求其生，或圍鬥渣男，或禮教吃人，〈蕭蕭〉的陌生化結尾才令人們大吃一驚，又鬆了一口氣。記得第一次讀到小說結尾，出乎意料的輕鬆，輕鬆後又細思極恐。

　　要把這段「不正當男女關係」變成平靜結尾，需要很多偶然因素 —— 爺爺不讀四書五經，淡化了禮教的壓力；想賣時正好沒人買，不是美女？收成不好？最重要還是生了兒子，女 + 子等於好。偶然因素加在一起，為了幫助作家和讀者保留對中國

傳統道德的信心，相信平靜的世俗生活河流，比文學道德教條更有生命力。按照夏志清的說法，「蕭蕭所處的，是一個原始社會，所奉信的，也是一種殘缺偏差的儒家倫理標準。……讀者看完這小說後，精神為之一爽，覺得在自然之下，一切事物，就應該這麼自然似的。」[11]

同樣這個結尾，錢理羣、吳福輝就看到了童養媳蕭蕭的悲慘命運，「正在於人對自身可憐生命的毫無意識，蕭蕭終於沒有被發賣、被沉潭，她抱了新生兒，在自己的私生子娶進大齡媳婦的嗩吶聲中，也即又一個『蕭蕭』誕生的時候仍懵懵懂懂。」[12] 朱棟霖主編的《中國現代文學史》上冊，也認為「生命悲劇的不斷輪迴，根本原因在於鄉下人理性的蒙昧」。[13] 不同文學史，討論的都是〈蕭蕭〉的主題，到底是鄉土美好，還是鄉土蒙昧？

三、男人與鄉村與民族的屈辱感

也是以湘西河邊吊腳樓背景，沈從文還寫了一篇比〈柏子〉更有名的小說〈丈夫〉，發表在 1930 年 4 月的《小說月報》上。這次主角不再是性服務的購買者，而是性服務的提供者，準確說是提供者的丈夫。

比起柏子回船路上算的生理心情帳，〈丈夫〉對性工業的城鄉經濟基礎分析得更加透徹。

　　她們都是做生意而來的。在名分上，那名稱與別的工作同樣，既不與道德相衝突，也並不違反健康……事情非

常簡單，一個不亟於生養孩子的婦人，到了城市，能夠每月把從城市裏兩個晚上所得的錢，送給那留在鄉下誠實耐勞種田為生的丈夫處去，在那方面就可以過了好日子，名分不失，利益存在。所以許多年青的丈夫，在娶妻以後，把妻送出來，自己留在家中耕田種地安分過日子，也竟是極其平常的事。[14]

這裏用的竟然的「竟」，說明本來不是平常的事情。小說主人公沒有姓名，題目叫「丈夫」，當然是極大的諷刺了 —— 因為他是最不像丈夫了。小說寫得比〈柏子〉更細緻更具體。水手有一輩，類似的丈夫也不少（沈從文小說有社會學視野）。其中的一個，某日換了乾淨衣服，到城裏河邊來看望自己的媳婦，像探訪親戚一樣，看見自己媳婦的樣子變了，眉毛細了，「臉上的白粉同緋紅胭脂，以及那城市裏人神氣派頭，城市裏人的衣裳，都一定使從鄉下來的丈夫感到極大的驚訝，有點手足無措。」倒是女人大方，問寄的錢收到沒有，家裏的豬生了崽嗎等等，氣氛融合溫暖。

接下來，小說寫了丈夫情緒的三起三伏（「三起三伏」之類，既是文學評論的套語，也是作家拉長篇幅的技巧）。第一個白天開心，可是晚上有個商人上船來，將女人攬去睡覺，男主角只好睡在船後倉，「淡淡的寂寞襲上了身，他願意轉去了」。可是第二天被老七 —— 他的老婆留住了，說是要到四海春飲茶，三元宮看戲。老七和一個老媽子、一個小夥計上岸去燒香（也是一個小型「江山船」），男人一個人在船上。這時來了一個水保。小說

介紹水保本來混跡江湖，應該有些手段，但是「世界成天變，變去變來這人有了錢，成過家，喝點酒，生兒育女，生活安舒，這人慢慢的轉成一個和平正直的人了。在職務上幫助了官府，在感情上卻親近了船家。」沈從文對這類有權勢的基層「官員」的描寫，十分微妙。「丈夫」第一眼看到水保的一段文字，像電影鏡頭一般：

> 先是望到那一對峨然巍然似乎是為柿油塗過的豬皮靴子，上去一點是一個赭色柔軟麂皮抱兜，再上去是一雙迴環抱着的毛手，滿是青筋黃毛，手上有顆其大無比的黃金戒指，再上去才是一塊正四方形象是無數橘子皮拼合而成的臉膛。

一個男人從下往上看（既是物理視覺，也是心理視角），從靴子到毛手，再到戒指，到他的胸膛，男人知道這是大人物了，所以又膽怯又恭敬。水保看看這個年輕農夫，是他乾女兒的老公，態度很恭敬，便和他談話。男人述說鄉下的農作物，小家庭的生活計劃，覺得這個大人物很關心他。水保關心是關心，臨走的時候拍拍年輕人的肩，說我們是朋友，但是「告她晚上不要接客，我要來」。丈夫比較遲鈍，過了一會才悟出來這句話的真實意思。年輕人突然感到羞辱和憤怒，又決心要回去了。在回去路上，恰恰碰到了老七，妻子為他買了一把胡琴，好言好語又把男人勸回到船上。可又來了兩個醉酒軍官，粗魯胡鬧。「老七急中生智，拖着那醉鬼的手，安置到自己的大奶上。」然後兩個人

睡在女人的左右，這才對付了他們。這夜水保果真又來了，還帶來一個巡官，檢查視察來的，說要特別考察老七。目睹這一切的丈夫，再也說不出話來了。老七給他錢，他就把錢撒在地上，「像小孩子那樣莫名其妙的哭了起來。」

小說結尾淡淡一筆，寫老七隨丈夫一起回轉鄉下去了。

課堂上同學們議論，老七回到鄉下以後會怎麼樣呢？過一陣老七可能又出來？她大概已經受不了養豬種田的日子了，也許去別的大一點的城市。即便前景是悲觀的，但至少結尾還是浪漫主義的。比起前面水手無產者的性苦悶宣洩，丈夫的「屈辱感」主題在二十世紀中國文學的語境下，其實不是孤例。文學研究會作家許傑寫過一篇〈賭徒吉順〉，收入茅盾主編《中國新文學大系・小說一卷》，吉順賭博輸了老婆，小說不寫別的，就寫他怎麼把自己愛的老婆交待好，要送給別人。柔石的〈為奴隸的母親〉，講窮人老婆女人借給有錢人去生孩子，也渲染其中丈夫屈辱的心理。蔣牧良寫的小說〈夜工〉，羅淑的〈生人妻〉都是寫女人瞞着丈夫打工，夜裏見不得人的工。也不只現代文學，臺灣鄉土派的王禎和《嫁妝一牛車》，黃春明的《莎喲娜啦・再見》，都在寫男人眼看自己的女人或者女學生，陪伴別的男人，為了車，為了錢。可見現代中文文學當中的屈辱感，是一個不同方式呈現的揮之不去的主題。

注

1 沈從文:〈論中國創作小說〉,《文藝月刊》第二卷第四期,1931 年 4 月 30 日。另收入《郁達夫研究資料》下,王自立、陳子善編(天津:天津人民出版社,1982 年),頁 363-364。

2 金介甫 Jeffrey C. Kinkley 著,虞建華、邵華強譯:《沈從文筆下的中國社會與文化》(上海:華東師範大學出版社,1994 年),頁 1。

3 郭沫若:〈斥反動文藝〉,1948 年 5 月發表在香港生活書店出版的《大眾文藝叢刊》(雙月刊)第一輯。

4 復旦的學者張新穎的《沈從文的後半生》(上海:理想國;上海三聯書店,2018 年),詳細記述了 1948 年後沈從文在中國文壇上「消失」了三十年。

5 沈從文:〈柏子〉,《海上文學百家文庫・沈從文卷》,陳惠芬編(上海:上海文藝出版社,2010 年),頁 4-6。以下〈柏子〉引文同。

6 郁達夫:〈秋柳〉,《郁達夫文集》第一卷(廣州:花城出版社;香港:三聯書店,1982 年),頁 313。

7 李希凡認為魯迅的小說就是要控訴封建統治階級怎麼在阿 Q 身上造成阿 Q 精神的病態。轉引自錢谷融:〈論「文學是人學」〉,原載《文藝月報》(上海)1957 年第五期。引文摘自上海新文藝出版社編:《論「文學是人學」的批判集(第一集)》(上海:上海新文藝出版社,1958 年)。

8 沈從文:〈蕭蕭〉,《中國短篇小說百年精華(上)現代卷》(香港:三聯書店,2005 年),頁 240。以下〈蕭蕭〉引文同。

9 夏志清:《中國現代小說史》(香港:香港中文大學出版社,2001 年),頁 149。

10 中國社會科學院文學研究所當代文學研究室編:《中國短篇小說百年精華(上)現代卷》(香港:三聯書店,2005 年),頁 240-253。

11 同注 9,頁 153。

12 錢理羣、溫儒敏、吳福輝:《中國現代文學三十年》(北京:北京大學出版社,1998 年),頁 278。

13 朱棟霖、丁帆、朱曉進主編:《中國現代文學史》上冊(北京:高等教育出版社,1999 年),頁 207。

14 沈從文:〈丈夫〉,《中國短篇小說百年精華(上)現代卷》(香港:三聯書店,2005 年),頁 254。以下〈丈夫〉引文同。

鴛鴦蝴蝶派代表作

一、作家兼報人

張恨水的《啼笑因緣》1930 年 3 月到 11 月在上海《新聞報》連載，1931 年 12 月由上海三友書社出版單行本。從三十年代起，《啼笑因緣》不斷地被改編成各種電影及電視劇。如果說 1912 年的《玉梨魂》是鴛鴦蝴蝶派早期代表作，張恨水的長篇小說《啼笑因緣》則可以稱之為鴛鴦蝴蝶派的經典。在《亞洲週刊》「二十世紀中文小說一百強」裏邊，《啼笑因緣》排名二十七，《玉梨魂》排名五十九。

《玉梨魂》與《啼笑因緣》的區別，除了駢體文言與舊白話以外，還在於《玉梨魂》當時是打正旗號的鴛鴦蝴蝶派。張恨水則對「鴛鴦蝴蝶」這個標籤有些猶豫。《啼笑因緣》的序文是用新文藝白話寫的，寫完以後張恨水還拿給他的鄰居老舍看，老舍說寫得很好。後來有一些評論者，包括張恨水的家人，更願意把張恨水稱之為「現實主義作家」。魯迅小說很出名，可是他並不把自己

的小說拿給母親看，他買來送給母親看的就是張恨水的小說。張愛玲後來也很喜歡張恨水的小說，說「可以代表一般人的理想」。[1]

張恨水（1895-1967）是安徽潛山人，出生於江西廣信府，原名叫張心遠。筆名「恨水」取自南唐李後主的詞，「自是人生長恨水長東」。一共五十多年的寫作生涯，張恨水創作了百多部小說，總字數二千萬，比較出名的還有《春明外史》、《金粉世家》、《八十一夢》等。除了寫作以外，張恨水還做了安徽、北京、天津各地的報紙編輯和記者，1927年當了北京《世界日報》總編輯，典型的作家兼報人。

寫作之外，大多數「五四」主流作家都在大學兼課教書，張恨水比較像李伯元、吳趼人等晚清小說家（後來還有金庸等報人／作家）。同樣寫小說，報人比較重視讀者的回饋和銷量，教授比較關心對學生的教育和影響。簡單來說，民國文學就靠這兩個輪子聯繫社會，報紙傳媒和學校教育。用甚麼方式連接地氣，也會決定文學本身的傾向。

但報人也有兩種：為報紙工作，或為自己辦報。張恨水從十九歲到漢口投靠在報館工作的本家叔伯張犀草起，前後媒體生涯四十年，基本上還是「高級打工」。他當過天津《益世報》和蕪湖《工商日報》駐京記者，兼任世界通訊社總編輯，並為上海《申報》和《新聞報》寫稿。一度擔任《世界日報》副刊主筆。1936年在南京與張友鸞創辦《南京人報》。不久抗日戰爭爆發到重慶，任《新民報》主筆及重慶版經理直到退休。除了短暫的《南京人報》，張恨水作為「報人」，主要是寫手而非老闆，作家身分比報人工作更重要。

民國時期，中國最出名的兩份報紙《申報》和《新聞報》都在上海。1929 年 5 月，《新聞報》副刊《快活林》主編嚴獨鶴，到北京向張恨水約稿。「言情」當然是必須的，還附帶一個要求 —— 上海市民要看武俠，要看噱頭。這是一張非常實際、具體的文化產品訂貨單。於是小說裏後來就有了一男三女模式。其中有個女的關秀姑就會武功。噱頭是另外兩個女的，賣唱少女鳳喜，和都市富家女何麗娜，相貌長得一模一樣，所以就引出了男主人公和讀者的很多困惑和白日夢。

二、一個男子三個女人

男主角樊家樹，江南書生到北京。五四新文學或鴛鴦蝴蝶派，男主角都是書生，對於作家是文人自戀，對於讀者又是為了甚麼？這個問題值得探究。樊家樹在天橋看到十幾歲賣唱少女鳳喜，美麗可憐，楚楚動人，一下子喜歡上了。這種書生與風塵女的經典橋段，在文化工業流行文學裏也不過時。剛要讀書識字的少女鳳喜，很快又被軍閥劉將軍看中。先是找她打牌，故意讓她贏錢。鳳喜家裏太窮了，看到錢又誘人又燙手，白天很喜歡，晚上睡覺時，想起了樊家樹對自己很好，就感到內疚、惶恐。後來劉將軍索性派兵把少女帶入府裏，說是唱大鼓書，其實要逼其為妾。鳳喜嚇昏了，又醒過來，見到了劉將軍跪着求愛⋯⋯

小說裏的另一條敍事線索，講一個美貌善良且習武功的女人關秀姑，也喜歡書生男主角，但知道樊家樹喜歡賣唱女，就壓抑住自己的感情，還儘量來維護樊家樹（真是俠女兼聖

母）。鳳喜被搶進劉府時，小說中有一個極具戲劇性的情節設計 —— 關秀姑的父親關壽峰和他的習武朋友在屋外觀察，如果劉將軍強行施暴，眾人可以立刻相救……可他們看到屋內甚麼情況呢？

> 劉將軍笑道：「這兩本帳簿，還有帳簿上擺着的銀行摺子和圖章，是我送你小小的一份人情，請你親手收下。」鳳喜向後退了一退，用手推着道：「我沒有這大的福氣。」
>
> 劉將軍向下一跪，將帳簿高舉起來道：「你若今天不接過去，我就跪一宿不起來。」鳳喜靠了沙發的圍靠，倒愣住了。停了一停，因道：「有話你只管起來說，你一個將軍，這成甚麼樣子？」
>
> 劉將軍道：「你不接過去，我是不起來的。」鳳喜道：「唉！真是膩死我了。我就接過來。」說着，不覺嫣然一笑。[2]

張恨水的這個情節設計太厲害、太陰險，他給女主人公一條她不知道的活路，也給了女主人公一個嚴肅的道德審判。純真女子被都市、被權貴、被財富所毀，用沈從文的話說——「毀了的故事」，現代小說有很多。張恨水在這裏，偏偏就是不給這個墮落的女人一個別無選擇完全被迫的理由。就因為這個女人，在 No、No、No……以後 Yes，還嫣然一笑。小說後半部再寫她在將軍府裏挨罵、被打、受虐，甚至羞愧、成疾、發瘋，人們始終不會毫無保留地表示同情。就是說社會固然害了她，她自己也不是完全無辜。

我們今天重讀《啼笑因緣》，不僅因為張恨水的名字不能在文學史上遺漏，還因為這部小說，可以用來分析現代通俗文學的一般特徵。通俗小說的一個基本格局，就是先讓讀者滿足世俗白日夢，突然遇上了一個富人、才子、大官，但後來總要懲罰虛榮冒險當中的失足者，這種懲罰就讓讀者安心：虧的我沒碰到這樣的事情，或者虧的我不會這樣做。

張恨水後來解釋，「至於鳳喜，自以把她寫死了乾淨；然而她不過是一個絕頂聰明，而又意志薄弱的女子，何必置之死地而後快！可是要把她寫得和樊家樹墜歡重拾，我作書的，又未免『教人以偷』了。總之，她有了這樣的打擊，瘋魔是免不了的。」[3]

這段話典型體現了通俗文學的嚴肅原則，作家在滿足大眾趣味的同時，又要兼顧世俗道德（通常是出位的封面包裹保守的道德標準）。通俗文學必須有一個道德責任，但目標還是滿足人的慾望。就像香煙外包裝警告危害健康，煙還是要有人買的。

鳳喜這條故事線，其實來自當時一則社會新聞。地方戲演員高翠蘭，被一個軍閥旅長搶去了，當時輿論紛紛譴責旅長。張恨水在家裏吃飯時說，「如果高翠蘭一點都看不上旅長，旅長何以用動念搶她。」[4] 果然，不久人們就看到兩個人愉快的結婚照。張恨水利用且改造了這個「逼良為娼」模式，《啼笑因緣》既不同於傳統小說「貞女不屈，維繫世風」，又有別於左翼作家的「弱者無辜，社會有罪」。

小說中的第三條線索，寫財政總長的女兒何麗娜，長得和鳳喜一樣美貌，她也癡情樊家樹。何麗娜之前常常跳舞、買花

用去兩千塊，為了愛情，倒願意改變自己生活方式，還到西山學佛念經。

好了，現在的問題是樊家樹最後選擇誰呢？一個是賣唱的，有點小墮落，現在軍閥府上發瘋了；第二個是會武功的關秀姑，默默地愛着他，還要救他及他的情人；第三個女人，美麗，有錢，癡心，還為他改變自己的生活方式。

你不能一直在三個女人之間左右逢源的 —— 當然，這種左右逢源也是作家和出版商在拉長篇幅，延長市民讀者的白日夢。

三、作家與讀者共創的市民白日夢

1930 年秋，張恨水的小說還在寫作和陸續發表過程中，他到上海和三友書社及明星電影公司簽約，後來就有了中國第一部彩色電影。因為小說在《新聞報》連載，每天有人排隊買報，目的是看小說。看到這種情況，作家有些壓力（接下去怎麼寫，才最符合市民的閱讀期待乃至潛意識願望呢？）也有些得意：「上至黨國名流，下至風塵少女，一見着面，便問《啼笑因緣》，這不能不使我受寵若驚了。」[5] 近現代中國小說有很多作品，最初都在報刊上連載。但是連載方式不同，文學生產機制不一樣，都會影響作品的內容。第一種連載是根據作品內容發展，連載方式也轉變，比如〈阿 Q 正傳〉，開始是「開心話」，後來就轉到文藝版，先喜劇後悲劇。第二種是作家已經全部寫好，連載就是多一個出版方式。比方巴金的《家》，後來報社被炸，沒法付連載稿費，巴金說免費連載。當時其實連載的效果並不明顯，巴金的

《家》真正引起轟動，還是出書以後。說明小說的理想讀者，不是看報的市民，而是讀書的學生。

第三種情況是作品內容決定報刊銷量。被陳伯海、袁進稱之為「中國最早的職業小說家韓邦慶」，在 1892 年獨立創辦小說期刊《海上奇書》，就是為了連載他自己的《海上花列傳》和《太仙漫稿》，[6] 當時並無嚴格稿費制度，作家就是期刊老闆，既是「文藝生產力」（作家）又是「生產關係」。為文學而做生意？還是為生意而文學？如果文學第一，自己的期刊少賣一點也無妨。問題是還有第四種連載，報刊是人家想賣得多，文章自己怎麼寫才好？李伯元、吳趼人雖然也是連載，但只是連串故事，沒有主幹情節要和讀者共創。而且文學期刊，市場利益也沒主流報紙那麼大。在《啼笑因緣》這個典型案例上，《新聞報》在上海發行，小市民的閱讀要求比較傾向於有錢、漂亮、人又可愛的都市摩登女郎何麗娜。相比之下鳳喜可憐不幸，但是她墮落，自己有責任。秀姑真是傳統美德，會武功，但是好像一個會武功的女人，不大像一個江南書生的「菜」吧？所以我一直懷疑，如果《啼笑因緣》當年是在北京《世界日報》連載，讓咱們北方的爺們來挑，還會找每天買花跳舞的財政總長女兒？張恨水小說的結局會不會有所不同？

所以就有學者認為這些通俗小說作品背後，可以見出民國早期中國市民的白日夢。[7] 大眾世俗白日夢，包含某種集體無意識的政治想像。我們大膽想像一下：如果說鳳喜是一個需要拯救的苦難中國，秀姑體現傳統道德但救世無力，何麗娜或者象徵都市文明「現代性」？

　　一男三女模式的《啼笑因緣》在三十年代如此受歡迎，也說明當時報紙受眾其實以城市男性為主（相比之下，時代變遷，現在瓊瑤亦舒等人的言情小說主要吸引都市女性讀者）。但如果回到中國男人的心理，與何麗娜在一起，實際上多少有點靠女方財力之嫌；與關秀姑在一起，男人一直處在被關心、被幫助、被保護的地位；也許只有面對沈鳳喜這個可憐動人的小女子，才最滿足男人的救人愛慾？事實上，張恨水的第二個妻子就是婦女救濟院裏救出來的，原名招娣，後來改名叫秋霞。他的第一任妻子是包辦婚姻，第三任是崇拜他的女學生。張恨水自己的私生活倒有點一男三女「小團圓」。

　　簡而言之，在閱讀《啼笑因緣》的過程當中，我們發現，第一，作者兼報人比作家兼教授，更注重讀者需求和銷量。第二，小說在報紙期刊上的連載方式，會影響作品的情節發展和人物命運，借用本雅明的觀點，這是文學的生產關係影響文學的生產力。[8] 第三，一男三女模式，也可理解為民國時期中國人對國家的三種想像：苦難現狀、傳統道德和現代文明。最後，同時期描寫女人墮落的左翼文學，如《日出》中的陳白露，比較強調女人無辜，社會有罪。而《啼笑因緣》中的女主角，她的墮落和報應，說明了通俗文學的基本使命，滿足小市民的白日夢，同時又滲透了道德教訓。以後我們再讀張愛玲的作品，會發現同樣女人在城裏墮落的故事，卻可以有另外一種不同寫法。

注

1　張愛玲：〈童言無忌〉，《張看》上冊（北京：經濟日報出版社，2002 年），頁 58。

2　張恨水：《啼笑因緣》（北京：中國友誼出版公司，2004 年），頁 200。

3　張恨水：〈作完《啼笑因緣》後的說話〉，《啼笑因緣》（太原：北嶽文藝出版社，1994 年），頁 209。

4　張明明：《回憶我的父親》（香港：廣角鏡出版社，1979 年），頁 23。

5　轉引自任動等著：《回眸與重構》（西安：太白文藝出版社，2006 年），頁 308-313。

6　陳伯海、袁進：《上海近代文學史》（上海：上海人民出版社，1993 年），頁 241。

7　Perry Link: *Mandarin Ducks and Butterflies: Popular Fiction in Early Twentieth-Century Chinese Cities* (Oakland, California:University of California Press, 1981).

8　本雅明：《機械複製時代的藝術》（重慶：重慶出版社，2006 年）。

〈遊戲〉

〈白金的女體塑像〉

〈上海的狐步舞〉

劉吶鷗

穆時英

十里洋場中的紅男綠女

一、「中國最完整的現代小說流派」？

1930 年 4 月上海文化圈發生了幾件好像彼此無關的事：中國左翼作家聯盟成立；《新聞報》開始連載《啼笑因緣》；《小說月報》發表沈從文的〈丈夫〉；水沫書店出版劉吶鷗小說集《都市風景線》。當時人們可能並不覺得，在文學史上，這些事件標誌三十年代會出現四個不同文學流派：左翼革命文學、流行通俗文學、京派鄉土文學和海派（新感覺派）文學。

錢理羣、吳福輝、溫儒敏的《中國現代文學三十年》把施蟄存、劉吶鷗、穆時英稱為「第二代海派作家」[1]。第一代是張資平媚俗的三角小說（魯迅曾嘲諷張資平的小說精華就是一個「△」），還有葉靈鳳、曾虛白、章克標等人的長短篇，特點是世俗化、商業化，渲染都市風景，偏向肉慾想像，形式上有所創新。關於施蟄存等人的「第二代海派作家」，吳福輝說，「新感覺派小說是中國最完整的一支現代派小說。它的登場，清楚地表明

西方現代主義文學在中國的引入」，海派文學也「越過僅僅是通
俗文學的界線，攀上某種先鋒文學的位置」。[2] 沈從文則以京派立
場批評新感覺派：「平常人以生活節制產生生活的藝術，他們則
以放蕩不羈為灑脫；平常人以遊手好閒為罪過，他們則以終日
閒談為高雅；平常作家在作品成績上努力，他們則在作品宣傳
上努力。這類人在上海寄生於書店、報館，官辦的雜誌，在北京
則寄生於大學、中學以及種種教育機關中。這類人雖附庸風雅，
實際上卻與平庸為緣」。[3] 其實「新感覺派」這個帽子也並不是施
蟄存等人自我標榜，而是左翼文人的批評，樓適夷曾批評施蟄存
的〈在巴黎大戲院〉這類作品有日本新感覺主義文學的面影。[4] 日
本的新感覺派大概是 1924 年前後出現，主要代表是橫光利一、
片岡鐵兵、川端康成。劉吶鷗小說集《都市風景線》出版時，《新
文藝》雜誌的編者說：「吶鷗先生是一位敏感的都市人，操着他
特殊的手腕，他把這飛機、電影、Jazz、摩天樓、色情（狂）、
長型汽車的高速大量生產的現代生活，下着銳利的解剖刀。」[5]

二、劉吶鷗：沉浸在十里洋場的敏感都市人

　　劉吶鷗（1905-1940），本名劉燦波，今台南市柳營區人，從
小生長在日本，入東京青山學院讀書，畢業於東京慶應大學文
科，據說日語比中文還好。二十年代後期經營一間水沫書店，出
版過《馬克思主義文藝論叢》，還創辦了一份有名的雜誌叫《無
軌列車》，和施蟄存、戴望舒一起編《新文藝》月刊。自產自銷
的代表作《都市風景線》，描寫都市男女的狂熱迷亂，並借鑒日

本新感覺派的技巧。劉吶鷗也翻譯過橫光利一的小說集《色情文化》、弗理契的《藝術社會學》，還做過電影製片人，攝製的電影多屬「膠卷」性質。香港學者梁慕靈注意到劉吶鷗、穆時英及後來張愛玲的小說敘事技巧都受到電影技術的影響（「正好」這幾位作家都和日本文化政治有點剪不斷理還亂的關係，耐人尋味）。[6]

1939 年，劉吶鷗曾任汪精衛政府機關報紙《國民新聞》社長一職，不久被暗殺。有一種說法是被國民黨特工暗殺，不過根據施蟄存他們的回憶，可能是被黃金榮、杜月笙的幫會暗殺。

劉吶鷗的小說文字技巧很炫，比方《都市風景線》的第一篇〈遊戲〉。

> 在這「探戈宮」裏的一切都在一種旋律的動搖中 ── 男女的肢體，五彩的燈光，和光亮的酒杯，紅綠的液體以及纖細的指頭，石榴色的嘴唇，發焰的眼光。中央一片光滑的地板反映着四周的椅桌和人們的錯雜的光景，使人覺得，好像入了魔宮一樣，心神都在一種魔力的勢力下。[7]

小說講的就是舞廳裏偶然相遇的一對時髦男女的一夜情。重點不是晚上銷魂，而是次日早晨起來，女的對男主角說：「忘記了吧！我們愉快地相愛，愉快地分別了不好麼？她去了，走着他不知的道路去了。他跟着一簇的人滾出了那車站。一路上想：愉快地……愉快地……這是甚麼意思呢？……都會的詼諧？哈，哈，……不禁一陣辣酸的笑聲從他的肚裏滾的出來。鋪道上的

腳，腳，腳，腳……一會他就混在人羣中被這餓鬼似的都會吞了進去了」[8] 這篇小說的主角，既不是男人也不是女生，而是「這餓鬼似的都會」。另一篇〈風景〉，也是第一句精彩：「人們是坐在速度的上面的。原野飛過了。小河飛過了。茅舍，石橋，柳樹，一切的風景都只在眼膜中佔了片刻的存在就消滅了。」[9]「人們坐在速度上面」，很有新感覺派的味道。男主角燃青，坐在出差的火車上，見到了一個美女，悄悄觀察，沒想到女人主動搭訕。原來她是週末到某縣城去看望老公。兩人談得愉快，中間就下車了，走向田野，女人突然脫下高跟鞋，爬上小山丘，踩在草地上，說：「『我每到這樣的地方就想起衣服真是討厭的東西。』」「她一邊說着一邊就把身上的衣服脫得精光，只留着一件極薄的紗肉衣。在素娟一樣光滑的肌膚上，數十條的多瑙河正顯着碧綠的清流。吊襪帶紅紅地齧着雪白的大腿。」接下去，「地上的疏草是一片青色的床巾。」[10] 小說結束的時候，兩個人又上火車了，繼續各自的旅程。

關於劉吶鷗小說裏的女性慾望書寫，有學者聯繫他翻譯過的保爾·穆杭（Paul Morand）的作品，從「殖民主義凝視」的角度去討論。梁慕靈認為，「當劉吶鷗的小說以保爾·穆杭的小說作為參照，就同時引進並移植了這種由殖民主義文學而來的陌生化和凝視模式。如果以性別的角度來看，劉吶鷗引入了殖民主義文學中潛在的男性觀看模式，因為殖民主義文學本身就是一種男性殖民者對殖民地入侵和佔有的敍事。這種文學通過塑造女性形象來合理化殖民者的侵略行為。」[11] 這是很有啓發的思考，但問題是，劉吶鷗小說裏對女人性慾的男性觀察角度與茅盾

．

同時期在〈動搖〉、〈追求〉中刻意渲染的女性身體細節有甚麼根本區別？是否劉吶鷗的時髦女性享受男性追逐（等於歡迎「殖民主義凝視」）？而茅盾的新女性「玩弄」和挑戰男人慾望（等於抵抗「帝國主義觀照」）？ 不知依據甚麼出處，「維基百科」劉吶鷗條目如此介紹他的女性觀：「在性之中，女人的快感大於男人。女人沒有真正的感覺和愛，女人只追求性愛快感。女人就像是慾望的化身。」好像既充滿男性的偏見，又營造女性的神話，而性別問題在中國 —— 就像在郁達夫那裏一樣，同時就是民族問題。所以《現代》雜誌的同仁杜衡當時也批評劉吶鷗的小說，說「他的作品還有着『非中國』即『非現實』的缺點，能夠避免這缺點而繼續努力的，是時英。」[12] 這個時英就是穆時英。

三、穆時英：真正意義上的新式洋場小説家

吳福輝說，「穆時英是真正意義上的新式洋場小說家」。[13] 穆時英的政治背景其實跟劉吶鷗一樣複雜，也是被暗殺，年紀更輕，死時才二十八歲，可是他短短一生做了很多事。浙江慈溪人，妹妹穆麗娟是戴望舒的第一任妻子。十七歲的穆時英讀光華大學（就是後來的華東師範大學）。同年開始寫作，出版小說集《南北極》、《公墓》、《白金的女體塑像》。抗戰爆發後，他曾到香港任《星島日報》編輯。1939 年返滬，相繼在汪精衛政府主持的《國民新聞》任社長，並在《中華日報》主持文藝宣傳工作。1940 年 6 月 28 日被人暗殺，一般認為是國民黨「鋤奸」組織的行動，所以後來穆時英一直被視為漢奸。一直到七十年

代，有國民黨中統要員披露，說穆時英原是中統特務，被軍統
誤殺。司馬長風的《中國新文學史》接受了這個說法，而北京
大學的《中國現代文學三十年》沒有提及穆時英傳奇而有爭議
的生平。

穆時英有兩個短篇是中國現代派小說的前驅，其中之一是
〈白金女體的塑像〉。

> 七點：謝醫師跳下床來。
>
> 七點十分到七點三十分：謝醫師在房裏做着柔軟運動。
>
> 八點十分：一位下巴刮得很光滑的，中年的獨身漢從
> 樓上走下來。他有一張清癯的，節慾者的臉；一對沉思的，
> 稍含帶點抑鬱的眼珠子；一個五尺九寸高，一百四十二磅重
> 的身子。
>
> 八點十分到八點二十五分：謝醫師坐在客廳外面的露
> 臺上抽他的第一斗板煙。
>
> 八點二十五分：他的僕人送上他的報紙和早點……
>
> 八點五十分，從整潔的黑西裝裏邊揮發着酒精，板煙，
> 炭比酸，和咖啡的混合氣體的謝醫師，駕着一九二七年的
> Morris 跑車往四川路五十五號診所裏駛去。[14]

這是小說第一段。按時間表紀錄一個中年獨身醫生的理性
的、舒適的、現代的都市生活方式。

第二節，已經看到第七個病人，「窄肩膀，豐滿的胸脯，脆
弱的腰肢，纖細的手腕和腳踝，高度在五尺七寸左右，裸着的手

臂有着貧血症患者的膚色，荔枝似的眼珠子詭秘地放射着淡淡的光輝，冷靜地，沒有感覺似的。」醫生這樣打量女病人其實已經有點超越職業倫理了。再仔細詢問，知道這個女人說不清楚她有甚麼病，就是吃得少了，睡不好了，要照太陽燈了。醫生的專業觀察是，「失眠，胃口呆滯，貧血，臉上的紅暈，神經衰弱！沒成熟的肺癆呢？還有性慾的過度亢進，那朦朧的聲音，淡淡的眼光。」

又問了一些問題，然後聽肺，「她很老練地把胸襟解了開來，裏邊是黑色的褻裙，兩條繡帶嬌慵地攀在沒有血色的肩膀上面」。深呼吸，結果醫生好像聽到了自己的心跳。又問了一些近期的問題，知道她有老公，是地產商。醫生口頭建議要分床睡，心裏正在奇怪，十幾年看了多少女性病人，怎麼今天就亂了方寸？

小說的高潮在之後，照耀太陽燈，要全脫衣服。脫了以後，醫生看到，「把消瘦的腳踝做底盤，一條腿垂直着，一條腿傾斜着，站着一個白金的人體塑像，一個沒有羞慚，沒有道德觀念，也沒有人類的慾望似的，無機的人體塑像。」女體躺下以後，謝醫生的渾身發抖了，有這麼一段著名的無標點的獨白，這種無標點獨白後來很多作家都大量使用，但最早是在穆時英這裏出現的。

　　主救我白金的塑像啊主救我白金的塑像啊主救我白金的塑像啊主救我白金的塑像啊主救我白金的塑像啊主救我……[15]

這段獨白有幾種讀法。第一種標點法是「主救我白金的塑像啊。」意思含混，強調是「啊」，是我的祈禱。

第二種：「主救我！白金的塑像啊。」這是在說「主，你要救我」，不是救這個塑像，因為眼前的白金塑像令我迷亂啊──，所以你要救我。

第三種：「主，救我白金的塑像啊。」主是救這個塑像，「主」是主語，救是動詞，塑像是賓語，是對象。

第四種：「主，救我，白金的塑像啊。」救我？還是救白金的塑像？還是兩者都要救？都難救？

顯然，一個朦朧長句，可以有各種不同的讀法。「含混」可能正是「文學性」所在。這種「新批評」文本細讀我們也可以偶然使用。謝醫生也就只是自己混亂想想而已，當天照樣把女病人送走了，繼續執業。第三節寫他回家以後有點不安，破例參加了朋友的宴會。第四節全盤照抄第一節，唯一的不同是──

第二個月八點：謝醫師醒了。

八點至八點三十分：謝醫師睜着眼躺在床上，聽謝太太在浴室裏放水的聲音。

最後是先開車送太太到永安公司，自己再去診所。

這篇小說在寫甚麼？一個理性的節慾者偶然的性覺醒？一個道貌岸然的醫生內心違反職業道德？都市的繁華和荒唐？人性的清醒與迷失？「餓鬼似的都會」中的無數精緻細節之一？主題可以讓讀者自己體會，但小說的寫法的確令人耳目一新。

四、中國最早的意識流小説

更有名的是中國最早的意識流小説〈上海的狐步舞〉，後來劉以鬯、昆南、王蒙、白先勇等等都步後塵，甚至影響到王家衛等人的電影語言。小説寫在車上看街景，

> 「上了白漆的街樹的腿，電杆木的腿，一切靜物的腿……revue 似地，把擦滿了粉的大腿交叉地伸出來的姑娘們……白漆的腿的行列。沿着那條靜悄的大路，從住宅的窗裏，都會的眼珠子似地，透過了窗紗，偷溜了出來淡紅的，紫的，綠的，處處的燈光。」[16]

這是蒙太奇的電影手法：從街上的樹，聯想到舞廳裏的大腿。又寫舞廳「當中那片光滑的地板上，飄動的裙子，飄動的袍角，精緻的鞋跟，鞋跟，鞋跟，鞋跟，鞋跟。」「蓬鬆的頭髮和男子的臉。男子襯衫的白領和女子的笑臉。伸着的胳膊，翡翠墜子拖到肩上，整齊的圓桌子的隊伍，椅子卻是零亂的。暗角上站着白衣侍者。酒味，香水味，英腿蛋的氣味，煙味……獨身者坐在角隅裏拿黑咖啡刺激着自家兒的神經。」中國式意識流，基本從閱讀效果而非心理動因出發，基本由重複、羅列、排比、意象組成。穆時英一度也研究電影。這些文字段落在小説裏反覆出現，有的時候是顛倒一下次序，給讀者一個暈旋感。

　　〈上海的狐步舞〉有個副標題：「一個斷片」。據説是未完成的長篇的一個片斷，其中交叉混合了七個故事：

第一個場景是鐵路邊上三個黑大褂的男人，殺害了一個提飯盒的人，前因後果都不清楚。

然後（可能是劉先生）坐車看樹腿想到女人大腿，劉有德回家後被一位在年齡上是他的媳婦，在法律上是他的妻子的女人要錢，而劉先生的兒子「在父親吻過的母親的小嘴上吻了一下」。之後他們坐車到跑馬廳屋頂的舞廳，兒子跟母親跳舞，說「蓉珠，我愛你呢！」「一個冒充法國紳士的比利時珠寶掮客，湊在電影明星殷芙蓉的耳朵旁說：『你嘴上的笑是會使天下的女子妒忌的 —— 可是，我愛你呢！』」轉了一圈，掮客又對劉顏蓉珠說，「我愛你呢！」兒子小德又對着影星說，「我愛你呢！」只換舞伴，不換臺詞，製造重複施轉頭暈感覺，「現代派」風景和「現代性」概念一樣轉到人頭暈。這時舞場角落裏有一個喝咖啡的獨身者。

第三場戲是在街上，高木架有工人摔下，死屍馬上被搬開。第四幕到了華東飯店，劉有德坐的電梯每層都停。二樓：白漆房間，古銅色的雅片香味，麻雀牌，《四郎探母》……娼妓掮客……白俄浪人……三樓，還是白漆房間、雅片、麻雀、綁匪、浪人……四樓也是相同的混亂的景象。（要是換換不同的景象會更有意思）。

電梯把劉有德吐在四樓（「吐」字用得好），然後是劉先生在雅片香味，麻雀牌，《四郎探母》，娼妓掮客包圍中。

下一幕就是第五個故事。作家在街角被老太婆拉住，作家在想甚麼雜誌的名字，老婦人在介紹她媳婦賣淫。作家想，「那麼好的題材技術不成問題她講出來的話意識一定正確的不怕人

家再說我人道主義咧……」既顛覆狎邪情節，又譏諷進步文人。

　　第六個故事又轉到了飯店第七樓，比利時的掮客他對着蓉珠 —— 劉有德先生的年輕的太太 —— 白的床單，喘着氣，讀者知道他們在「幹」甚麼。

　　第七條線索是小說結尾，是天亮了，「工廠的汽笛也吼着。歌唱着新的生命，夜總會裏的人們的命運！」最後一句是，「上海，造在地獄上的天堂。」小說的第一句也是同一句話，說明穆時英雖然展示了五光十色的洋場奇景，其作品內核還是對都市的批判。當時這種風格叫「穆時英筆調」、「穆時英作風」，這到底是意識流蒙太奇包裝的左傾，還是瞿秋白批評的「紅皮白心」？[17] 幾十年以後的讀者們自己判斷。

　　另一位也常被稱為新感覺派的作家施蟄存，代表作是〈梅雨之夕〉，還是寫上海，還是陌生男女，還是曖昧心情，卻又是一番不同的現代風景。

注

1　錢理羣、溫儒敏、吳福輝：《中國現代文學三十年》（北京：北京大學出版社，1998年），頁 324。

2　同注 1。

3　沈從文：〈文學者的態度〉，《大公報・文藝副刊》，1933 年 10 月 18 日。《大公報・文藝副刊》在三十年代是所謂「京派」的陣地，沈從文這些批評主要是針對穆時英等「海派」，不過有意無意間，也涉及了現代文學的兩個輪子的分別：「海派」更依賴報刊傳媒，「京派」更依靠學校機關？

4　適夷：〈施蟄存的新感覺主義 —— 讀了《在巴黎大戲院》與《魔道》之後〉，《文藝新聞》三十三期，1931 年 10 月。

5　《文壇消息》，《新文藝》二卷第一號，1930 年 3 月。

6　梁慕靈：《視覺性別與權力：從劉吶鷗、穆時英到張愛玲的小說想像》（臺北：聯經出版，2018 年）。

7 劉吶鷗：〈遊戲〉，《都市風景線》（上海：水沫書店 1930 年 4 月）；《海上文學百家文庫・劉吶鷗、穆時英卷》，（上海：上海文藝出版社，2010 年），頁 3。

8 劉吶鷗：〈遊戲〉，《海上文學百家文庫・劉吶鷗、穆時英卷》（上海：上海文藝出版社，2010 年），頁 9。

9 劉吶鷗：〈風景〉，《海上文學百家文庫・劉吶鷗、穆時英卷》（上海：上海文藝出版社，2010 年），頁 10。

10 同注 9，頁 14。

11 同注 6，頁 36-37。

12 杜衡：〈關於穆時英的創作〉，《現代出版界》第九期（1933 年 2 月）。

13 同注 1，頁 326。

14 穆時英：〈白金女體的塑像〉（上海：現代書局，1934 年 7 月）；《海上文學百家文庫・劉吶鷗、穆時英卷》（上海：上海文藝出版社，2010 年），頁 216。

15 穆時英：〈白金女體的塑像〉，《海上文學百家文庫・劉吶鷗、穆時英卷》（上海：上海文藝出版社，2010 年），頁 222。

16 穆時英：〈上海的狐步舞〉1932 年 11 月發表於《現代》第二卷第一期；《海上文學百家文庫・劉吶鷗、穆時英卷》（上海：上海文藝出版社，2010 年），頁 198。

17 「外面的皮是紅的，裏面的肉是白的，表面做你的朋友，實際是你的敵人。」司馬今（瞿秋白）：〈財神還是反財神〉，《北斗》第二卷第三、四期合刊，1932 年，頁 494。

《家》

1931

巴
金

細思極恐的愛情故事

一、「家」的宗教意義

　　巴金的《家》，1931 到 1932 年在《時報》連載時題名為《激流》，讀者反應並不強烈，還差點被報社「腰斬」。但 1933 年開明書店出版單行本後，迅速出名。吳福輝認為看報紙連載和讀單行本的是兩類不同的讀者，前者是都市市民，後者是青年學生。[1] 這是很精到的觀察。市民或是已經妥協了的覺新們，現坐在茶樓看報紙連載，希望看各種八卦或白日夢；學生還是覺慧的同黨，一腔熱血無處奔湧。說明報刊與學校兩個輪子，不僅反過來影響車子（作家），也首先基於路面狀況（讀者需求）。《家》在 1949 年以前就出了三十幾版。後來人民文學出版社的各種《家》的版本累計印刷九十次，總數四百三十七萬本。再加上 1982 年四川人民出版社的《巴金選集》，臺北遠流 1993 年出過繁體版本。總之《家》和《紅樓夢》一樣，是歷來印數比較多的中國小說（五十年代《紅岩》等作品，也銷量巨大，但有指定教

材、政府推薦等因素存在）。

　　資料雖不敢肯定，但是說《家》是中國現代文學中讀者比較最多的小說，應該沒有問題。問題是，為甚麼後來一代代中國的青年讀者都喜歡《家》？他們在裏邊讀到了甚麼？另外，在甚麼意義上，《家》這個書名，可以和早一些的〈藥〉，以及將近世紀末的《活着》一樣，有可能概括二十世紀小說裏的中國故事？

　　王德威說「巴金的小說繼承並糅合了五四文學兩大巨擘的精神：自魯迅處，巴金習得了揭露黑暗，控訴不義的批判寫實法則；自郁達夫處，他延續了追尋自我、放肆激情的浪漫叛逆氣息。前者着眼羣體生活的重整，後者強調個人生趣的解放。」[2] 文學史上，「魯、郭、茅、巴、老、曹」，巴金僅在魯迅、郭沫若、茅盾三個所謂「黨史人物」[3] 之後。毫無疑問，巴金在二十世紀中國有巨大影響。但他的影響力與他作品的純藝術價值之間不是沒有落差。王德威婉轉指出，「文學史家每每詬病巴金小說感傷乃至濫情的傾向，及其簡化的人道主義呼聲……的確在同輩作者中，巴金不如茅盾冷靜細膩，不如老舍世故幽默，不如張天翼辛辣刁鑽，更不如沈從文寧靜超越。」[4] 所以王德威把巴金小說概括為激情通俗小說，認為是現代中國文學的大宗，影響了不止一代年輕人。

　　《家》之所以成為當時最多中國人閱讀的小說，除了通俗、激情，還有別的原因。簡而言之，因為小說切中了中國社會的一個關鍵點，就是家與國之關係：社會怎樣以家的倫理而結構，又如何以家的結構而運作。在某種意義上，中國人的宗教，不是以上帝、阿拉或佛主為神，而是以「家」為中心。

二、大家庭的戀愛悲劇

巴金姓李，名堯棠，字芾甘，1904 年出生於四川成都，祖籍是浙江嘉興。巴金自己的大家庭，有將近二十個長輩，三十個以上的兄弟，四五十個男女僕人。祖父叫李鏞，做過官，又買了很多地，修了很大的公館，所以又是官又是商，還寫詩，收集字畫，和戲班子來往，生活中是一妻兩妾，五兒三女。巴金的父親李道河，廣元縣知縣，後來辭官回家。小說淡化了大家庭的「官」的成分，好像只是鄉紳地主。不過打仗的時候，大家庭還是有一些政治關係，可以使得軍閥不來騷擾。

《家》的公館裏邊，有很大的花園、湖泊和樹林。核心人物是覺新、覺民、覺慧三兄弟，還有梅、瑞珏、琴、鳴鳳，四個女子。四個愛情悲劇，各有其成因、細節、出路和結局。

覺新不能跟梅表妹結婚，表面理由是錢姨媽找人排了八字，說命相剋。實際原因，根據琴在小說第七回裏敍述，是錢姨媽和覺新的繼母打牌不開心，牌桌上受了委屈，再要來講親事，賭氣拒婚。小說把梅表姐的第二次婚姻寫得很不幸，出嫁不到一年就守寡，婆家又對她不好，之後孤苦伶仃，跟着媽媽到高家暫住。梅後來病死，她母親非常傷心後悔，覺得自己害了她。人物原型，巴金大哥的表妹，其實婚後變成白白胖胖的太太，養了三個兒子，但為了體現反封建的主題，小說裏的梅只好淒慘憂鬱而死。

覺新和梅不能在一起，是因為禮教，母命難違（母命難違，魯迅也沒有辦法）；覺慧和鳴鳳的悲劇，是因為階級鴻溝。覺慧

雖然整天讀《新青年》，他對鳴鳳的好感其實也還是少爺喜歡丫頭。喜歡她的臉、她的姿態，同時又幻想鳴鳳如果是小姐就好了。他曾在花園嬉戲時說，「我要接你做三少奶」，敍事者當時馬上補充，「他的話的確是出於真心，不過這時候他並不曾把他的處境仔細地思索一番」。[5] 這話對一個丫頭、一個少女的影響卻難以估量。鳴鳳理智上也知道，「你們少爺、老爺的都是反覆無常」，但是感情深處被種下了一個致命的希望。所以後來當周氏說要將她給孔教會會長馮樂山做小時，鳴鳳哭着求情，堅決不肯去。她走投無路去找覺慧。覺慧忙着寫稿，kiss 一下就讓鳴鳳走了。鳴鳳也不怨他，反而更愛他，想到以前大小姐和她說過，死就是薄命女子保持清白的唯一出路。這段細節設計十分煽情，當晚稍後，覺慧已知鳴鳳要被嫁，他去了僕人住的地方找過，沒找到。此時鳴鳳已經走向湖邊，臨死她想，「我的生存就是這樣地孤寂嗎？」生存，孤寂，這些臺詞丫頭說出來有點太存在主義了，但總體氣氛還是寫得很感人。「最後她懶洋洋地站起來，用極其溫柔而悽楚的聲音叫了兩聲：『三少爺，覺慧，』便縱身往湖裏一跳。平靜的水面被擾亂了，湖裏起了大的響聲，蕩漾在靜夜的空氣中許久不散。接着水面上又發出了兩三聲哀叫，這叫聲雖然很低，但是它的淒慘的餘音已經滲透了整個黑夜。不久，水面在經過劇烈的騷動之後又恢復了平靜。只是空氣裏還彌漫着哀叫的餘音，好像整個的花園都在低聲哭泣了。」

這是二十世紀中國文學中比較最煽情、最悲情的一個瞬間，窮富鴻溝、新舊衝突、男女矛盾，都聚集在這一瞬間裏。當晚

覺慧也沒睡好，次日趕去上課，還讀托爾斯泰的《復活》，並決定放棄鳴鳳，「有兩樣東西在背後支持他的這個決定：那就是有進步思想的年輕人的獻身熱誠和小資產階級的自尊心。」他不知道鳴鳳昨天晚上已經自盡。聽到鳴鳳跳湖的消息，覺民則不無稱讚地說，「看不出鳴鳳倒是一個烈性的女子」。

對照魯迅〈我之節烈觀〉，魯迅對節烈觀的批判，幾乎就是在批判覺民的價值觀，而覺民在小說裏基本上是一個正面人物。所以巴金真實，真實地展示了自己的熱情，也真實地暴露了自己的局限。

黃子平在給巴金《激流三部曲》寫序的時候指出，覺慧、覺民跟高老太爺在道德觀上有其相通的地方，違反傳統道德的是克安、克定那一輩人。「『你們說，你們在哪一點上可以給我們後輩做個榜樣？』準則是禮教的準則，權威是爺爺的權威，產業是先輩的產業，支撐『嚴辭』的『正義』並非來自叛徒們信奉的『新思想』，而是他們深惡痛絕的傳統禮教。」[6] 但是，覺慧怎麼放過自己呢？他在湖邊憤怒，「我是殺死她的兇手。不，不單是我，我們這個家庭，這個社會都是兇手！……」任何概念的外延和內涵是成反比的。在覺民的勸告下，覺慧在湖邊有一段獨白，體現典型的巴金文風——

　　覺慧不作聲了。他臉上的表情變化得很快，這表現出來他的內心的鬥爭是怎樣地激烈。（其實這句「臉上表情變化很快」就夠了，不用再說「內心鬥爭是怎樣激烈」了，後半句可刪，這是巴金小說裏邊的普遍現象。）

他皺緊眉頭，然後微微地張開口加重語氣地自語道：「我是青年。」他又憤憤地說：「我是青年！」過後他又懷疑似地慢聲說：「我是青年？」又領悟似地說：「我是青年，」最後用堅決的聲音說：「我是青年，不錯，我是青年！」

巴金的小說，像曹禺的劇本，人物說話之前必定要加上一個表情說明，而不只是由對白本身來顯示內容。這裏第一個「我是青年」是句號，是陳述句；第二個是氣憤，說自己無用，是感嘆號；第三個是懷疑自己的身分，用的是問號；最後是領悟責任，堅定使命，又是感嘆號。沒有標點符號，五四文藝腔無法寫作。這個從氣憤到懷疑到領悟再到堅定的新青年，之後做了一個夢，夢見鳴鳳變成了小姐，但兩個人私奔還是不成。

三、讓人細思極恐的「勝利」

鳴鳳的原型，其實沒有投湖，也沒有嫁給馮樂山或馮樂山式的人物，她後來嫁了一個普通的長工，但巴金需要她的死來控訴封建罪惡。

第三個悲劇，小說把瑞珏寫成美麗賢慧，處處體貼覺新，甚至善待梅表姐。這是小說裏非常成功的一筆，打破了凡父母決定婚姻必定錯誤的新八股。但是最後為了避免剛去世的老太爺所謂的「血光之災」，瑞珏要搬出城外待產。難產而死的一章，強調覺新的痛苦視角，也是為了揭露大家庭黑暗迷信，覺新沒有尋找任何醫療協助。

　　《家》中的愛情悲劇其實不只三個，還有一段愛情故事就是覺民和琴。我年輕時讀《家》，只要琴出場，就覺得光明。這次重讀，才發現第四個也是悲劇，而且更加可怕。大家族裏眾人對覺民的婚事都無異議，沒有人要來拆散覺民和琴。唯一的障礙，最重要的理由就是老太爺許諾了覺民的婚事給他一個朋友，當時恐怕也不知覺民已在戀愛。重要的不是誰跟誰結婚，重要的不是家人有甚麼意見，重要的是老太爺的決定——哪怕是錯誤的，或者是絲毫不重要的決定，因為是老太爺的決定，所以不能違背。因為如果違背了，不僅挑戰了「家長」，而且挑戰「家長制」。

　　所以覺民和琴的故事，比另外三段愛與死的悲劇更加重要，更加沉重。最後覺民和琴之所以獲得「勝利」，只是因為老太爺臨死前想見見孫子——反抗家長制唯一的勝利的可能性，來自於家長。這就是細思極恐。再仔細想想，高家人，服從高老太爺，還可以說是因為血緣，長幼有序，孝敬忠誠，不可違背。可是社會上也有「高老太爺」，並無真正血緣關係，甚至也不一定最年長最資深，為甚麼眾人也會服從忠誠？這時就需要人們將實質上的趨利避害的利益權力關係，想像成、模擬成血緣、親情或「共同體」。久而久之，甚至無意識中，對上無條件服從忠誠的心理傳統文化習慣，便從「家長治」變成了「家長制」。

　　簡單歸納：梅與覺新不能成親是因為母親鬥氣；鳴鳳與覺慧無法戀愛是由於階級鴻溝；瑞珏難產要歸罪迷信習俗；第四段覺民與琴，他們的失敗和勝利，則完全基於家長制的權力

結構。從今天穿越回去，沙盤推演：第一，母命 —— 難違？；第二，階級 —— 有點難度；第三，迷信 —— 或可避免，覺新可以多找醫生。但第四，不管是婚姻、愛情或者其他事情，「家」裏誰最大，說的話就最正確。家庭專制演變成道德結構，恐怕更值得思考。

巴金也是回頭看，才知自己既在寫「家」，也在寫「國」。1984 年給《家》的新版寫序，巴金說，「我今天還看見各式各樣的高老太爺在我四周『徘徊』……我父親是四川廣元縣的縣官，他下面有各種小官，他上面有各樣大官，級別劃分十分清楚，誰的官大，就由誰說了算。我『旁聽』過父親審訊案件，老百姓糊里糊塗地挨了板子還要向『青天大老爺』叩頭謝恩。這真是記憶猶新啊！」[7] 誰說巴金的作品淺？如果這種「誰的官大就由誰說了算」的現象消失了，我們才有評說巴金通俗煽情的奢侈。

巴金在 1980 年的一篇文章裏面又說，「我至今不能忘卻在牛棚裏被提審或者接受外調的時候，不管問話的人是造反派還是紅衛兵，是軍代表還是工宣隊，我覺得他們審問的方式和我父親問案很相似（我五六歲的時候在廣元縣衙門，經常在二堂看我父親審案），甚至比我父親更高明。這個事實使我產生疑問，高老太爺的鬼魂怎麼會附在這些人的身上？」[8] 巴金還沒有見到這些人活到高老太爺的歲數的時侯。魯迅在二十年代寫阿 Q 的「土谷祠之夢」，寫阿 Q 幻想參加革命以後，首先要殺小 D，其次是趙太爺，又要小 D 幫他搬寧式床，又意淫村裏各種女人。魯迅在 1926 年說，「恐怕我所看見的並非現代的前身，而是其後，或者竟是二三十年之後。」[9] 巴金沒有魯迅那麼清醒有遠見，他在

三十年代有意無意地寫出了知縣或高老太爺背後的家長制度。到了 1950 年上海首屆文代會，巴金已相信「會，是我的，我們的家，一個甜蜜的家。」[10] 然而「活久見」，到他晚年碰到紅衛兵、工宣隊、軍代表、造反派時，巴金才更加意識到他寫的「家」，不僅是家庭的家，家族的家，而且是國家的家。巴金一生信仰無政府主義，所以他對於官僚的權力結構與家庭倫理道德完美結合的以「家」為外表的官本位現象，特別敏感。幾十年來，幾百上千萬讀者都覺得他們在看愛情小說，其實他們在看壓制愛情、青春、個性的禮教家長專制。巴金自己也說，「我相信一切封建的遺毒都會給青年人徹底反掉」，這是 1984 年給臺北遠流版《家》寫的序。

當然「封建」這個概念有點含混，容易使人誤解。「封建」至少有三個定義，一個是中國古代《左傳》：「封建親戚，以藩屏周」，周朝的君主將親信分封出去，建諸侯國。封建作為一種政治制度，特指中國先秦的分封建國制，也叫分封制。可是馬克思主義學說裏的 Feudalism（封建制度），特指歐洲中世紀的九到十五世紀的政治制度。中國自秦以後實行郡縣制，中央集權，分封制只是偶然的一種局部的存在。但在歐洲中世紀，城堡，公爵、伯爵的獨立為王是一個主流制度。「風可進，雨可進，國王不能進」。如在中國，地方諸侯城池，風不能進，雨不能進，國王必然能進。

在分封制和 Feudalism 以外，今天常用的所謂「封建」——巴金也用這個概念，一般泛指中國古代傳統制度和禮教，簡而言之就是君君臣臣父父子子、天地君親師、三綱五常、三從四德

等等。在二十世紀，這種制度和禮教的核心就是「家長制」：以家長的名義用威權方法管理社會統治國家。

四、巴金小説中的青年革命心態

巴金小說貫穿一種青年革命心態。其要點，第一，認為社會不合理，社會秩序不公平，青年人有責任也有能力來改變。第二，認為個人道德目標、人生意義都維繫於這種改變社會的理想，而專業知識、職業道德就成了武器和工具。因為反家長心態跟反政府行為混為一體，失望、委屈、懷疑、憤怒、抱怨、控訴、抗議、仇恨，這些以巴金為代表的「青年革命心態」，也貫徹了二十世紀的中國。

文革後的巴金寫《隨想錄》，越到晚年就越受人民的尊重。我以前對巴金的「青年革命心態」既同情又不滿。現在重讀巴金作品，反而增加了同情，減少了不滿。好像越來越向巴金的「青年革命心態」靠攏。

巴金式的「青年抒情文體」，其實是我們從中學就開始模仿的文體。舉例來說，巴金在〈關於《激流》〉一文中有兩段 ——

　　為我大哥，為我自己，為我那些橫遭摧殘的兄弟姊妹，我要寫一本小説，我要為自己，為同時代的年輕人控訴，伸冤……我有十九年的生活，我有那麼多的愛和恨，我不愁沒有話說，我要寫我的感情，我要把我過去咽在肚裏的話全寫出來……

　　我忍受，我掙扎，我反抗，我想改變生活，改變命運，我想幫助別人，我在生活中傾注了自己的全部感情，我積累了那麼多的愛憎……通過那些人物，我在生活，我在戰鬥。戰鬥的對象就是高老太爺和他所代表的制度……我拿起筆從來不苦思冥想，我照例寫得快，說我「粗製濫造」也可以……我控制不住自己的感情，也不想控制它們。我以本來面目同讀者見面，絕不化妝。我是在向讀者交心，我並不想進入文壇。[11]

　　巴金說「不想進入文壇」，意思是不會為藝術而藝術，巴金主張最高的技巧就是無技巧。他反對精心雕琢，他的文體特徵：一是「我」（主語）特別多。二是人物說話時，有很多動作表情形容。三是全知角度裏，作者有時直接跳進作品，比方寫覺新不能進入瑞玨難產的房間，「他突然明白了，這兩扇小門並沒有力量，真正奪去了他的妻子的還是另一種東西。」，寫到這裏，意思很清楚了，有另一種東西在奪取他的妻子。但巴金不肯停的，他還要明確說明，「是整個制度，整個禮教，整個迷信。這一切全壓在他的肩上，把他壓了這許多年，給他奪去了青春，奪去了幸福，奪去了前途。」這一大段的解釋，分不清是覺新在想，還是作家在說。

　　無論「青年革命心態」，還是「青年抒情文體」，其核心都是青年。如果將小說中的人物排張表，會看到比覺新年紀大的基本上都是負面人物，比覺新年齡小的大多數都是被迫害的人物，覺新夾在中間是唯一的「圓形人物」，或者說是一個夾在新舊之

間的充滿矛盾的人物。要理解「五四」以後的進化論意識形態，《家》是一個最簡單明瞭的圖表。

其實我們每個人在年輕的時候都有做「忍辱負重的覺新」和做「反叛任性的覺慧」的選擇，大家也可以想想，你在家裏、公司裏、社會上，你是覺新，還是覺慧呢？

注

1　吳福輝：《中國現代文學發展史》(北京：北京大學出版社，2010 年)，頁 226，229。

2　王德威：〈巴金小說全集‧總序〉，《巴金小說全集‧家》(臺北：遠流出版公司，1993 年)，頁 1。

3　1989 年我曾參與《辭海》現代作家的修訂，當時被告知魯、郭、茅三個人不歸我們學術界修訂，因為他們屬於「黨史人物」。

4　同注 2，頁 2。

5　巴金：《巴金小說全集‧家》(臺北：遠流出版公司，1993 年)，頁 75。其他引文同。

6　黃子平：〈命運三重奏：《家》與「家」與「家中人」〉，《巴金小說全集‧家》(臺北：遠流出版公司，1993 年)，頁 8。

7　巴金：〈為舊作新版寫序〉，《巴金小說全集‧家》(臺北：遠流出版公司，1993 年)，頁 4。

8　巴金：〈關於激流〉，《巴金小說全集‧家》(臺北：遠流出版公司，1993 年)，頁 18。

9　魯迅：〈《阿 Q 正傳》的成因〉，《魯迅全集》第三卷 (北京：人民文學出版社，2005 年)，頁 397。

10　《文藝報》1950 年第八期。轉引自黃子平：〈命運三重奏：《家》與「家」與「家中人」〉，《巴金小說全集‧家》(臺北：遠流出版公司，1993 年)。

11　同注 8，頁 10。

〈官官的補品〉

1932

吳組緗

怎樣讓讀者討厭主人公？

巴金主張最高的技巧是無技巧，同時代作家吳組緗（1908-
1994），也寫窮人被富人壓榨，百姓被官府欺負，卻非常講究技
巧。吳組緗被稱為三十年代左翼社會分析派小說家，曾經和
林庚、李長之、季羨林並稱為「清華四劍客」。吳組緗年輕時
還當過馮玉祥的家庭教師和秘書。1952 年開始，他就一直在
北京大學中文系，是正職教授兼職作家，古典文學研究很有成
就。他代表作有〈官官的補品〉（1932 年）、《一千八百擔》（1934
年）等。

　　一般說來，小說的敘事角度靠近哪個人物，讀者就會比較
容易對這個人物有好感，比較認同這個人物的視角，甚至價值
觀。如果是第一人稱「我」主導敘事，當然更容易引起讀者共
鳴。這是主人公在小說中常常擁有的「主場優勢」。比如巴金的
《家》，假如不是從覺慧而是從覺新角度敘述，小說恐怕會更多心
理矛盾和無解的悲劇衝突；假如從高老太爺角度寫，可能會寫
成路翎《財主底的兒女們》中的絕望又愛國的蔣捷三；假如從克

安克定以及他們的妻妾角度寫，又可以寫成〈金鎖記〉姜季澤七巧的故事……

但是〈官官的補品〉在技巧上做了一個實驗和突破，小說的第一人稱主人公「我」，是一個反派人物，好吃懶做，沒心沒肺，以喝人奶為榮，是一個目睹農民被砍頭也毫無同情心的地主少爺。讓這個第一人稱來敍述自己的言行，講述者一點都不覺得自己有錯，讀者卻清楚看到「我」的荒唐。小說開始時說，「我」投胎在鄉下的一個體面人家，名叫官官，不用做事，跑到城裏，變得「白的面孔，白的手，文明人的打扮，文明人的言談，出出進進在跳舞廳，電影院。」[1] 官官回鄉看母親，母親說你身體不好，要吃補品，吃甚麼補品呢？母親說：「官官，替你雇個奶婆，吃點人奶吧？」「我」開始不肯，他以為要到女人身上吃，母親笑了說，擠出來跟牛奶一樣。

於是叫來一個女傭「鐵芭蕉嫂子」。「鐵芭蕉嫂子」本身也是窮人，但是幫富人做事，一副奴才相。三十年代左聯作家雖已關注階級矛盾，但還沒有延安以後的窮富善惡絕對分明，所以曹禺也寫茶房王福升、僕人魯貴，吳組緗也寫了鐵芭蕉嫂子。延續魯迅〈藥〉中對茶館眾人的筆調，左聯作家對這些甘心樂意做幫兇爪牙的奴才，鄙視程度不亞於對他們的主子。「鐵芭蕉嫂子」領來了一個三十多歲的女人，形象很土，黃臉汗酸，身邊小孩卻養得壯實。接下來就要 interview（面試），要她展示上身。

> 奶婆紅了臉，羞澀地再望一望母親，但母親已走到她身邊；沒奈何，只有忸忸地解開紐扣來。

下面是第一人稱「我」的觀察——

　　那對奶子挺翹着乳頭，真大得像爪棚上吊着的大葫蘆。四周圍圍圍着褐色的斑點，青的筋絡，猶如地圖上的河流，交錯通布到胸口。母親以一個買客鑒別貨品的神勢把奶子凝神仔細看，伸過手去揉了一揉，豆漿似的白奶就望外直冒。

　　吳組緗將茅盾喜歡寫的材料，描畫出完全不同的效果。看過以後合格，當場奶婆就擠了一茶樽，這個時候第一人稱的男主角又發了一段極精彩的議論：

　　我遠遠地望着，覺得很有趣。這婆娘真蠢得如一隻牛，但到底比牛聰明了：牛釀了奶子，要人替擠捏出來賣錢，自己只會探頭在草盆裏，嚼着現成的食。這奶婆，這隻牛，卻會自己用手擠，賣了錢，養活自己，還好養家口。我想，人到底比牛聰明呀！

　　這個男人其實在洋洋得意地告訴別人自己很蠢，遠不如牛。現實世界裏這種現象其實常有，眾目睽睽下一本正經自以為事地胡說八道，旁人就算看到也不大會點穿。

　　作品簡單之處，是根據階級區分人之善惡。作品複雜之處，是比較人和動物，難以確定食物鏈文明。照說人應該有高於動物的文明準則，比方說人不應該吃人，或者吃人身上的器官或分泌物。從魯迅〈狂人日記〉起，「吃人」在現代文學中，既是文學

意象又是細節寫實。歷史上人吃人的現象,一般因為大饑荒或者戰爭,中國古代還有效忠君王,晉文公重耳喝誰腿上的肉的湯等。但是當代還有人用人體身上有關的補品,包括胎盤、人奶,是否道德,文明人類怎樣劃清界限?都是問題。「我」稱讚奶婆比牛聰明,恰恰暗示了自己比牛還蠢。不知道牛會不會喝牛奶,或吃死去牛的肉。傳說當年歐洲瘋牛症,就是在牛的飼料中混入了與牛的身體有關的物質。地主少爺的荒唐生活,由第一人稱自敍,還特別加上「蠢」、「聰明」之類的判斷。最好的批判就是讓主人公自我批判,自己還不知道。

小說的其餘部分寫主人公在城裏開舞會,坐車兜風出車禍,結果賣血給他的正是這個奶婆的老公叫陳小禿。也就是說,地主少爺輸了一個農夫的血,又喝着他老婆的奶 —— 這是三十年代左翼文學對階級對立關係的極其煽情的象徵。後來陳小禿又被抓住幫土匪傳信,「我」又目睹陳小禿被殺頭的血腥場面,仍然麻木愚蠢的看好戲,大叔還在旁邊打趣說,「這龜子的血現在可不值半文錢了,去年要賣五元一個奈特啦!」後來他們見到奶婆發瘋了,大呼大喊,村裏人就圍觀。〈官官的補品〉很典型地代表了左翼小說的農村社會分析,對三十年代階級鬥爭的背景有形象概括。和吳組緗同一時間成名的描寫城鄉社會矛盾的作家還有沙汀、艾蕪等。

吳組緗對敍述技巧的講究,部分彌補了作品主題的直露。其中人奶應不應該被成人食用,至今還可能是一個引起爭議的人類倫理話題。二十世紀中國小說,後來類似寫法的作品不多。大概在五、六十年代,如果以黃世仁、劉文彩為第一人稱,恐怕

怎麼寫都會被批判（讀者的閱讀期待太明確太簡單）。到八十年代以後，文學對社會和人性理解越多，絕對反派就越來越少，再讓他們以「我」的主角身分登場，恐怕會引起讀者的認同危機。也有第一人稱的地主兒子自述，比如余華《活着》的福貴，但效果和官官正好相反 —— 都是地主家的少爺，官官自以為聰明，其實讀者看到他很壞很愚蠢；福貴自以為愚笨，讀者看到的是他很苦很善良。

　　所以吳組緗的小說技巧，值得注意。

注

1　吳組緗：〈官官的補品〉，《一千八百擔》（北京：華夏出版社，2009 年）。

1933

《子夜》

茅盾

「中國民族資產階級沒有出路」？

　　直到 1933 年 1 月開明書店出版的茅盾的《子夜》，「五四」
新文學才在長篇小說領域接近或超越晚清。同樣以文學實現社
會學使命，《官場現形記》是無心插柳，《子夜》是有意栽花。

　　我們以後會看得更清楚，很多二十世紀中國小說的共同特
點，都是以解讀中國問題、書寫中國故事和關注中國命運為中
心 —— 夏志清提出「obsession with China」這個概念，譯成「感
時憂國」後被很多中國作家評論家理解成現代文學繼承了從屈
原、杜甫以來的偉大傳統。其實夏志清「認為『感時憂國』的精
神，對現代中國小說的創作頗有局限」。[1] 在〈現代中國文學感時
憂國的精神〉一文中，夏志清說：「現代的中國作家，不像杜斯
妥也夫斯基、康拉德、托爾斯泰和湯瑪斯曼一樣，熱切地去探
索現代文明的病源，但他們非常關懷中國的問題，無情的刻畫國
內的黑暗和腐敗。」[2] 換言之，文學對中國太「癡迷」，反而有損
藝術。這其實也是我們在重讀二十世紀中國小說過程中始終需
要反思的一個問題。一方面，夏教授其實自己也有點 Obsession

250

with Chinese（至少是 Obsession with Chinese literature），總是希望、苛求老舍、茅盾等人要寫出如杜斯妥也夫斯基、托爾斯泰的作品。另一方面，中國故事，中國問題，何嘗不就是現代文明的問題？今天追求「茅盾文學獎」的後浪作家，寫出一個中國人，同時也會寫出一個現代人。中國故事，同時也是世界的故事（不管是同一方向的命運共同體，或者是國際共運的最新實踐）。

　　茅盾主張主題先行，《子夜》先擬好大綱，確定了主題、結構，再分章寫成。葉聖陶說：「他寫《子夜》是兼具文藝家寫作品與科學家寫論文的精神的。」[3] 不知是稱讚還是保留。一般說來，作文要求主題先行，文學名著可能是主題後行，比方說《安娜‧卡列尼娜》（*Anna Karenina*），托翁原想批判一個道德放蕩的女人，沒想到作品裏充滿了對安娜的同情甚至歌頌。《紅樓夢》主題是甚麼，儒道佛？封建社會百科全書？問曹雪芹也無解。從四十年代到七十年代，主題先行成為文學管理部門提倡的寫作規範，對中國文學發展的影響複雜。唯獨茅盾的主題先行，好像沒有損害作品的文學價值，原因可能有三：一是因為這個先行的主題，相當程度上是茅盾自己相信、自己想出來的，而不是去表達已有的、現成的主題。二是因為茅盾的主題本身充滿了矛盾，所以就有了藝術變化發展的空間。第三個原因，《子夜》的成就除了主題以外，還建基於作家對藝術細節的激情，對都市文明的熱忱，對女人身體的興趣。

一、《子夜》的開篇 —— 鄉下老人看上海

小說一開篇，用鄉下紳士的眼睛看上海摩登，身旁是女人香水氣的刺激，坐的車「便像一陣狂風，每分鐘半英里，三十年代的新紀錄。坐在這樣近代交通的利器上，驅馳於三百萬人口的東方大都市上海的大街，而卻捧了《太上感應篇》，心裏專念着文昌帝君的『萬惡淫為首，百善孝為先』的誥誡，這矛盾是很顯然的了。」[4]

「茅盾」是作家筆名，「矛盾」也是小說基調。吳老太爺當年也是維新黨，受傷二十幾年沒跨出書齋，現因鄉下共黨和農民造反，被迫進城。「汽車發瘋似的向前飛跑。」（茅盾、穆時英、吳組緗等現代作家好像都喜歡寫上海的時髦汽車。相比之下，晚清文學固然少，當代小說也不多）「吳老太爺向前看。天哪！幾百個亮着燈光的窗洞像幾百隻怪眼睛，高聳碧霄的摩天建築，排山倒海般地撲到吳老太爺眼前，忽地又沒有了；光禿禿的平地拔立的路燈杆，無窮無盡地，一杆接一杆地，向吳老太爺臉前打來，忽地又沒有了。長蛇陣似的一串黑怪物，頭上都有一對大眼睛，放射出叫人目眩的強光，啵 —— 啵 —— 地吼着，閃電似的衝將過來，準對着吳老太爺坐的小箱子衝將過來！近了！近了！吳老太爺閉了眼睛，全身都抖了。他覺得他的頭顱彷彿是在頸脖子上旋轉；他眼前是紅的，黃的，綠的，黑的，發光的，立方體的，圓錐形的 —— 」（「圓錐形」不大像吳老太爺的語言）「混雜的一團，在那裏跳，在那裏轉；他耳朵裏灌滿了轟，轟，轟！軋，軋，軋！啵，啵，啵！」

不僅車速、街景、聲光化電叫他害怕，坐在身邊的女兒也是威脅：「淡藍色的薄紗緊裹着她的壯健的身體，一對豐滿的乳房很顯明地突出來，袖口縮在臂彎以上，露出雪白的半隻臂膊……他趕快轉過臉去，不提防撲進他視野的，又是一位半裸體似的只穿着亮紗坎肩，連肌膚都看得分明的時裝少婦，高坐在一輛黃包車上，翹起了赤裸裸的一隻白腿，簡直好像沒有穿褲子。『萬惡淫為首』！這句話像鼓槌一般打得吳老太爺全身發抖……老太爺的心卜地一下狂跳，就像爆裂了似的再也不動，喉間是火辣辣地，好像塞進了一大把的辣椒」。車子繼續向前，「衝開了紅紅綠綠的耀着肉光的男人女人的海，向前進！機械的騷音，汽車的臭屁，和女人身上的香氣，霓虹電管的赤光……」

到了吳公館，又看見一大堆紅男綠女，乳峰齊飛，老太爺不久就心臟病發作去世了。《子夜》這個序幕，用的是新感覺派的蒙太奇技巧，解釋的卻是左翼的歷史觀：「老太爺在鄉下已經是『古老的殭屍』，但鄉下實際就等於幽暗的『墳墓』，殭屍在墳墓裏是不會『風化』的。現在既到了現代大都市的上海，自然立刻就要『風化』。去罷！你這古老社會的殭屍！去罷！我已經看見五千年老殭屍的舊中國也已經在新時代的暴風雨中間很快的很快的在那裏風化了！」

今天讀來，吳老太爺的視角很精彩，汽車速度和女人香氣也很刺激，但是這個文人門客對殭屍的解釋反而有些過於天真樂觀。第一，三十年代上海是否已是二十世紀中國最黑暗的一夜，以後就可以迎接黎明光輝了？第二，今天我們看見汽車再快，高樓再高，《太上感應篇》也是不會消失的。

二、《子夜》中的幾個主要人物羣

老太爺去世，吳府設靈堂，靈堂前後出現了小說中的幾個主要人物羣：一是趙伯韜、杜竹齋、尚仲禮等金融玩家；二是唐雲山、王和甫、孫吉人等擁有實業工廠的民族資本家；三是吳蓀甫的太太林佩瑤與她的妹妹林佩珊，還有圍繞着他們的一羣文人門客，比如詩人范博文、政客李玉亭，捲入三角戀中的吳芝生，喜歡街上鬧事的張素素，留法歸來的杜少爺等等。還有個雷參謀，即將上北方前線，卻和吳蓀甫太太有段私情，給小說男主人公戴了一頂綠帽。

小說還有第四組人羣，替吳蓀甫管理工廠的屠維岳、莫干丞、錢葆生，以及廠裏大大小小的奸細、工頭；還有與他們對立的女工朱桂英、王金貞、陳月娥、何秀妹，張阿新等。女工當中有奸細，有老實人，也有工人接近地下黨。第五個羣體，就是地下黨人蔡真、瑪金、克佐甫等（名字有點蘇俄化），他們一面積極策劃工人總罷工，一面自己又享受頗曖昧的性生活的自由。

《官場現形記》和《二十年目睹之怪現狀》也是長篇，也是人物眾多，但李伯元的人物分批登場，前後不相關。吳趼人寫了很多人物很多故事，但都靠「九死一生」串聯，人物故事之間也不連貫。《子夜》是比較歐化的長篇結構，主人公是全劇中心，幾十個人物幾乎一起（在同一時間同一公館的不同角落）登場。讀者開始有點頭暈，但這正是小說家的意圖，茅盾有條不紊地讓我們感到混亂，很理性地刺激我們的感官。他在靈堂左右前後一一展開了這四五組主要人羣，同時還聯繫到農村的背景。

更重要的是，這幾組人物羣分別代表了買辦資產階級、民族資產階級、知識分子和小資產階級，還有無產階級以及背後的地下黨……讀者不可以頭暈。毛澤東〈中國社會各階級的分析〉一文裏提到的凡住在城裏的人，幾乎全都（而且同時）進了《子夜》，混合成了一連串糾纏不清的戲劇衝突。

茅盾喜歡濃墨彩重口味，小說第四章便是一例——「就在吳老太爺遺體入殮的那天下午，離開上海二百多里水路的雙橋鎮上」。和《倪煥之》一樣，茅盾也把江南水鎮的情況和大都市的經濟、政治風雲聯繫起來考察。「一所陰沉沉的大房子裏，吳蓀甫的舅父曾滄海正躺在鴉片煙榻上生氣。」生氣是因為農民協會在開大會，也因為自己非正式的小老婆阿金和他的兒媳婦在吵架，更生氣他兒子曾家駒在外無能，在家裏卻跟阿金偷情。類似亂倫情節在《雷雨》中的繁漪和周萍是「反封建」，少爺與阿金卻是荒淫墮落。之後鄉民造反衝進曾府，領頭的就是阿金的丈夫，「老狗強佔了我的老婆！」個人仇、階級恨融為一體，最後敗家子曾家駒狼狽地逃到上海，在吳蓀甫廠裏靠裙帶謀差事。和晚清小說不同，此線按下不表，但不會消失，曾家駒後來在工廠也是成事不足，敗事有餘。作家想顯示上海的商場硝煙，其實因為農村動亂破產。曾家父子要在短短一章中承受那麼多災難，吳老太爺要受刺激迅速死亡，都是想說明《子夜》中的上海危機，其實是浮在中國農村的更大危機之上。

《子夜》的主線，趙伯韜、吳蓀甫之間的兩種資本力量之爭——所謂中國民族資產階級與國際資本勢力的較量，是其他三十年代小說很少涉及的矛盾主線。而且不僅三十年代罕見，

之後幾十年也基本沒有。今天中國充滿了國際資本、民間工業與國家資本的三角混戰,卻還是沒有另外一個作家來正面全面解析。而且,《子夜》還從鎮壓者的角度寫工潮細節,寫工人罷工,又不無批判地描寫地下黨活動,這也是三十年代左翼文學的重要突破,沒有後來人。「茅盾文學獎」年年有新人,茅盾的《子夜》卻無人學步,為甚麼呢?

三、「商場如戰場」:吳蓀甫 VS 趙伯韜

在《子夜》之前,中國現代小說還沒有貫穿戲劇性主線的長篇佈局,顧彬(Wolfgang Kubin)曾經將《子夜》跟葉聖陶的《倪煥之》比較,認為兩者都試圖使用史詩般的大幅度,刻畫理想與現實之間的反差。都是寫大時代。但是顧彬認為《倪煥之》失敗,《子夜》成功。因為《倪煥之》「讓主人公如同一個傻子一樣在革命風暴中走向滅亡,」《子夜》卻是英雄式的失敗:吳蓀甫最後跟妻子說,「迄今為止一切都由他決定,卻無法再做出任何重要的決定。」[5]夏志清認為,吳蓀甫是「一個在無可抗拒的命運或環境下受到打擊的一個傳統的悲劇主角,……他心懷大志,滿腔熱忱,一心要利用本國資源將中國工業化……但是只要封建思想和帝國主義狂潮未滅,一切促進民族事業發展的努力都是枉然的。」[6]晚清以來的中國小說裏,極其缺乏悲劇英雄。楊義也認為悲劇主人公是中國資本主義發展途中的末路英雄,他說他魁梧剛毅,紫臉多皰 —— 小說裏反復描寫主人公一發急,臉就發紫,很多皰。很明顯 ——「他就是二十世紀機械工業時代的英

雄騎士和王子！」[7]用吳蓀甫自己在小說中的對白：「只要國家像個國家，政府像個政府，中國工業一定有希望的！」（問題是，怎麼才叫國家像個國家，政府像個政府？）

各派文學史的觀點，好像都符合茅盾「先行」的主題，但都是依據改定本，其實小說修改過程可能更複雜。在吳蓀甫、趙伯韜這條主線，為甚麼民族工業一定要敗給金融買辦？據說1930年夏秋間，有一場關於中國社會性質的論戰，在1939年〈《子夜》是怎樣寫成的〉[8]一文中，茅盾解釋：「中國並沒有走向資本主義發展的道路，中國在帝國主義壓迫下，是更加殖民地化了」。但是1984年出版的〈《子夜》寫作的前前後後〉，[9]卻有一段不容忽視的說明：「秋白建議我改變吳蓀甫、趙伯韜兩大集團最後握手言和的結尾，改為一勝一敗。這樣更能強烈地突出工業資本家鬥不過金融買辦資本家，中國民族資產階級是沒有出路的。秋白看原稿極細心。我的原稿上寫吳蓀甫坐的轎車是福特牌，因為那時上海通行福特。秋白認為像吳蓀甫那樣的大資本家應當坐更高級的轎車，他建議改為雪鐵龍。又說大資本家憤怒絕頂而又絕望就要破壞甚麼乃至獸性發作。以上各點，我都照改了。」

也就是說，茅盾自己「先行」的主題，是民族資本與買辦金融誰也消滅不了誰，最後「握手言和」，或者說是不分勝負互相妥協陷入長期矛盾（更像今日國際金融、民族工業與國家資本三者之間的複雜搏弈矛盾局面）。讓吳蓀甫迅速失敗，「中國民族資產階級沒有出路」的政治結論是清晰了，文學把握中國現實的複雜性以及文學形象的心理深度是否會受到損害？瞿秋白對

《子夜》的詳細修改意見，當然也是出於他的政治智慧和善意。瞿秋白也沒有要求茅盾刪改那些對上海地下黨性生活開放的描寫。問題在於，茅盾小說理性先行，成功原因在於這是茅盾自己的主題，這主題本身充滿了矛盾。瞿秋白提的意見，從民族資本失敗，到汽車牌子及資本家獸性等，「以上各點，我都照改了」。不知道這些主題及細節修改，多大程度上是瞿秋白道出了茅盾想說而沒說清楚的本意，多大程度上是作家尊重政治家的英明勸告。除了〈阿Q正傳〉以外，《子夜》原是二十世紀上半期最有可能成為世界名著的中國小說。後來文化部長茅盾親眼見到買辦資本全部消滅，民族工業公私合營，他卻反而不寫小說了。現在國際金融、民族工業與國家資本三者博弈矛盾鬥爭，是「誰也消滅不了誰」？還是必然要分出勝負？——《子夜》當年想提出的問題，今天有哪位「茅盾文學獎」得主試圖回答？

作家為了讓讀者在吳蓀甫和趙伯韜的爭鬥當中，比較同情前者，一來強調吳蓀甫以及王和甫、孫吉人等人發展民族工業，而趙伯韜有美資背景，主要從事金融債券投資（今天可能國際資本更吃香）。二來寫趙伯韜花錢買通前線的軍隊後退三十里以操縱市場，典型官商勾結（可否理解成政治經濟不分家？）。三是生活作風，吳蓀甫被戴綠帽，趙伯韜酒店開房，享受同行女兒（好色總是作家處理負面人物的常用手段。）

也是聽了瞿秋白的建議，為證明民族資產階級的兩重性，小說第十四章吳蓀甫在四面楚歌、精神崩潰之際，臨時抓住家裏給他送茶的王媽（女傭）來發洩去火。這個細節和主角的悲劇性格不太合拍（兔子一般不吃窩邊草）。如果不要理性界定兩面

性，只是像寫七巧一樣寫一個「徹底的人物」，寫一個複雜的英雄的勝敗，作品會不會有更大成就？

《子夜》能夠主題先行，也靠材料豐富。晚清作家很多素材靠報紙徵集而來，五四文人如何熟悉商場細節？原來 1930 年秋天，茅盾因眼病不能讀書寫字，那時他常去一個銀行家（表叔盧學溥）家裏，在客廳裏認識了各路商界人士。如果不是這次眼疾，二十世紀小說的士農工商，幾乎會缺少一個階級的代表。

四、《子夜》中的其他人物

男主角作戰商場，家庭內外，還有女人家屬以及圍着她們轉的清客閒人們，人數雖不少，但獨特形象幾乎沒有。除了吳、趙之間有個傳信的李玉亭，「那位新詩人范博文、留學生杜新籜，需要『強烈刺激』的張素素、吳蓀甫的年輕太太（一腦子充滿了從教會學校來的浪漫思想）以及其他較年輕的一羣，在整個故事裏穿梭着，一點個性都沒有，連丑角都不如。」[10]巴金、曹禺等人，在作品裏總是寄希望於年輕人，相比之下茅盾在《蝕》和《子夜》裏對年輕人都沒有優待。夏志清批評茅盾的《子夜》：「平時描寫得最見功夫的女主角，不管是多愁善感型的也好，玩世不恭式的也好，都失去了水平，淪為漫畫家筆下的人物。」[11]「茅盾的小說家感性，已經惡俗化了。」這個批評有些言重了。《子夜》裏穿插着不少調節小說色彩與節奏的活色生香的女人：跟趙伯韜睡覺的徐曼麗；由趙營轉投吳蓀甫的風騷女劉玉英；被他父親當作禮物和密探送給趙伯韜的年輕女子馮眉卿，還有多愁善

感的鄰家姐妹……雖然相比〈幻滅〉、〈動搖〉，這些女性人物並不是小說主角。漢學家馬利安・高利克（Jozef Marian Galik）倒認為茅盾小說一再描寫女人乳房，是用部分代全體的手法，「體現女性的性的宿命性力量，不是引誘，而是破壞，一種對舊世界的破壞。」[12]

《子夜》眾多人物中有兩個配角值得注意，一是馮眉卿的父親馮雲卿。他在鄉下搜刮農民，用收租的錢到上海來炒股，結果失敗。土財主投機失敗，便想出絕計：向金融大鱷趙伯韜獻出女兒以刺探商場情報。這段插曲，是從晚清海派小說衍生出來的老橋段，李伯元的《官場現形記》裏邊最狗血的一段，就是官員要將親生女兒獻給上司作妾。吳趼人《二十年目睹之怪現狀》則把這個女兒變成了媳婦，公公跪在那邊求兒媳婦，也是要把她獻給有權勢的人。李伯元寫這個故事只用了一頁，吳趼人寫了一萬字，從冷冷的嘲諷變成了煽情的渲染。在晚清作家看來，官員、商人所做的最無恥的事莫過於犧牲自己家裏的女人——而且是下一代的女人，去為了自己的仕途和財富。這個社會批判的倫理核心，一路延續到三十年代文學（〈上海的狐步舞〉裏也有街頭老婦向路人推銷自己媳婦）。不同之處是李伯元、吳趼人，既寫獻女的官員無恥，也寫女兒媳婦的被迫、不情願。茅盾卻用主要筆墨來突出馮雲卿的矛盾心理——又想靠女兒獻身取情報打翻身仗，又覺得自己這樣做斯文掃地，內心恥辱無地自容。也就是說李伯元、吳趼人筆下，獻女的官員自己只有無恥沒有痛苦，需要犧牲的是下一代——象徵意義上就是清朝官府無可救藥，國民前景慘被犧牲。但到了茅盾筆下，獻女的士紳

充滿了內疚，而作為禮物的下一代卻蒙昧無知，甚至以為受寵了——象徵意義上，就是傳統社會痛苦困境，新一代卻愚蠢麻木，快樂至死。

　　同一個故事，不同的演繹方法。《子夜》和晚清海派小說的這種細節變化，學術界注意不多。

　　《子夜》裏還有一個人物，值得特別注意，就是吳蓀甫絲廠的工頭屠維岳。從小說情節看，屠維岳是吳、趙之後第三號主角。為甚麼茅盾要花這麼多筆墨來寫一個年輕的工頭？因為小說主軸是強調資本家吳蓀甫兩面作戰——既對抗國際資本代理人趙伯韜，又要鎮壓自己廠裏的工人罷工。這個屠維岳，就是小說當中勞資衝突的磨心，是當時階級鬥爭的前線戰場（而且是「敵方」的前線）。作家刻畫吳蓀甫和屠維岳的關係，花了很多筆墨，值得重視。小說一再強調老闆吳蓀甫易怒、多變、剛愎自用，可是這個下屬屠維岳，卻非常冷靜、自信、不動聲色。撇開兩個人做的事情不論，他們的上下級關係倒是任人唯賢，用人唯才。吳明明不喜歡屠的性格，屠也不吹噓拍馬，但是吳仍然重用屠維岳，屠也盡心盡力為老闆做事。當然，在中國（也許不僅是三十年代），這樣使用人才的結果也是悲劇收場，被吳家的裙帶關係所破壞。同時我們也看到，再卑微惡劣的角色，也可以成為豐滿複雜的文學形象。

　　由屠維岳的計謀延伸到工人們的罷工，後面就有瑪金、蔡真、克佐甫等地下黨人。這些地下黨員意見並不統一，有比較策略的務實派，也有比較教條，動不動就用公式批判別人的左傾盲動分子。小說還描寫這些地下黨人同居、同性戀，比較開放

的性自由。對比以後幾十年越來越概念化、公式化的地下工作
地下黨的描寫，讀者也許不能判斷哪一種地下黨文學更符合歷
史現實，但是從小說社會背景的複雜性看，茅盾寫的地下黨也充
滿「矛盾」。

　　茅盾自己，四十年代以後，也再沒有像《子夜》那樣描述革
命了。按照書中象徵，「子夜」過去了，天已大亮了，一切昏暗、
混濁、複雜的東西都消失了。到底是消失了，還是看不見了？
是看不見，還是不想看了？這些問題以後都要討論，等到了延安
文學的階段。

注

1　王德威：〈重讀夏志清教授中國現代小說史〉，夏志清：《中國現代小說史》（香港：香
　　港中文大學出版社，2015 年），頁 xliv。

2　夏志清：《中國現代小說史》（臺北：傳記文學出版社，2015 年），頁 535。

3　葉聖陶：〈略談雁冰兄的文學工作〉，《葉聖陶散文》（成都：四川人民出版社，1983
　　年），頁 495-496。

4　茅盾：《海上文學百家文庫・茅盾卷》上（上海：上海文藝出版社，2010 年），頁 9。
　　以下引文同。

5　顧彬：《二十世紀中國文學史》，范勁等譯（上海：華東師範大學出版社，2008 年），
　　頁 106。

6　同注 2，頁 178。

7　楊義：《中國現代文學史》第二卷（北京：人民文學出版社，1988 年），頁 106。

8　茅盾：〈《子夜》是怎樣寫成的〉，《新疆日報，副刊「綠洲」》，1939 年 6 月 1 日。

9　茅盾：《我走過的道路》（中）（北京：人民文學出版社，1984 年），頁 110。

10　同注 2，頁 178。

11　同注 2，頁 179。

12　瑪利安・高利克（Jozef Marian Galik）：〈中西文學關係的里程碑〉；轉引自顧彬：
　　《二十世紀中國文學史》，范勁等譯（上海：華東師範大學出版社，2008 年），頁
　　106。

「第三種人」的困境

一、六次文藝論爭

五四新文學的第二個十年 (1927-1936)，據李歐梵在《劍橋中國史》裏的整理，[1] 至少發生過六次文藝論爭，需要極簡回顧。

第一次是太陽社和後期的創造社批判魯迅「醉眼朦朧」、「阿Q已經死去了」，並問魯迅站在甚麼階級、甚麼立場上從事文學。其中最嚴重的指控就是郭沫若說魯迅是「雙重的反革命」、「不得志的法西斯」。這些革命作家後來向魯迅認錯，魯迅去世以後，郭沫若對魯迅評價很高。

第二次是魯迅與梁實秋的筆戰。翻譯論爭有點文人相輕，「階級性」問題卻是魯迅與梁實秋及自由主義陣營的嚴重分歧。文學到底是必須寫階級性還是必然要寫人性？恐怕至今仍是有爭議的話題。當時魯迅筆頭辛辣，又有左翼陣營聲援，似乎佔了上風。

第三次論爭是三十年代初，魯迅、馮雪峰和左聯對「民族主

．

義文學」論戰。國民黨系統的文學派別「民族主義文學」，以王
平陵、朱應鵬、黃震遐為代表人物，核心觀點是「九一八」後，
文學應該放下階級矛盾，共同提倡民族抗爭。抽象看口號，「民
族主義文學」和 1936 年的國防文學似乎接近。但「民族主義文
學」強調的是黃種人對抗西方人，並不全是抗日的意思。沒有幾
篇文章，論爭就見勝負。國府除了檢查制度或警察抓人外，正面
參與文學運動，這是比較有名的一次，迅速失敗。

　　第四次論爭發生在左翼陣營內部，茅盾和瞿秋白爭論文
藝如何大眾化。瞿秋白認為五四文人的語言太歐化，不是大眾
文學，茅盾就為五四新文學辯護。討論參加者不多，但影響深
遠——延安以後，文學如何大眾化，仍是重要課題。

二、「第三種人」施蟄存

　　第五次論爭的主角就是施蟄存。施蟄存 1905 年生，2003
年去世，和冰心、巴金一樣見證了百年中國文學的發展。施蟄
存是杭州人，早年住蘇州、松江，中學時在鴛鴦蝴蝶派刊物發
表過作品，讀過上海大學。因為三十年代主編《現代》雜誌，加
上周圍的一批作家劉吶鷗、穆時英、李金髮、戴望舒都比較傾
向於現代主義，所以被稱為「現代派」。「現代派」要打引號，
因為並不等於西方的現代主義，也未必簡單等同於「現代性」。
《現代》雜誌上面其實各派別的作品都有。主編施蟄存當時才
二十七八歲。有兩件事情使《現代》雜誌捲入了文學論爭。一是
胡秋原、杜衡（蘇汶）、施蟄存等人，在三十年代左右文壇對陣

時，希望自己能置身論爭之外，做「第三種人」：「在『知識階級的自由人』和『不自由的、有黨派的』階級爭着文壇霸權的時候，最吃苦的，卻是這兩種人之外的第三種人。這第三種人便是所謂作者之羣。」[2] 雖然他們自己的定義很小心，但常人理解就是想走「中間道路」，馬上被左聯批判了。階級鬥爭非友即敵，怎能允許「第三種人」？「左聯」名符其實，主張「文藝永遠是到處是政治的『留聲機』」，[3] 戰鬥意識強於統戰策略。回到當時的文化鬥爭語境，批判「第三種人」的目的，恐怕並不只是打擊胡秋原、施蟄存 —— 胡秋原、施蟄存在社會上影響不是很大。批判第三種人的效果，也許是讓一些其他「民主主義作家」（巴金、曹禺、老舍等），不要在左右中間走第三條路。實際上曹禺、巴金的政治傾向都比較靠攏左聯，靠攏革命，老舍後來也有了轉變。

除了文藝鬥爭大背景，還有一件小事也影響了「第三種人」的命運。施蟄存曾在報上寫文章勸青年人多讀《莊子》、《文選》，說這樣才能寫好文章。魯迅看了以後不喜。早在二十年代魯迅就看不慣胡適等提倡「整理國故」，現在施蟄存本人也就二十七八歲，還要裝作很老成的樣子向青年人推薦《莊子》、《文選》，魯迅認為這會引導青年脫離現實革命鬥爭，所以就套了一句杜牧的舊句諷刺施蟄存，將「十年一覺揚州夢，贏得青樓薄倖名」改成「十年一覺文壇夢，贏得洋場惡少名」。

其實私下魯迅並沒有輕視《莊子》、《文選》的意思，他反而嫌施蟄存文章哪有一點《莊子》、《文選》氣？施蟄存抗戰以後一直在大學教書，雲南大學、廈門大學、暨南大學、滬江大學。在華東師範大學，他帶的研究生，或魏碑考證，或唐詩研究，其

實他的古典文學底子非常好。多年後我和李歐梵教授到施蟄存
愚園路寓所拜訪，施先生談起〈梅雨之夕〉走的是哪一條馬路，
虹口舞廳革命黨人聚會等等細節，十分清晰。九十多歲獲得上
海市文學藝術傑出貢獻獎，上臺致辭，神清氣爽：「你們終於想
起我了」，全場掌聲。

施蟄存和《現代》雜誌，令人反思：後來大半個二十世紀，
作家是否還可以選擇做「第三種人」？

三、魔幻歷史小說〈將軍底頭〉

在〈梅雨之夕〉之前，施蟄存還發表過〈將軍底頭〉(《小說
月報》二十一卷第十號)。中國小說原有歷史演義、俠義公案、
世俗風情及神幻魔怪四大傳統，晚清社會譴責小說以世情官場
為基礎，夾一點歷史(《孽海花》)，講一點俠義(《老殘遊記》)，
總之寫實是主流，神幻魔怪十分罕見。魯迅《故事新編》是個例
外，施蟄存的〈石秀〉、〈將軍底頭〉其實也是「故事新編」。〈將
軍底頭〉寫唐代花驚定將軍，率騎兵去四川邊境抵抗吐蕃，但花
將軍有吐蕃血統，看不起自己手下漢兵，期望打勝仗就能搶財富
搶女人。出征途中花將軍已在猶豫，到底是盡忠職守為大唐而
戰，還是索性反叛回去吐蕃？施蟄存早期小說的語言其實有點
笨拙，比方說「秋季的一日，下着沉重的雨。在通達到國境上去
的被稱為蠶叢鳥道的巴蜀的亂山中的路上」，[4] 一句話裏面用了四
個「的」，「時代已經把對於他的我們底記憶洗蕩掉了」等等，文
字乾澀。小說前半部分情節也非常老套，軍隊進駐小鎮，騎兵企

圖強姦民女，被將軍砍頭掛在樹上，將軍自己卻暗暗愛上這個民
女，而且夜間夢見自己佔有了民女，第二天，將軍還找到機會向
民女表白，貌似通俗連續劇情節。可是小說結尾突然翻轉——
將軍在戰場上砍了一個吐蕃首領的頭，自己的頭也被同時砍下，
但將軍的身體卻仍然能夠騎馬回來。身體看不見自己的臉，只
聽見在洗衣服的這個民女調侃的聲音，說「頭都沒了，還洗甚麼
呢？」將軍的頭其實在遠處，在死了的吐蕃的手中流着眼淚。之
前將軍向民女表達愛意的時候說過一句「即使砍去了首級，也一
定還要來纏擾着姑娘」，沒想到一語成讖。這是早期施蟄存的代
表作〈將軍底頭〉。這種寫法，幾十年後再次進口，被稱為「魔
幻現實主義」。

四、〈梅雨之夕〉：用佛洛伊德的理論寫小說

除了這種「偽歷史小說」以外，施蟄存更有名的代表作就
是〈梅雨之夕〉。從二十年代起，不少中國作家已經受到了佛洛
伊德的心理分析理論的影響，魯迅翻譯過廚川白村的《苦悶的象
徵》，定義文學是「壓抑在無意識中的慾望通過藝術而宣洩」。
（施蟄存有不少興趣點無意間與魯迅重合，關於佛洛伊德理論，
關於魔幻歷史小說，關於北四川路……）魯迅短篇〈肥皂〉寫一
個鄉紳看到女乞丐被人議論「咯支咯支」洗一洗就很好看，於
是就買香皂給老婆，寫的也是主人公不知道自己的性壓抑。施
蟄存的心理小說是擺明車馬、開宗明義，說明這是用佛洛伊德
的理論寫小說。佛洛伊德認為，潛意識或者說無意識是人自己

不知道，但又影響着他行為和心理的東西。我不知道的東西在影響我。我怎麼知道有影響呢？〈梅雨之夕〉通篇都在說：「我沒知道」。

還是劉吶鷗、穆時英喜歡的都市風景線，從公司下班撐傘走回家的男人，並不知道自己為甚麼喜歡雨中行。明的理由是坐電車周圍都是雨衣，寓所離公司又很近，走路可以用安逸心境看風景，這些都是理性意識到的雨中樂趣，但是樂趣背後有甚麼？主人公「沒知道」。為甚麼不急於回家呢？沒有小孩焦急等他，太太可能已經做好飯菜，沒有期待家中溫暖？或者家庭太溫暖了，需要在路上透透氣？或者不想終日面對太太？甚至想都不敢想？自動壓抑了「不想」，是否婚姻常態 —— 這不代表他不愛他的太太，怎麼可以不愛呢（這些是後來張愛玲〈封鎖〉處理的問題）。都市人至少有三種身分，在家是丈夫，在公司（單位、體制）是職員，但是在路上，潛意識裏是自由身分，或者說戴上了自由的面具。都市人和鄉村的人，最大區別就是前者不止一個身分。村裏人犯了一個錯，就得背負一輩子。而城裏人改過（改變自己）的機會多（受騙上當的機會也多）。也許雨中漫步回家就是一種第三身分的享受 —— 另一層意義上的「第三種人」？這時「我」不是體制中的職員，「我」也不是家庭裏的丈夫，「我」就是一個「自由人」，一個「男人」（無意識中追求自由，並模仿「男人」的慾望）、一個「紳士」（「紳士」和「自由」其實也可以是面具），自以為誰也不認識我，但誰也可以認識我。

主人公有這麼想嗎？小說沒有寫。小說只寫了他在雨中「且行且珍惜」。他覺得北四川路很朦朧，頗有詩意，這時有輛電車

開來停住。「在車停的時候，其實我是可以安心地對穿過去的，但我並不曾這樣做。我在上海住得很久，我懂得走路的規則，我為甚麼不在這個可以穿過去的時候走到對街去呢，我沒知道。」[5]「我沒知道」是頗彆扭的漢語過去式，說明作者是事後記述，其實是「我當時不知道」。不知道為甚麼不馬上回家，為甚麼還要在雨中欣賞街景，為甚麼還要在電車旁邊停下。其實讀者都看得很清楚——這男人在無意識中盼望某種艷遇。可是他沒有這麼想，他也不敢這麼想，這種「無意識中盼望」是他的「超我」不允許的，也是他的「自我」不知道的。「我數着從頭等車裏下來的乘客。為甚麼不數三等車裏下來的呢？這裏並沒有故意的挑選，頭等座在車的前部，下來的乘客剛在我面前，所以我可以很看得清楚。」注意頭等車的乘客只是無意識的選擇，即使是「第三種身分」，階級意識也深入本我層次。

「第一個，穿着紅皮雨衣的俄羅斯人，第二個是中年的日本婦人，她急急地下了車，撐開了手裏提着的東洋粗柄雨傘，縮着頭鼠竄似地繞過車前，轉進文監師路去了。我認識她，她是一家果子店的女店主。第三，第四，是像寧波人似的我國商人，他們都穿着綠色的橡皮華式雨衣。第五個下來的乘客，也即是末一個了，是一位姑娘。她手裏沒有傘，身上也沒有穿雨衣」。喂喂，你在幹甚麼？又不是等人，為甚麼這麼仔細地觀察頭等艙下來的人？一個有傘的男人在注意一個無傘的姑娘。

「她走下車來，縮着瘦削的，但並不露骨的雙肩，窘迫地走上人行路的時候，我開始注意着她的美麗了。美麗有許多方面，容顏的姣好固然是一重要素，但風儀的溫雅，肢體的停勻，甚至

談吐的不俗，至少是不惹厭，這些也有着份兒，而這個雨中的少女，我事後覺得她是全適合這幾端的。」為甚麼事後才覺得？因為作者想強調雨傘男當時並無採花動機。女人找不到人力車只好躲雨。此時「我」明明可以過馬路，「但我何以不即穿過去，走上了歸家的路呢？為了對於這少女有甚麼依戀麼？並不，絕沒有這種依戀的意識。」沒有依戀的意思不代表沒有依戀的無意識，這正是這篇小說的核心。「但這也決不是為了我家裏有着等候我回去在燈下一同吃晚飯的妻，當時是連我已有妻的思想都不曾有。」這男人此刻把「丈夫」暫時丟棄了，「第三種人」入戲太深。「我不自覺地移動了腳步站在她旁邊了。」雨很大，有些淋着這美麗姑娘的衣角。女人是沒辦法，可這男的明明有傘怎麼也不走呢？等了很久，小說寫「我也完全忘記了時間的在這雨水中間流過。我取出時計來，七點三十四分。」「終歸是我移近了這少女，將我的傘分一半蔭蔽她。—— 小姐，車子恐怕一時不會得有，假如不妨礙，讓我來送一送罷。我有着傘。」各位讀者，在你們的生活中有沒有這樣一個瞬間，你伸出傘或別人伸傘過來？「她凝視着我半微笑着。這樣好久。她是在估量我這種舉止的動機，上海是個壞地方，人與人都用了一種不信任的思想交際着！」（這正是劉吶鷗所謂「餓鬼似的都會」的本質，到處是機會，到處是陷阱，到處可以改頭換面，到處可以重新做人。）

「於是她對我點了點頭，極輕微地。—— 謝謝你。朱唇一啟，她迸出柔軟的蘇州音。」接下來他們並肩雨中行，「她是誰，在我身旁同走，並且讓我用傘蔭蔽着她，除了和我的妻之外，

近幾年來我並不曾有過這樣的經歷。」主人公本質上還是住家男人。「我的鼻子剛接近了她的鬢髮，一陣香。無論認識我們之中任何一個的人，看見了這樣的我們的同行，會怎樣想？……」理智馬上清醒，回到世俗的處境。「我將傘沉下了些，讓它遮蔽到我們的眉額。」之後有兩個小插曲，一是「我」覺得這個女子很像自己十四歲的初戀少女（用理性來合理化自己的本能，為荒唐行為尋找理由）。二是看見路邊一個店裏的櫃子裏有一個女子，「突然發現那個是我的妻，她為甚麼在這裏？」當然這是幻覺，透露主人公無意識的恐懼。基本上，人的幻覺，夢想是外衣，恐懼是內核。人的行為，貌似追逐理想，其實逃避恐懼。前者是生育本能，後者是生存本能。

　　走在馬路上的男人（其實女人也一樣），自以為擁有公司、家庭之外的第三種身分，其實職業和家庭早已植入他的無意識，制約他短暫的「自由」追求。文壇上的作家也一樣，自以為是「第三種人」，其實左傾右翼也時時影響着他的獨立選擇。

　　兩人一路沒說幾句話，問了姓氏，「我」又幻想這個女人像日本畫《夜雨宮詣美人圖》，仔細近觀女人的容顏，鼻子、顴骨，又覺得不像，也不似自己的初戀女伴。這時「我忽然覺得很舒適，呼吸也更通暢了。」這其實是一個無意識當中被壓抑的慾望釋放淨化的過程。終於雨停了，女人說「謝謝你，不必送了」，我也只好禮貌告別。記住，第三個身分要扮演「紳士」。可是回到家裏叩門，卻聽到那少女的聲音，奇怪，她怎麼會在這裏呢？—— 其實是恐懼追隨着他。門開了，像是路邊見過的女子，其實是妻子。「妻問我何故歸家這樣的遲，我說遇到了朋友，在

沙利文吃了些小點，因為等雨停止，所以坐得久了。為了要證實我這謊話，夜飯吃得很少。」

嚴肅認真或者缺乏安全感的妻子們，也許會指責丈夫們花心、渣男或無聊，但這只是都市人的生活常態，在體制和家庭之間用第三種身分短暫掙扎遊蕩（也是「第三種人」在「左翼」與「右派」之間尋找假想的自由）。男女平等，左右為難。主啊原諒他／她們吧，他／她們當時不知道自己要甚麼，在做甚麼。我們現在也未必知道我們究竟要甚麼，究竟在做甚麼。

注

1　[美]費正清（John King Fairbank）、[英]崔瑞德（Denis Crispin Twitchett）主編的《劍橋中國史》（*The Cambridge History of China*），共十五卷由英國劍橋大學出版社出版。目前中國社會科學出版社已翻譯出版其中十三冊。李歐梵先生之論述可見於《劍橋中國史》第 12-13 卷中華民國史部分，參見費正清編、楊品泉等譯：《劍橋中華民國史：1912-1949 年（下卷）》（北京：中國社會科學院出版社，1994 年），頁 478-507。

2　杜衡：〈關於「文新」與胡秋原的文藝論辯〉，《現代》1932 年第一卷三期。

3　瞿秋白：〈文藝的自由與文藝家的不自由〉，《現代》1932 年第一卷第六期。

4　施蟄存：〈將軍底頭〉，《小說月報》第 二十一卷第十號，1930 年 10 月；收入《中國短篇小說百年精華（上）現代卷》，中國社會科學院文學研究所當代文學研究室編（香港：三聯書店，2005 年）。下同。

5　施蟄存：〈梅雨之夕〉（上海：新中國書局，1933 年 3 月）；收入《海上文學百家文庫‧施蟄存卷》，陳子善編（上海：上海文藝出版社，2010 年）。下同。

〈邊城〉

1934

沈從文

挑戰主流意識形態？

> 由四川過湖南去，靠東有一條官路。這官路將近湘西
> 邊境到了一個地方名為「茶峒」的小山城時，有一小溪，溪
> 邊有座白色小塔，塔下住了一戶單獨的人家。這人家只一個
> 老人，一個女孩子，一隻黃狗。[1]

一條官路，一個地方，一條小溪，一座小塔，一戶人家，一
個老人，一個女孩，一隻黃狗，假如不算這個「有座白色小塔」，
也是七個「一」。文筆和畫面清淡樸素。為甚麼這麼一個偏僻山
村的老人、少女、黃狗的故事，會成為三十年代中國文學的重
要代表作？為甚麼這麼邊緣的故事，這麼冷僻的人和事，竟會影
響社會的中心和時代的主旋律？

將沈從文的短篇如〈蕭蕭〉、〈柏子〉、〈丈夫〉，和其他小說
家筆下的三十年代的中國社會比較一下，第一都是苦難的鄉村。
從祥林嫂、閏土，到〈官官的補品〉、〈春蠶〉，都寫農村破產，
《生死場》細節更加慘不忍睹。所以，「鄉村苦難」是三十年代中

國文學的大背景。第二，大城市看來繁華，其實充滿危機。無論左翼的《子夜》，還是新感覺派的〈上海狐步舞〉，上海都是建在地獄上的天堂。第三，城鄉貫穿同一種家庭式的社會結構，年輕人必須順從老人，權力大說話就是真理。主流作家巴金、曹禺，都對中國傳統文化的現代困境提出了反叛、控訴、挑戰。所以，城鄉苦難背後是新舊衝突，新舊衝突背後，是西方文明與古老中國的對抗 —— 簡而言之，城比鄉更開化、新比舊更進步、西比中更文明。這就是〈邊城〉的寫作背景，也是作為三十年代文壇背景的主流意識形態，包括（但又不只是）左翼文化思潮。

一、〈邊城〉的假想讀者

在鄉村苦難、城市危機、人倫困境的背景下，這個「一溪一塔，老人、少女、黃狗」的田園牧歌，究竟是陶淵明「世外桃源」式的獨善其身，還是「堂吉訶德式」的干預入世？如果「鄉不如城，舊不如新，中不如西」的確是三十年代的「主流意識形態」（並不等同於當時的官方意識形態），沈從文對這種「主流意識形態」，顯然則有些困惑和保留。讀〈邊城〉，一定要讀小說的「題記」。「題記」說的是這部小說寫給誰看，或者更直接的，是為了反對甚麼和提倡甚麼而寫。沈從文說有兩類人不會喜歡他的作品。「照目前風氣說來，文學理論家、批評家及大多數讀者，對於這種作品是極容易引起不愉快的感情的。」[2] 一句話已經排斥了兩類人，一是「評論家」，二是「大多數讀者」。這個「大多數讀者」不是政治含義的「民眾」，而是指城裏大部分普通讀者。

今天出書，作家和出版社最看重的便是這兩個接收羣體：「大多數讀者」就是銷量，「人民羣眾喜聞樂見」；「評論家」代表專家意見，進文學史要靠專家。兩者也會互動，專家引導「大多數讀者」，讀者多了評論家也不能忽視。為甚麼沈從文寫〈邊城〉兩者都要拒絕？

沈從文解釋說這兩類人不喜歡〈邊城〉的原因有不同又有相通，「前者表示『不落伍』，告給人中國不需要這類作品，後者『太擔心落伍』，目前也不願意讀這類作品。」看來，沈從文貌似排斥批評家及大多數讀者，真正在意的是「落伍」，較勁的是潮流。「『落伍』是甚麼？一個有點理性的人，也許就永遠無法明白。」有理性的人沒法明白，就是說缺乏理性才追逐潮流。「我這本書不是為這種多數人而寫的。念了三五本關於文學理論文學批評問題的洋裝書籍，或同時還念過一大堆古典與近代世界名作的人，他們生活的經驗，卻常常不許可他們在『博學』之外，還知道一點點中國另外一個地方另外一種事情。」

沈從文在這裏，悄悄把「落伍」、「潮流」等時間概念，轉換成「邊城」、「鄉下」等空間概念。〈邊城〉的潛在副標題就是不在「中原」（主流）。金介甫教授說沈從文的創作「得益於他沒有受社會分析模式的先入之見的約束，得益於他沒有在描繪所看到的現象時的民族主義自我意識」。[3] 其實也可以說沈從文覺得那些理論家批評家的「社會分析模式」和「民族主義自我意識」並不符合他自己觀察體驗的地氣民情。主流評論家只會在書本上激進革命，卻看不到中國社會的某些地方，包括邊城鄉村中人倫秩序及意義。「他們既並不想明白這個民族真正的愛憎與哀

樂，便無法說明這個作品的得失。」所以這個作品，志在道出這個民族（範圍又悄悄從地域概念「邊城」擴大到政治概念「民族」）真正的愛憎與哀樂，這便透露了小說家的高遠夢想。沈從文其實也寫鄉村苦難，也寫城市繁華，但不同於巴金等人企圖（也只是「企圖」）與「封建」傳統人倫關係徹底決裂。在沈從文那裏，中國傳統人倫關係及心理秩序還能不能在「現代」繼續存在下去，變成了一個極嚴肅的尚未有結論的問題。

在巴金、曹禺他們看來，中國社會太腐敗了，「子夜」過後，必有「日出」，傳統衰落是沒有懸念的，革命是必將到來的。沈從文卻覺得鄉土人倫秩序仍然美好，只是在現代社會能不能存在下去，卻是一個嚴峻的問題。

〈邊城・題記〉同時拒絕批評家和大多數讀者，但態度還是有區別。對批評家，沈從文是抗爭；對文學愛好者和大、中學生，沈從文是勸告。作家認為趨潮流的讀者誠實、天真，只是「為一些理論家，批評家，聰明出版家，以及習慣於說謊造謠的文壇消息家，通力協作造成一種習氣所控制所支配，他們的生活，同時又實在與這個作品所提到的世界相去太遠了。」所以沈從文覺得，城市青年的問題有兩個，第一是被時代操控，趨時髦（時間）；第二是離鄉村，離真實的世界太遠了（空間）。所以沈從文「早已存心把這個『多數』放棄了。」

放棄了評論家、大學生以後，沈從文的〈邊城〉準備寫給誰看呢？準備寫給故事中翠翠、儺送他們的同鄉看嗎？當然不是。從魯迅開始一直到日後的莫言、賈平凹，鄉土文學從來都不以農民為主要假想（或實際）讀者。（在大學人口已佔全國人口的

七分之一的今天或往後，情況會不會變化也要拭目以待。）五四
新文學的主人公，是農民和知識分子，但假想讀者不是普通農
民。以農民為主要讀者，以小學為平均接收能力的文學，是從延
安以後開始的。沈從文虛擬了的〈邊城〉的「理想讀者」，其實標
準很高：「本身已離開了學校，或始終就無從接近學校，還認識
些中國文字，置身於文學理論、文學批評以及說謊造謠消息所
達不到的那種職務上，在那個社會裏生活，而且極關心全個民族
在空間與時間下所有的好處與壞處的人去看。」

這個要求非常苛刻，仔細分析包括三條：一、遠離學校，
又懂中文。民國時期很多作家都在大學教書，本來大學生是第
一批讀者。何以沈從文希望他的讀者「遠離學校」？部分原因是
沈從文鄉下習武出身，沒有正規學歷。寫小說成名後，經胡適介
紹到大學教書。沒有出國經歷和足夠外文訓練，沈從文在大學
又自卑又自傲，也對大學體制弊病加倍失望。比較反諷的是，幾
十年後沈從文作品也是在大學裏開始重新走紅，現在研究他的
博士、碩士論文數量，據說僅少於魯迅與張愛玲了。[4] 教育還是
二十世紀中國文學 —— 包括沈從文作品的重要陣地。

第一要離開學校，第二個要求是「在那個社會裏生活」，意
思是說要有底層邊緣的生活經驗。第三個要求最高，要「極關心
全個民族時空條件下的好處與壞處」。沈從文在二十世紀中國文
學長河中，當時很「落伍」，後來成先驅。當時看似癡人說夢：
又要「離開學校而懂中文」，又要「在那個社會裏生活」，還要「極
關心全個民族時空條件下的好處與壞處」。萬沒想到半個世紀以
後，因為上山下鄉等各種運動，中國作家基本上都按照沈從文的

三條標準而產生：阿城、韓少功、史鐵生、王安憶、王小波、莫言、賈平凹、余華……

所以他們也都不怕「落後」，不必追趕「革命」或「現代性」潮流，他們都明白沈從文的話，「我的讀者應是有理性，而這點理性便基於對中國現社會變動有所關心，認識這個民族的過去偉大處與目前墮落處，各在那裏很寂寞的從事與民族復興大業的人。」

二、對古老中國的信心和懷疑

沈從文並不否認鄉村苦難、城市危機，他和三十年代主流的主要分歧，是即使面對鄉村苦難、城市危機，他對古老中國傳統，仍不失信心。在〈邊城〉裏，這種對古老中國的悲壯信心，主要表現在三個方面，三個方面都既是信心，又是懷疑 —— 一是見義讓利，這種風氣能否延續？二是在兄弟親情與個人愛情之間如何抉擇？三是為甚麼眾多善良的人，好心好意合起來卻做成一件壞事？

「邊城」裏的人，好像不大看重錢。擺渡老頭說政府已有補貼，有人硬給過路費，他就回贈茶葉等。在目前還是部分資本主義的香港，見義讓利已經是一種神話。按沈從文的說法「人心深處仍有過去偉大處」，雖不能至，心嚮往之。不過緊要關頭，儺送以及他的家人，還是要在渡船與碾房之間糾結。經濟因素依然影響淳樸的民風。這是第一層最表面的信心與解構。

第二層信心與解構的關係更加戲劇性，有錢人家兩兄弟，

同時看上一個窮女孩，居然沒有強求巧奪，而且君子協定——輪流來唱山歌求得這個女子的芳心。實際操作中，大哥唱不好，弟弟代唱，一天隔一天，等於是抽籤、拈鬮，跟覺新父親替長子娶瑞珏是同一個方法。不過這是年輕當事人自己選擇的。這個情節典型展示了傳統道德「兄弟是手足，女人是衣衫」與西方基督教文明「一夫一妻、愛情神聖」之間的兩難。妥協的結果，大哥失敗淹死了，儺送也傷心出走。這個傳統中國的偉大處，在江上像竹排一樣擱淺。

小說的第三層矛盾是叔本華所說的「第三種悲劇」：好人與惡棍屬於第一種悲劇，意外事故是第二種悲劇，最難寫的就是「都是善良的人，僅僅因為各自所處的地位、身分、性格，形成了無可避免的矛盾衝突」而導致的悲劇。這是最難寫、最無解的人性悲劇（巴金《寒夜》也寫到這個境界）。老人一心為外孫女的婚事操心，努力撮合翠翠跟大佬。窮家女能夠嫁個當地鄉紳的兒子，也算是對她冤死的媽媽有個交代。但是老人和翠翠雖然朝夕相處，卻在最重要的問題上缺乏溝通。

這種事情絕不僅僅發生在「邊城」。即使當代社會資訊發達，天天手裏感觸手機，有沒有重要的心思想法不能完全跟關係最密切或者最愛的人溝通的情況呢？各位讀者，不妨反省一下。

〈邊城〉的社會結構，看似簡單，其實更複雜。兩個富二代追一窮女子，最麻煩是他們的父親在地方上有錢有勢，卻不是黃世仁。然而船總又不信任老船夫，或者因誤會，或者有偏見。於是，一羣善良的人們，合在一起造就了女主角翠翠的悲劇。最後，她不知道儺送明天、明年會不會回來。她在船總家裏算甚

麼？未來的媳婦？收容的窮丫頭？船總的養女？還是⋯⋯？

所以〈邊城〉是一首牧歌，美麗、憂鬱、淒涼。按照夏志清的推崇，沈從文「對古舊中國之信仰，態度之虔誠，在他同期作家中再也找不到第二個。」[5] 雖然沈從文的代表作〈邊城〉，在虔誠信仰舊中國傳統的同時，也在解構這一種美麗人倫關係以及它所維繫的社會秩序，但至少，作家不敢輕易漠視舊的鄉下的中國的一切。

注

1　沈從文：〈邊城〉，1934 年 1 月刊在《國聞週報》第十一卷第十一期至十六期，單行本同年 9 月由上海生活書店出版。本文參考版本：(臺北：金楓出版社，1998 年)，頁 36。以下引文同。

2　沈從文：〈邊城・題記〉，《邊城》(臺北：金楓出版社，1998 年)，頁 32-33。

3　金介甫：《沈從文筆下的中國社會與文化》，虞建華、邵華強譯 (上海：華東師範大學出版社，1994 年)，頁 3。

4　截至 2021 年 1 月，中國知網碩博論文庫以「沈從文」為「關鍵字」搜索出論文六百六十篇，以「魯迅」為關鍵字搜索出論文八百三十三篇，「張愛玲」為七百四十篇。

5　夏志清：《中國現代小說史》(香港：香港中文大學出版社，2001 年)，頁 144。

「人和動物一起忙着生，忙着死」

一、魯迅：「她會給你們以堅強和掙扎的力氣」

蕭紅寫的鄉村和別人不同，她好像只是拿來了原材料，似乎並沒有加工，拖着泥、連着水、伴着血。《生死場》寫於 1934 年，前半部分 1934 年 4 月到 6 月在東北的《國際協報》上連載。上海、北京的人們，看到他們並不熟悉的那一部分中國，魯迅說，「這本稿子到了我的桌上……但卻看見了五年以前，以及更早的哈爾濱。這自然還不過是略圖，敍事和寫景，勝於人物的描寫，然而北方人民的對於生的堅強，對於死的掙扎，卻往往已經力透紙背。」[1] 蕭紅當然是幸運的，那一年她二十四歲，被魯迅、胡風隆重推上了三十年代文學舞臺。丁玲、張愛玲小說成名，也都是二十三四歲，不同的是，丁玲、張愛玲寫的是女人愛情故事，女生怎麼被華僑或混血師哥所吸引，而蕭紅的《生死場》寫的是農民和國難，進入了一個通常是知識分子視角的社會中心話題。後來人們才發現，蕭紅的國家苦難後面還是女性命運，蕭紅的「幸

運」也是建築在她早年個人的不幸上。在成名之前，蕭紅的私人
生活遠比丁玲、張愛玲有更多波折。

二、蕭紅的私人生活 —— 三次婚戀，五個男人

蕭紅原名張廼瑩，1911 年出生於黑龍江呼蘭縣的地主家
庭，八歲喪母，她和父親和後母關係不好，十八歲被許配富家子
弟汪恩甲，訂婚後發現男人吸鴉片，蕭紅曾逃婚到北京。1931
年回到呼蘭，被迫跟家庭和解，與汪恩甲恢復往來。這時蕭紅懷
孕，和汪一起住在哈爾濱道外正陽十六道街的東興順旅館 ——
現在是蕭紅紀念陳列室。某日汪說「我有點事，去去就回」，就
此人間蒸發，留下懷孕的蕭紅以及一大堆酒店的債。同年 7 月，
蕭紅致信《國際協報》（也就是後來連載《生死場》的報紙），之後
的事情，看過電影《黃金時代》的文學愛好者們都很熟悉了 ——
蕭軍探望蕭紅，一見鍾情，哈爾濱發大水，他們逃亡，生了一個
女嬰，在醫院就送了人。

蕭紅的女兒要是還健在的話，現在應該九十來歲了。蕭紅
是個好女人、好作家，但是她放棄了做好媽媽的機會。

《生死場》是在和蕭軍同居並立志從事新文學以後的作
品。從滿洲到青島再到上海，二蕭當時主動給魯迅寫信，魯迅
不僅回信，還在內山書店約見，然後就編「奴隸叢書」。晚年
魯迅跟蕭紅的私人關係，也引起了很多文學史家和讀者們的濃
厚興趣。

三、《生死場》——「好像」未經加工的新鮮素材

《生死場》和《子夜》、《家》、〈邊城〉最不一樣的地方，是「好像」未經加工，或者說是加工得像沒加工一樣。最明顯的藝術特徵有三：第一，結構鬆散，沒有核心情節；第二，也沒有主要人物；第三，長短一共十七章，前後差別很大。前十章講東北鄉村日常生活，後七章寫日本軍隊來了以後。小說的主題到底是農民的生和死，是女性的命運，還是日本侵略中國？一直有爭論。

先看結構和情節。《生死場》的故事斷斷續續，小說結構不靠情節，而靠細節支撐。這其實是《官場現形記》的寫法。不好寫，也不易解讀。我們不妨沿用「笨方法」，老老實實逐章翻看這些「原材料」。

第一章〈麥場〉，二里半和老婆麻面婆及兒子羅圈腿，一家人忙着尋找丟失的山羊。然後王婆出場，後悔當年死了兒子。王婆的老公叫趙三，兒子叫平兒。這一章裏還出現第三家人家，福發、嬸子和姪兒成業，沒有故事。

第二章〈菜圃〉比較完整，先是金枝和成業田野偷情，蕭紅寫「性」的文字別具一格：「姑娘仍和小雞一般，被野獸壓在那裏。男人着了瘋了！他的大手敵意一般地捉緊另一塊肉體，想要吞食那塊肉體，想要破壞那塊熱的肉。儘量地充漲了血管，彷彿他是在一條白的死屍上面跳動，女人赤白的圓形的腿子，不能盤結住他。於是一切音響從兩個貪婪着的怪物身上創造出來。」[2]重女性角度，重生理感覺。事後成業就求他叔嬸替他去求親。金枝母親則警告女兒要注意名聲。「母親老虎一般捕住自己的女兒。金枝的鼻子立刻流血。……『小老婆，你真能敗毀。摘青柿

子。昨夜我罵了你，不服氣嗎？』」媽媽對女兒這麼兇，敍事者不動聲色旁白：「母親一向是這樣，很愛護女兒，可是當女兒敗壞了菜棵，母親便去愛護菜棵了。農家無論是菜棵，或是一株茅草也要超過人的價值。」

《生死場》裏的價值觀令人印象深刻。

金枝母親不同意福發託二里半來替他的姪兒求婚。可是金枝已懷孕，成業依然「把她壓在牆角的灰堆上，那樣他不是想要接吻她，也不是想要熱情的講些情話，他只是被本能支使着想要動作一切。」女人按着肚子掙扎，「男人完全不關心，他小聲響起：『管他媽的，活該願意不願意，反正是幹啦！』」「幹」文化真有傳統。兇惡的母親知道女兒懷孕後反而不出聲了，「淚水塞住了她的嗓子，像是女兒窒息了她的生命似的，好像女兒把她羞辱死了！」

第三章〈老馬走進屠場〉，六個字說完整章內容。王婆的馬老了，「秋末了！收割完了！沒有用處了！只為一張馬皮，主人忍心把它送進屠場。就是一張馬皮的價值，地主又要從王婆的手裏奪去。」一路走去，王婆又傷心又惱怒，老馬在水溝旁倒下，一度不肯移動。屠場近了，城門就在眼前，王婆的心更翻個不停了。「這是一條短短的街。就在短街的盡頭，張開兩張黑色的門扇。再走近一點，可以發見門扇斑斑點點的血印。被血痕所恐嚇的老太婆好像自己踏在刑場了！」「此刻它仍是馬，過一會它將也是一張皮了！」把馬交了以後，拿了錢，王婆比較自慰了，「她想還餘下一點錢到酒店去買一點酒帶回去，她已經跨出大門，後面發着響聲：『不行，不行，……馬走啦！』王婆回過頭來，馬又走在後面。」

這個細節厲害，馬想跟她回家。這一來王婆哪有心情買酒，她哭着回家。最後一句說，「王婆半日的痛苦沒有代價了！王婆一生的痛苦也都是沒有代價。」

這一章故事極簡單，就是一個農婦帶着她衰老的馬去屠場，可這一路的心理描寫，可以單獨成為一個短篇，或者是散文，用作教材。這是真的中國故事。

第四章〈荒山〉，農村婦女李二嬸、菱芝嫂、五姑姑等，都坐在王婆家裏的炕頭納鞋底，聊女人話題 —— 為甚麼幫男人編鞋，王婆原來老公是不是還活着，大家有沒有買魚，還有哪個女人大了肚子還摟着另一個男人睡覺等等。作家評論說，「在鄉村，永久不曉得，永久體驗不到靈魂，只有物質來充實她們。」蕭紅把肉慾也看成物質了，其實鞋底、黑魚、奶子、床事，都是滲透靈魂的。之後王婆、李嬸去看望鄰村的月英，這是小說裏比較最淒慘的一段，「月英是打魚村最美麗的女人。」她家窮，病久了老公沒有耐心伺候，床上堆滿了磚，燒香驅鬼也沒有用。「她的腿像兩條白色的竹竿平行着伸在前面。她的骨架在炕上正確的做成一個直角，這完全用線條組成的人形，只有頭闊大些，頭在身子上彷彿是一個燈籠掛在杆頭。」畫面驚怵，語氣平淡。「王婆用麥草揩着她的身子，最後用一塊濕布為她擦着。五姑姑在背後把她抱起來，當擦臀下時，王婆覺得有小小白色的東西落到手上，會蠕行似的。借着火盆邊的火光去細看，知道那是一些小蛆蟲，她知道月英的臀下是腐了，小蟲在那裏活躍。月英的身體將變成小蟲們的洞穴！王婆問月英：『你的腿覺得有點痛沒有？』月英搖頭。」

「三天以後，月英的棺材抬着橫過荒山而奔着去埋葬，葬在

荒山下。」這一章的題目就叫〈荒山〉。

很多年前第一次讀《生死場》的時候，就記得這一個細節，這一個場面。

最美麗的姑娘月英死了，小說敘事平淡：「死人死了！活人計算着怎樣活下去。冬天女人們預備夏季的衣裳；男人們計慮着怎樣開始明年的耕種。」一切如常？也未必。王婆發現她的老公趙三夜裏很晚才回來，找到打漁村李青山家，發現裏邊一屋男人，看見女人進來都不說話了。原來地主要加地租，農民們在策劃反抗。趙三很驚訝，老婆不但沒阻止還說能弄支槍來，「趙三對於他的女人慢慢感着可以敬重！但是更秘密一點的事情總不向她說。」

《生死場》裏先有階級矛盾，之後又有民族矛盾，但是字裏行間更加根深蒂固貫穿始終的是男女矛盾（人類三大矛盾關係齊了）。金枝與成業的「肉搏」、月英被她老公冷落、王婆與趙三的隔膜，顯然都是從女性（主義？）角度出發。

趙三的反抗並不成功，沒能打擊東家走狗，卻誤傷一個小偷，於是要坐牢。反而靠東家保趙三出獄，從此趙三感激地主，不再鬧事。「地租就這樣加成了！」這個感嘆號說明了農村階級鬥爭的複雜性，遠非城裏的左聯作家所能想像。

第五章〈羊羣〉簡略，講趙三和平兒的日常生計，上城賣雞籠，平兒吃豆腐腦，細節非常精彩。敘述語言有點怪，「銅板興奮着趙三，半夜他也是織雞籠。」小說裏，趙三牽涉了很多事——農活、反抗、抗日等等——但他是一個非常窩囊的男人。

第六章〈刑罰的日子〉，寫女人的生產，是一種刑罰。從自然界講起，「葉子上樹了！假使樹會開花，那麼花也上樹了！房

後草堆上，狗在那裏生產。」「暖和的季節，全村忙着生產。」大豬帶着小豬跑，五姑娘的姐姐找接生婆，孩子養在草上，赤身的女人在掙扎。

女人還在掙扎生產，家人在旁已備葬衣，準備她要死了。男人還像個酒瘋子一樣闖進來大罵，「每年是這樣，一看見妻子生產他便反對。」最後，「這邊孩子落產了，孩子當時就死去！用人拖着產婦站起來，立刻把孩子掉在炕上，像投一塊甚麼東西在炕上響着。女人橫在血光中，用肉體來浸着血。」而屋外「田莊上綠色的世界裏，人們灑着汗滴。」小說把兩種生產並置。金枝快生產時，成業還要「炒飯」（做愛），院子裏牛馬也瘋狂。過了一會兒，李二嬸也快死了，「產婆洗着剛會哭的小孩。不知誰家的豬也正在生小豬。」所以小說裏就有了一句非常有名的點題：「在鄉村，人和動物一起忙着生，忙着死……」

第七章〈罪惡的五月節〉，兩件事，一是王婆服毒，二是小金枝慘死。王婆服毒後，老公到街市找棺材。抬進棺材時，王婆其實還有一絲呼吸，這時她女兒馮丫頭來了。王婆的身世在小說裏是一點一點透露的，最早知道她有個小孩死掉，後面才知她被原先的老公家暴，所以王婆帶着兒女跟馮叔叔去了東北。之後王婆嫁了趙三。現在馮丫頭告訴她，哥哥造反被槍斃了——原來王婆是因為兒子的死才自殺。趙三「看看王婆仍少少有一點氣息，氣息仍不斷絕。他好像為了她的死等待得不耐煩似的，他困倦了，依着牆瞌睡。」想想這個場面，女人還沒死，放進棺材裏，老公在旁邊竟睡着了。「長時間死的恐怖，人們不感到恐怖！人們集聚着吃飯，喝酒。」

等了很久，死訊傳遍全村，最後王婆沒有死，在棺木裏突然說「我要喝水」。王婆是個女性主義的英雄。

另一個故事就是小金枝，才一個月，不斷哭吵，夫妻吵架，竟被她爸爸成業發火給摔死！事後成業也流淚，金枝更是無言。

王婆服毒不死與小金枝被摔死形成對比——生命可以很頑強，也可以很脆弱。死是容易的，活着卻很難。生死之間的界限令人迷茫、感慨。

第八章〈蚊蟲繁忙着〉，王婆要女兒將來為哥哥報仇，可是趙三在旁邊卻說，「你的崽子我不招留」，要她走。

第九章〈傳染病〉，寫鄉村裏邊因為瘟疫死了很多人，「亂墳崗子，死屍狼藉在那裏。無人掩埋，野狗活躍在屍羣裏。」鄉裏人覺得這是天象，但卻有個「鬼子」（外國醫生）來打針，雖然死了很多人，但這鬼子也救了一些人。

第十章，題目叫〈十年〉，全章只有數行字：「河水靜靜的在流，山坡隨着季節而更換衣裳；大片的村莊生死輪迴着和十年前一樣。」

四、「我恨中國人呢！除外我甚麼也不恨。」

整個中篇《生死場》可分上、下兩部分，第一至十章是上卷，第十一至十七章是下卷，分界線就是第十一章〈年盤轉動了〉，裏邊出現了日本的旗子，「村人們在想：這是甚麼年月？中華國改了國號嗎？」不要怪村人們糊塗，八國聯軍後，東北也曾被俄羅斯佔領。

第十二章〈黑色的舌頭〉，也寫兩件事，一是日軍的宣傳冊在鼓吹「王道」，耍着小旗子。在王道之下，村中的廢田多起來了。二是大家都在害怕日本人抓女人。

第十三章〈你要死滅嗎〉，寫憲兵到王婆家查有沒有見過「鬍子」？說是土匪，其實是反抗力量。之前，造反沒成的趙三說，「這下子東家也不東家了！有日本子，東家也不好幹甚麼！」這句話非常樸素，叫人難懂，其實很重要：說明民族仇恨在這個時候開始蓋過了階級矛盾。「東家也不東家了」，說明地主也不能再像過去那樣神氣了。歷史上，華北抗日根據地對地主也實行統戰，只要抗日，一律團結。解放戰爭時期就不同了。蕭紅不會像茅盾那樣從理論、政策、政治大局來解釋中國社會，但是無意當中普通農民的一句話，甚至更加真實地道出了中國社會各階級的歷史處境。

「亡國後的老趙三，驀然念起那些死去的英勇的夥伴！留下活着的老的，只有悲憤而不能走險了，老趙三不能走險了！」雖說不敢走險，接着李青山發動造反，就在趙三家裏開會，農民們莊嚴宣誓要反抗。領頭的李青山說「人民革命軍真是不行，他們盡是些『洋學生』」，還不如紅鬍子有用，而且「革命軍紀律可真厲害，屯子裏年青青的姑娘眼望着不准去……」這是對農民與革命與抗日的複雜關係的樸素說明 —— 人民軍紀律太嚴了，看看女人都不行。同時王婆倒是跟了「黑鬍子」 —— 此人始終身分不明，暗示着更加職業的革命黨 —— 策劃比較有實效的抵抗行動。

小說第十四章，寫金枝進城。金枝娘居然也同意，還送耳

環給她。一路上金枝靠「化妝」,臉上塗很多泥,才逃過日本兵。到哈爾濱後,在一個最骯髒的遍佈下等妓女的街上謀生,幫人家補衣服。如果要多賺一點,就要付出身體的代價,「她不能逃走,事情必然要發生。」

金枝後來見到黑鬍子等人的反抗,她的反應是——「從前恨男人,現在恨小日本子。」最後她轉到傷心的路上去,「我恨中國人呢!除外我甚麼也不恨。」

這段自白給了評論家很多不同的解讀空間,國內文學史一般認為《生死場》是抗日文學,海外學者如劉禾強調女性主義大於民族國家話語。[3] 被中國人強姦與被日本人強姦有區別嗎?這個問題太嚴肅,必須問金枝。

第十五章〈失敗的黃色藥包〉,青山他們被打散,趙三手足無措,平兒躲在王寡婦家,被追捕時跳進糞池,但二里半的老婆麻面婆還有兒子羅圈腿都被殺了。在民眾反抗的失敗過程當中,李青山才知道革命軍有用。三歲的孩子菱花跟祖母一起上吊,小說裏又出現了黃色旗的愛國軍,農民們「他們不知道怎樣愛國,愛國又有甚麼用處,只是他們沒有飯吃啊!」

——讀者會不會覺得頭緒太多,細節紛雜,但缺乏一條主線?這就是《生死場》有意製造這樣的效果。第十六章走投無路的金枝想做小尼姑,到尼姑庵裏才發現尼姑早就跟造房子的木匠跑了。國難當頭,宗教沒用。金枝又碰到一個大肚子的女人,五姑姑見到了自己的男人,說義勇軍全散了。

第十七章是最後一章,〈不健全的腿〉,這個題目實在不大像一個光明的尾巴。寫二里半,麻面婆的老公,小說開始時就在

找羊。小說結束時腿壞了，他還跟着李青山去找人民革命軍，羊卻「在遙遠處伴着老趙三茫然的嘶鳴。」

五、蕭紅小說無技巧？

讀慣了五四以來歐化的「橫截面」小說結構，面對《生死場》這樣通篇瑣碎、雜亂且不連貫的情節，讀者會有一種陌生化的感覺 —— 在革命者看來，作品裏的農民沒有覺悟，反抗到處失敗，女人跟動物一樣無助可憐；在美學家看來，肉體細節噁心，生死場面冷漠，作家的情感在哪裏？

再看作品中的主要人物，首先是王婆，這個女人至少有過三個男人，第一個因家暴離開；第二個姓馮，死因不明；第三個趙三懦弱老實。王婆幼兒早亡，兒子因造反被槍斃，她要女兒去報仇。王婆自己自殺未遂，但她關心村裏很多女人，對家中老馬也充滿了情感，最後積極投入黑鬍子等人的抵抗運動。這其實是一個歷經不幸、剛健自強的農家婦女形象。

趙三也很典型，想造反，失手打了小偷，反靠地主解脫牢獄，從此就不再造反了。等到日本人來，憤恨多，行動少，年紀也大了，忠厚、自私、老實、怯懦、善良、患得患失。

金枝是《生死場》裏另一主角，自由戀愛，碰到沒文化的鄉土渣男，婚戀過程被欺負，失去小金枝更是慘痛打擊。居然後面還能振作，到城裏艱苦謀生，用勞力、用肉體忍耐掙扎。就像魯迅所形容的奴隸，但絕不做奴才 —— 她不會欺負他人，也不會苦中作樂。金枝是社會的奴隸，是日本人的奴隸，還是中國男人

的奴隸？令人三思。

小說沒有緊扣着這幾個主要人物的故事寫，而是在全景式的細節堆砌框架中，斷斷續續地穿插連貫這些人物的種種遭遇和心情。這種以細節支撐一個「場」的寫法，也像威廉‧福克納（William Faulkner），或者李伯元、賈平凹、西西的作品。類似以前巴塞的踢法，兜兜轉轉，瑣瑣碎碎，重要的東西就在細碎平淡之中。

小說中還有一些較次要的人物，比如慘死的美麗女人月英；熱情勇敢、缺乏智慧的造反頭頭李青山；兇惡但也愛着女兒的金枝母親；有身體沒腦子、只要「炒飯」的渣男成業，都在小說裏各自扮演自己的獨特角色，給讀者留下很深的印象。還有老在找羊的二里半、麻面婆、羅圈腿一家，還有五姑姑、五姑姑的姐李二嬸等眾多不幸的農婦，都在大部分的章節裏來回出現，和牛、馬、豬、狗、蚊子一樣，構成了這「忙着生，忙着死」的總的生態背景。認為蕭紅小說無技巧，是一個誤解，蕭紅只是把小說材料加工成好像沒有加工的樣子，以增加小說內容的可信性，也給五四以來的新文學帶來了陌生化的衝擊。所以，近百部小說組成的「中國故事」裏，這一章是不可缺少的。

在另一些短篇比如〈牛車上〉，作家巧妙運用孩童視角，假裝幼稚地敍述一個逃兵的妻子跟另一個陌生的逃兵的悲慘故事，足見蕭紅其實也可以十分講究小說技巧──如果她覺得有必要。蕭紅對小說寫法，其實很有主見。她說：「有一種小說學，小說有一定的寫法，一定要具備某幾種東西，一定要寫得像巴爾札克或契訶甫的作品那樣。我不相信這一套，有各式各樣的作

者，有各式各樣的小說。」[4]

　　《生死場》之所以看上去「好像」一堆未經加工的原材料，一方面是由於小說貌似笨拙的語言，「午間的太陽權威着一切了！」「天空一些雲忙走，月亮陷進雲圍時，雲和煙樣，和煤山樣」。另一方面也因為小說細節帶出很多重大問題，卻又不符合這些問題的標準答案。比如金枝月英等人命運，並非娜拉出走婦女解放所能拯救；趙三與東家的階級關係，以不像後來楊白勞、黃世仁模式那樣清晰；東北抗戰正義之師竟有很多挫折失敗，沒有從勝利走向新的勝利……蕭紅與沈從文，文學傾向不同，卻都說明「材料新鮮」的重要性。《生死場》書名也有象徵意義，「五四」之前文學寫「官場」，現代文學寫老百姓在「生死場」（延安以後文學處處是「戰場」）。《生死場》頗能概括二十世紀上半葉的中國故事，呼應後來余華的《活着》概括同一世紀下半期。兩部小說片名連貫起來，更顯示魯迅所謂生存—溫飽—發展三層次的深刻意義。「中國故事」的深刻教訓，就是常常與自以為求溫飽要發展，其實時時在生存線。

注

1　魯迅：〈蕭紅作《生死場》序〉，《魯迅全集》第六卷（北京：人民文學出版社，2005年），頁 422-423。

2　蕭紅：《生死場》，《海上文學百家文庫‧蕭紅卷》，王鵬飛編（上海：上海文藝出版社，2010 年），下同。

3　劉禾：《語際書寫 —— 現代思想史寫作批判綱要》（上海：上海三聯書店，1999 年），頁 202-206。

4　聶紺弩：〈蕭紅選集‧序〉，《蕭紅選集》（北京：人民文學出版社，1981 年），頁 2-3。

武俠三境界

夏志清曾經將三十年代兩位長篇小說家老舍和茅盾做過一番對照：

> 茅盾的文章，用字華麗鋪陳；老舍則往往能寫出純粹北平方言……老舍代表北方和個人主義，個性直截了當，富幽默感；而茅盾則有陰柔的南方氣，浪漫、憂傷、強調感官經驗。

> 茅盾善於描寫女人；老舍的主角則幾乎全是男人，他總是儘量地避免浪漫的題材。茅盾記錄了近代中國婦女對紛擾的國事的消極反應，老舍則對於個人命運比社會力量要更關心。[1]

簡單說來，茅盾陰柔，老舍陽剛；茅盾寫海上男女「白相人」，老舍寫北平胡同「老炮兒」；茅盾百折不撓，再大的委屈也能承受，老舍他是樹枝，不是竹林，一不小心就斷了。

一、老舍與沈從文 —— 兩位固執的作家

如果比較老舍和沈從文，好像更有意思。他們一個在山東憶北京胡同，一個在北京讚湘西山水，都是身在他鄉頑固抒寫自己心目中的故里。老舍與沈從文的共同點比他們的差異更令人矚目 —— 都是少有的非漢族作家，明明風格迥異，但都被歸入「京派」。沈從文在三十年代與「海派」論戰，老舍作品有典型的京腔、京味。相比巴金寫花園庭院，茅盾寫別墅汽車，老舍和沈從文都主要描寫社會底層的形形色色、三教九流、五行八作。在城裏是車夫、工人、暗娼、巡警、教員、職員、拳師、土匪、遊手好閒的八旗子弟、為非作歹的洋奴漢奸。在鄉下是童養媳、幫工、水手、船記，也有巡警丘八、有錢有勢卻不仗勢欺人的水保、團總，還有專門殺頭後要磕頭懺悔的劊子手等等。

除了非漢族、京派、寫底層以外，老舍和沈從文還有一個共同點，就是他們都不大跟得上時代，不大善於從經濟、政治、理論上去分析現代社會，而比較喜歡從個人道德品質，或者說傳統人倫關係來理解中國。不知道是不是和這種看待世界的方法有關，還是純粹由個人性格決定，這兩個作家都比較 stubborn（固執）。當然這裏的固執可以是褒義，至少是中性。其實每個真正的藝術家，都會固執己見，堅持自我。茅盾一生也堅持他的政治興趣；巴金從未放棄無政府主義理想；魯迅更是一直貫徹他對希望與絕望的追求和懷疑。只是相比之下，老舍、沈從文這兩個非漢族作家，他們更加不會人生策略，更加不懂韜光養晦，更加做不到「小不忍則亂大謀」等等。

或者是不懂，或者是不肯轉彎，或者是轉了彎再也轉不回來，直接撞牆，總之老舍與沈從文的相近之處令人深思。他們似乎比常人骨頭更硬，但也更脆弱，抗壓適應能力差，因此更具悲劇性格。

二、老舍 —— 舍予，捨棄自我

「老舍」是筆名，本名舒慶春，又叫舒舍予，舍予就是「舒」字拆開來，名字好像暗示他的一生命運。

老舍 1899 年出生在北京，雖是滿人卻沒有享受到八旗子弟的風光。老舍才兩三歲，他父親在八國聯軍入城時戰死。家境貧窮，老舍從小在很多人合住的四合院（其實是大雜院）中長大，體會了窮人生活又接近了北方曲藝。少年的底層經驗，也是他和沈從文的一個共同點。後來考入師範，畢業後當小學校長，又放棄工作，到英國教中文。1925 到 1930 年，老舍在英國，模仿狄更斯（Charles Dickens）寫了《老張的哲學》，後來又寫了《趙子曰》，是現代中國文學中比較早期的嚴肅的喜劇小說。

老舍的長篇《二馬》，描寫一對中國父子在英國的生活，也是僑民文學，寫了很多文化衝突。五四以後幻想小說不多，老舍的《貓城記》全篇諷刺中國，一般不受好評。老舍早期作品中，《離婚》比較重要。「老舍反對只對中國的腐敗從經濟和政治上加以分析，他以為中國的難堪處境，直接來自中國人民的沒有骨氣 —— 中國軟弱是因為中國人，尤其是中上流階級的中國人怯懦因循，失掉了行動的勇氣。只要能吃飽飯，他們就堅守古老的

積習。」[2] 老舍的看法，或者說夏志清總結的早期老舍的看法，有沒有道理？今天或者仍然有再討論的空間。

三、〈斷魂槍〉——十萬字改編成五千字的短篇

1930 年回國以後，老舍一直在山東等地的大學教書，〈斷魂槍〉寫於 1934 年，這是他最著名的短篇。楊義說「〈斷魂槍〉情調極佳，它的人物帶古典味，故事帶傳奇味，筆致帶寫實味，融合成一種典雅、質樸而蒼涼的藝術神采。」[3] 楊義的文學史本身也寫得很有文學味。

〈斷魂槍〉不可複製的原因之一，是因為這篇五千字小說，是從一個十萬字的武俠小說《二拳師》裏剪出來的。同樣的故事，如果到金庸筆下，十萬字可能還打不住。把十萬字的故事，剪成五千字短篇，老舍自己說，材料受了損失，藝術佔了便宜。

「沙子龍的鏢局已改成客棧。」小說的第一句，極精煉地交代了人物、故事、時代背景。主人公原是武林高手，現在無奈改行，沙子龍的處境，連着整個中國背景。「東方的大夢沒辦法不醒了……半醒的人們，揉着眼，禱告着祖先與神靈；不大會兒，失去了國土、自由與主權。門外立着不同面色的人，槍口還熱着。……龍旗的中國也不再神秘，有了火車呀，穿墳過墓破壞着風水。棗紅色多穗的鏢旗，綠鯊皮鞘的鋼刀，響着串鈴的口馬，江湖上的智慧與黑話，義氣與聲名，連沙子龍，他的武藝、事業，都夢似的變成昨夜的。今天是火車、快槍，通商與恐怖。」[4]

　　同樣的時代背景，茅盾是站在聲光化電這一邊，《子夜》寫吳老太爺害怕恐懼。沈從文的〈新與舊〉裏，比較同情殺人後要到廟裏磕頭燒香的老派屠夫（但老劊子手無可奈何要被開槍不眨眼的行刑士兵所取代）。也是目睹或親歷這種舊物事的沒落，老舍態度更加曖昧：既承認火車快槍有力，又留戀沙子龍的槍法斷魂。

　　倘若有評論認為〈斷魂槍〉描寫男主角不傳獨門武功，就是批評中國社會保守封閉，這就等於是用茅盾的思路在讀老舍。〈斷魂槍〉並不只是講東方的危機、國術的困境。或者說五千字小說極精煉地概括講了東方危機、國術困境，但又講了別的東西。在真的槍炮前，斷魂槍這套武功的確不像以前那麼有用了，這是事實。否則為甚麼鏢局就開不下去？但這是否就代表了武術傳統因此「斷魂」？或者更進一步說，槍法武功，魂在哪裏？

　　短篇裏邊寫了三個人，也寫了三種對武功的態度。一個就是王三勝 —— 沙子龍的大徒弟。師傅改行後，徒弟在土地廟拉開了場子，「神槍沙子龍是我的師傅；玩藝地道！諸位，有願下來的沒有？」結果沒人比武，變成了單人表演。

　　下面這段文字是老舍文風的精華樣板，純正京腔，典範國語 —— 這是十萬字練就的五千文。

　　　　王三勝，大個子，一臉橫肉，努着對大黑眼珠，看着四圍。大家不出聲。他脫了小褂，緊了緊深月白色的「腰裏硬」，把肚子殺進去。給手心一口唾沫，抄起大刀來。

請注意這裏「緊了緊」,「把肚子殺進去」,用的都是動詞。

> 大刀靠了身,眼珠努出多高,臉上繃緊,胸脯子鼓出,像兩塊老樺木根子。一踩腳,刀橫起,大紅纓子在肩前擺動。削砍劈撥,蹲越閃轉,手起風生,忽忽直響。忽然刀在右手心上旋轉,身彎下去,四圍鴉雀無聲,只有纓鈴輕叫。刀順過來,猛的一個「踩泥」,身子直挺,比眾人高着一頭,黑塔似的。收了勢:「諸位!」一手持刀,一手叉腰,看着四圍。稀稀的扔下幾個銅錢,他點點頭。「諸位!」他等着,等着,地上依舊是那幾個亮而削薄的銅錢,外層的人偷偷散去。他咽了口氣:「沒人懂!」他低聲的說,可是大家全聽見了。[5]

這段文字要是給金庸古龍來寫,大概要寫兩三章了(武打場面常常是武俠小說的高潮所在)。余光中曾經批評戴望舒《雨巷》,說太多形容詞了,丁香一般的,結着愁怨的等等,意思是用形容詞效果不如動詞。[6]老舍這一段連用「削、砍、劈、撥」等動詞組合拳,將整個王三勝的表演寫得非常漂亮,令人眼花繚亂。但也就像小說裏寫的銅錢一樣,「亮而削薄的」,好看,缺底蘊。

小說不僅寫了王三勝花拳繡腿華而不實,更寫他的作秀沒有收到預期的反應,便責怪大家不懂。這其實是人們都可能會碰到的處境 —— 我們自以為功夫了得,寫論文、出書、拍戲、唱歌、搞設計、做項目,甚至是經濟策劃、政治謀略,都覺得自

己做得很出色，卻沒有得到上級和大眾欣賞。「士為知己者用」，沒有「知己」時，我們是不是也會像魁梧英俊的王三勝一樣，低聲的說，「沒人懂」呢？

如果說王三勝的武功是作秀，是表演，那麼第二個人物，孫老者的武功就是實戰，是乾貨，講究功利效用。王三勝表演沒人欣賞的時候，只有這個老頭出來喝彩，可是他的外貌是怎麼樣的呢？

> 小乾巴個兒，披着件粗藍布大衫，臉上窩窩癟癟，眼陷進去很深，嘴上幾根細黃鬍，肩上扛着條小黃草辮子，有筷子那麼細。

> 總之不僅貌不驚人，幾乎有點猥瑣。

> 王三勝看出這老傢伙有功夫，腦門亮，眼睛亮 —— 眼眶雖深，眼珠可黑得像兩口小井，深深的閃着黑光。

後來在金庸等人的現代武俠小說中，常看到這種情況 —— 一個人身材很魁梧、很拉風、很厲害，到客棧酒店裏遇事正要發威時，角落裏通常坐了一個駝背或咳嗽的老頭，一點不起眼，可是飛過來的饅頭石塊之類，他能用細細的筷子給夾住，或者一個甚麼穴位動作就把那個看上去很威風的好漢制伏。真的好漢貌不驚人，這是後來武俠小說的一個傳統。並不像《水滸》傳統，英雄虎將總要威武登場先聲奪人。

接下去兩個人交手，「老頭子的黑眼珠更深更小了，像兩個香火頭，隨着面前的槍尖兒轉，王三勝忽然覺得不舒服。」三下兩下，英俊威武的大徒弟敗了。王三勝流着汗，嘴裏還不服，「你敢會會沙老師？」沒想到孫長者正是為了沙子龍而來，他經這個大師兄引薦，孫長者恭恭敬敬地拜見躺在床上看《封神榜》的沙子龍，想跟他比武，或者是學五虎斷魂槍。

沙子龍說我不行了，「已經放了肉」，五虎斷魂槍，早忘乾淨了。

其實整個小說寫到這裏，沙子龍也沒有任何武功演示。一切只是「傳說」，前面兩個人物或漂亮或厲害的表演，其實是給沙子龍的「不傳」做鋪墊。「不傳」之後呢？沙子龍的江湖名聲也漸漸被人忘卻了，可是小說最後一節才是全篇點睛之筆。

> 夜靜人稀，沙子龍關好了小門，一氣把六十四槍刺下來；而後，拄着槍，望着天上的羣星，想起當年在野店荒林的威風。嘆一口氣，用手指慢慢摸着涼滑的槍身，又微微一笑，「不傳！不傳！」

小說到此完了。甚麼意思？

第一，至少在沙子龍自己這裏，槍法沒廢，功夫依舊。第二，當年威風已不在，所以要嘆一口氣。第三，但摸着槍身，又微微一笑，這「微微一笑」是個關鍵，說明不是被迫敗，而是主動隱。不傳的原因——沙子龍覺得無論是大徒弟王三勝的「作秀」，還是孫長者的實在功力，都不是他五虎斷魂槍的精髓。在

沙子龍心目當中，槍法第一不是為了好看，第二不只是為了實戰，它是一種靈魂精神所繫。槍法如此，其它功夫亦然。

我們每個人都有自己學的功夫——論文、創作、研究、項目、政績、財富等等，我們每個人至少都有三個境界可以追求，第一漂亮，第二實用，第三靈魂所繫，我們應該追求甚麼呢？

我們可以不那麼有名有光彩，可以不賺那麼多錢，或者做不了官，但假如我們做的事情是投入真性情的，是堅持真性情的，那麼就堅守靈魂原則吧，半夜醒來，嘆一口氣，又微微一笑。

注

1　夏志清：《中國現代小說史》(臺北：傳記文學出版社，1979 年)，頁 187-188。

2　同注 1，頁 197。

3　楊義：《中國現代小說史》第二卷 (北京：人民文學出版社，1988 年)，頁 194。

4　老舍：〈斷魂槍〉，原載 1935 年 9 月 22 日天津《大公報·文藝》第十三期，收入《中國短篇小說百年精華 (上) 現代卷》(香港：三聯書店，2005 年)，頁 448。

5　老舍：〈斷魂槍〉，《中國短篇小說百年精華 (上) 現代卷》(香港：三聯書店，2005 年)，頁 450。

6　余光中：〈評戴望舒的詩〉，《余光中選集》，第三卷 (合肥：安徽教育出版社，1999 年)，頁 201-203。

「一女多男」寫中國？

　　李劼人（1891-1962）的《死水微瀾》，1935 年在上海中華
書局出版，在《亞洲週刊》的百強書單上排名十七。劉再復說他
最喜歡最推崇的現代作家有五位：魯迅、張愛玲、蕭紅、李劼
人、沈從文。[1] 更早之前，曹聚仁在他的《文壇五十年》裏說李劼
人的自然主義三部曲（「大河小說三部曲」）成就在茅盾、巴金之
上。[2] 夏志清 2004 年接受季進採訪，說《中國現代小說史》最大
遺憾就是有幾個優秀作家沒講，比如李劼人、蕭紅。[3] 錢理羣等
人的《中國現代文學三十年》周密規範，面面俱到，第十四章在
討論了蔣光慈、柔石、丁玲、張天翼、沙汀、吳組緗、葉紫、
艾蕪、蕭紅、蕭軍以及京派的葉聖陶、王統照、許地山、廢名、
蕭乾、蘆焚（師陀），李健吾、林徽因等作家之後，也論及李劼
人，說他的創作「是『人生派』的延續，不參與任何文學社團。」
他的三部曲「以四川為背景，描寫出自甲午戰爭到辛亥革命前後
二十年間廣闊的社會圖畫，具有宏偉的構架與深廣度，被人稱為
是『大河小說』。」「這三部作品中，《死水微瀾》有突出的生活

和藝術魅力。」「李劼人的長篇，在結構、人物、語言各方面都得力於傳統與地域文化知識修養的豐足，及對左拉、莫泊桑的借鑒，但筆法較為瑣屑。」[4] 在吳福輝的《中國現代文學發展史》中，「1936 年文學大事表」把文壇分成左翼、京派、海派和鴛鴦蝴蝶派四大板塊，但沒提到李劼人的創作，大概這四個板塊都放不進去。[5]

李劼人的「大河小說」在現代文學裏少見，但在一九八〇年代以後卻成為潮流，陳忠實、莫言、張煒、格非、鐵凝等都喜歡寫一女多男，寫一個村鎮幾戶人家，背後是「前後幾十年間廣闊的社會圖畫」⋯⋯

一、兩種「一女多男」模式

《死水微瀾》其實是兩種敍事模式的混合，一是以個人家庭悲喜劇寫城鄉大時代變遷，這是從《倪煥之》開始的新文學長篇結構。二是以「一女多男」模式為核心情節。這種「一女多男」模式又有兩種基本類型，一是女人身體成為不同政治身分、社會角色、文化勢力的戰場。晚清就有《孽海花》——彩雲（賽金花）身邊有清廷狀元大使、日爾曼軍官、小鮮肉僕人以及北京戲子等。當代文學有《白鹿原》，田小娥身上先後有郭舉人、長工黑娃，鄉紳鹿子霖，縣長白孝文等男人，分別代表舊式地主、土匪、國共及鄉紳。曹禺《日出》裏的陳白露，也被官僚資本金八、銀行家潘月亭、「海歸」張喬治和五四青年方達生包圍爭奪或拋棄；丁玲《我在霞村的時候》，貞貞的身體更是眾多鄉親和

日本官兵及延安我軍共同「關心」的對象……顯然，這類「一女多男」模式大都需要紅塵女子當主角。但也有另一類「一女多男」故事，之前有莎菲女士，孫舞陽、章秋柳，之後有楊沫《青春之歌》、張抗抗的《北極光》等，共同點是「大女主」主動選擇不同男性 —— 同時在選擇不同政治背景、不同人生道路。而《死水微瀾》的「一女多男」情節，恰恰處在上述兩個類型之間，女主角身邊男人很多，各自代表了不同政治力量、社會身分和宗教背景 —— 商人、黑社會、教民、三教九流。這時風情萬種的女主角和甚麼男人在一起，既有前一類利益及安全的考慮，仍是被爭奪被佔有，又有「大女主」的主動「性」，女主角不是風塵女子。

《死水微瀾》裏的這個女主角就是鄧么姑。小說裏的男人們，以及男人後面的時代，都圍着這個女人轉。天回鎮是成都附近的小市鎮，鄧么姑很小就聽鄰院的韓二奶奶講成都繁華，充滿嚮往。她長得漂亮，腳又小，十七歲以後父母就替她操心婚事。爹是後爹，一家之主，娘是親娘，也要決定。兩人意見常常不同，但是從來不問女兒的意思，小說這樣解釋：「至於所說的人家，是不是女兒喜歡的，所配的人須不須女兒看一看，問問她中不中意？照規矩，這只有在嫁娶二婚嫂時，才可以這樣辦，黃花閨女，自古以來，便只有靜聽父母作主的了。設如你就干犯世俗約章，親自去問女兒：某家某人你要見不見一面？還合不合意？你打不打算嫁給他？或者是某家怎樣？某人怎樣？那我可以告訴你，你就問到舌焦唇爛，未必能得到肯定的答覆。或者竟給你一哭了事，弄得你簡直摸不着火門。」[6]

這段敍述解釋了《邊城》的悲劇成因，原來老船夫不是不問翠翠，是不能問，翠翠也是不能說。不問才是尊重。鄧么姑在父母安排下，嫁給了天回鎮上「老字號雜貨鋪的年輕掌櫃蔡興順，小名狗兒，極其老實，所以外號「傻子」，娶了個漂亮老婆，鎮上很多人羨慕。

蔡興順有一個表哥羅德生，從小是由蔡的父親培養，長大以後做了本碼頭舵把子朱大爺的大管事，也就是江湖中的一個頭目，袍哥界的一條好漢。

袍哥文化是《死水微瀾》的一個重要歷史背景。哥老會是發源於湖南、湖北的秘密結社組織，在四川就叫袍哥會。跟天地會起源一樣，袍哥會是下層群眾的自發組織，辛亥革命時還和革命黨合作，也和洪門、青幫互相滲透融合。四川很多成年男性都加入袍哥會，俗話說「明末無白丁，清末無佺子」，沒有參加袍哥的男人就叫「佺子」。袍哥會也講五倫：君臣、父子、兄弟、夫妻、朋友；還有八德 —— 孝悌忠信禮義廉恥。碼頭上要分五個營口，聚集不同的人群，江湖組織分不同的階級。「仁」字，是有面子地位的人；「義」字是有錢的商家；「禮」字，那是手工業者；所以說是「仁講頂子，義講銀子，禮講刀子」。「仁」、「義」、「禮」之外還有「智」、「信」，就是體力勞動者。「袍哥會」也有紀律，賣淫的、修腳的、搓背的、理髮的，還有男人女相的，演女人的「小鮮肉」等等都不能參加。盜竊也不可以，亂搞男女關係、母親再嫁也不可以，但土匪可以，因為土匪搶有錢人。

簡而言之，袍哥是一個幫會組織。羅德生外號羅歪嘴，是個大管家，其實他嘴不歪，只是喜歡跟女人調情的時候，嘴巴歪

一歪，三十五歲還不想成家，玩女人非常有分寸，數量多，不留戀，從未沉迷。

小說第二章寫他晃蕩江湖，帶了一個妓女劉三金回來。劉三金很妖艷，雖然是被羅歪嘴包了，卻還可以 part-time（兼職）接客，羅歪嘴也不生氣。一般小說寫婚戀禁忌，時間上越久遠越寬鬆，空間上越底層越「自由」。

劉三金搭上另一士紳陸茂林，但心裏還是喜歡羅歪嘴。羅歪嘴對表弟蔡傻子的老婆鄧么姑有點意思。他們一邊聊天，鄧么姑一邊在給孩子餵奶，露着胸口。小說開始幾章就是陳列這些瑣碎鄉俗風景，作家並無批判，甚至有點渲染。李劫人不像茅盾、巴金從政治經濟角度觀察中國，倒有點像沈從文的「鄉土風俗展覽」，也不避諱有點混亂的江湖道德。

江湖道德不僅表現在羅歪嘴准許自己包養的妓女再零星接客，更表現在劉三金為了表達謝意，自己要離開前就撮合羅德生和鄧么姑。本來男女主角已經對上眼了，被人一說破，一拍即成。小說第四章第四節寫得十分精彩，羅買了魚，鄧來炒菜，還拉了丈夫蔡傻子三個人一起喝酒，喝到丈夫醉了，另外兩個人就不見了……鋪墊很長，關鍵部分全部省略。更精彩的是之後，羅鄧關係其實公開，鄧的老公也不在乎，女人甚至還教了傻子丈夫一些床上的樂趣，整段「三人行」在小說裏幾乎是以讚賞的筆調出現，頗混亂、頗浪漫。

小說另一主角顧天成顧三貢爺，是個長得頗土氣的鄉紳，曾經迷戀劉三金，在賭局裏被騙了好幾百兩。老婆是個絕對服從派，知道男人賭輸了錢也不怪罪，賢淑老婆不久病死。在一次

類似於看花燈逛廟的活動中，顧三貢爺也看上鄧么姑，調戲沒成功，反而丟了自己十二歲的女兒招弟。顧在小說裏基本上是個失敗者，一度病得幾乎死掉，靠周圍鄰居拿來的一些西洋藥救回了命，之後誤打誤撞信了洋教。

二、袍哥 VS 洋教

《死水微瀾》的主線是袍哥文化怎麼應對洋教（傳統 vs 西洋）。清末教民地位微妙，誰入洋教，官員就忌諱，所以等於一個身分。顧天成走投無路，信了洋教。八國聯軍入北京，洋人在四川也有權了，所以後來顧是絕處翻身。

陸茂林除了看上了劉三金以外，也喜歡鄧么姑（「一女多男」）。兩人對話有意思，他說唉呀我怎麼喜歡你，怎麼喜歡你；鄧說你的好意我領了，我其實也喜歡你，但是我已經跟了羅大哥了，不能再二心了，我們的情緣，來世再敘，你要是再動念，小心被他打死。鄧么姑身為商人妻，愛的是袍哥會羅歪嘴，對男人挺有原則。

陸茂林懷恨在心，就和信教的顧天成聯手向官府告發羅德生。江湖上人，欲加之罪，何患無辭。羅慌亂帶手下逃走，匆忙與鄧么姑告別，說我會回來找你的，我要死了，你替我報仇。官兵追過來，把蔡傻子夫婦打到半死，可是他們還寧可受刑被打，蔡傻子入獄也不招供羅歪嘴他們逃走的去向（夫妻一起保護「奸夫」）。

小說結尾是一個令人意想不到的翻轉，靠洋人得勢的，很

土氣平庸的顧三貢爺，跑去找受傷的鄧么姑。這時鄧么姑頭髮都被打掉了，臉也走了相，顧天成表面答應說我幫你去救你獄中的男人，其實是想套羅歪嘴的去向。可是去了一次不夠，又去二次、三次。為啥呢？他自己問自己。是迷上了鄧么姑啊！

雖然鄧么姑這時相貌已損，但不知為何顧天成還是無可救藥地迷上了她（因為是「大女主」）。在第七次探訪時，顧正式求婚。鄧么姑看看眼前這個男人，既沒有蔡傻子忠厚老實有家產，更不如羅德生瀟灑勇武有俠義，但是，但是，她還是嫁了他 —— 條件是你要去放了我老公蔡興順，以後我和他是乾兄妹，可以來往。假如羅德生回來，你們也不能記仇，當然你和我是正式婚禮，將來你也不可以嫖，不可以賭。最重要的是，我不信洋教。

小說的結尾精彩，一個英勇、健美、豪爽的袍哥大表哥不見了，一個忠厚、老實、可以欺負的老公不要了，女主人公跟了一個土氣的、庸俗的但識時務信洋教的、目前有錢有勢的男人。

「一女多男」是否也在寫中國？也許女人只是象徵，代表山河、土地、家園、花草，再美、再動人，歸根結底她是被侵略的，被征服的，她從屬於強者。至於這個征服者是甚麼樣的人，用甚麼方法，重要嗎？

又或許，再怎麼厲害的男人，再怎麼江湖威風，再怎麼有錢有勢，最終還是在女人的手掌心裏。也有評論稱讚這是一個「敢作敢當、敢愛敢恨的女性」，「為救情人、丈夫而毅然自己做主改嫁大糧戶，表現出篾視貞操、不守成法的……勇氣。」[7]女人，只有女人才是歷史發展的真正動力？（是動力，而不是歷史本

身？）傳統袍哥文化跟洋教勢力此消彼長的一個時代歷史縮影，最後都凹凸在女人的身體上。

從文類上講，《死水微瀾》第一是歷史演義類的社會批判，第二也延續了青樓狎邪小說的傳統，第三又貫穿了俠義小說的浪漫傳奇。後來很多這類「一女多男」的「長河小說」，一女都是豐乳肥臀故鄉山河，多男就是政治黨派鬥爭變幻，「長河小說」從李劼人描述的袍哥洋教對立，後來逐漸發展到莫言、格非、陳忠實筆下越來越複雜的政治／文化局面。

注

1　劉再復：〈《張愛玲的小說與夏志清的《中國現代小說史》〉，2000 年在嶺南大學「張愛玲與現代中文文學」國際學術研討會上的報告，見劉紹銘、梁秉鈞、許子東主編《再讀張愛玲》（香港：牛津大學出版社，2001 年），頁 37。

2　曹聚仁：《文壇五十年》（香港：新文化出版社，1954 年初版）。

3　季進：《夏志清訪談錄》：「問：……現在回過頭來，您對這本小說史有沒有甚麼評價？答：最大的遺憾就是有幾個優秀的作家沒有講，比如李劼人，比如蕭紅，都沒有好好講。」《當代作家評論》（瀋陽）2005 年第四期。

4　錢理羣、溫儒敏、吳福輝：《中國現代文學三十年》（北京：北京大學出版社，1998 年），頁 320。

5　吳福輝：《中國現代文學發展史》（北京：北京大學出版社，2010 年），頁 294-302。

6　李劼人：《死水微瀾》（武漢：長江文藝出版社，2017 年），頁 30。下同。

7　同注 5，頁 224。

中國現代文學的轉折

　　《駱駝祥子》在不同意義上都標誌中國現代文學的轉折。從時局上看，這是三十年代到抗戰的轉捩點。從小說主人公看，這是一個無產階級變成「個人主義的末路鬼」，暗示即使是自由立場的知識分子也意識到，依靠個人奮鬥堅持道德操守無法改變社會命運。老舍之前既不像留日作家那麼激進，也不似左聯作家那麼崇拜革命。連老舍都對自由主義失望，標誌中國知識界的各種救國道路探索，從此轉向階級革命潮流。放大一點說，這是「五四」啟蒙救世向革命救亡的過渡；縮小一點說，這也是老舍本人思想歷程、寫作生涯的轉捩點。

　　1936 年春夏，他在搜集資料寫作《駱駝祥子》的時候，辭去了山東大學的教職，之後就成為職業作家。小說在 1937 年的期刊《宇宙風》上連載。不久，抗戰正式爆發，第二年，老舍擔任中華全國文藝界抗敵協會（簡稱「文協」）的負責人（總務部主任），從一個與政治保持距離的個人主義作家轉為抗日文化機構的代表。如果說老舍筆下的個人主義是本來有些英雄氣概，他

的後半生果然也是悲劇。

《駱駝祥子》我至少讀過三次，每次都像是在讀不同的故事。第一次看到一個老實的車夫，在社會環境壓迫下走投無路。第二次發現《駱駝祥子》在寫老舍自己的世界觀的轉變。之前稱讚祥子的初心──正直做人，努力做事。相信如果人人如此，社會就會昌明。之後哀悼祥子的墮落──正直無用，努力無效。覺得如果人人如此，出路只有革命。第三次閱讀，覺得小說也在寫我，寫我們的人生價值觀「好好學習，天天向上」如何被顛覆挑戰。

經典作品，重要作家，多讀一遍，多一份收穫。

梳理一下祥子的噩運：前半部小說裏有兵災、丟車、楊家包月辛苦、拉曹先生馬路摔跤、被偵探敲竹槓；後半部則是被虎妞逼婚、婚後拉車淋雨生病、虎妞難產死、賣車落葬、又錯過了小福子，還從暗娼出身的美麗的夏太太那兒感染了性病等等。規律是：前半部分的災害更多的都是社會環境因素──冰災、苦差、路況、偵探等等；後半部分的噩運，很多都是個人選擇──婚後再拉車、看病沒有錢、賣車下葬，離開小福子，跟夏太太有染（然後染病）等等。也就是說，即使社會不公道是祥子墮落的外因，但是還是有內因的，人物本身的性格決定他至少後半部分的一部分命運。

一、祥子甚麼性格？

早期祥子的性格是忠厚要強，耿直端正，也有一種鄉土樸素的理性，個人奮鬥的理想。這些也可讀成是老舍自我的道德

操守，帶了他自己個人的性格，比較一條筋不轉彎，愛說「憑甚麼」。但是一旦轉彎了以後也是一路盲目地走下去。

這不僅是老舍個人的道德信念，也是他心目當中的社會理想，他覺得要是人人都這樣的話，社會就進步了。

可是到了小說第二十一章，虎妞死了，車又賣了，祥子變成了一個也會混，又有點世故，動不動跟人吵架，不太愛惜車子，見到劉四可以洩憤發怒，這麼一個「合羣」的車夫了。我們看到，第一，性格轉變的過程是漸進的；第二，前半部分外界壓力主導，後半部分個人選擇更多。第三，祥子是窮人的身分，但早期性格不合羣，後一種才是大部分車夫的狀態——有錢拉快車，繞近道或者繞遠道，做任何事都要有好處，講人情世故，學犬儒人生。也就是說：合羣是墮落的標誌——哪怕合了無產階級的羣。

認為《駱駝祥子》代表老舍（及現代文學主流）放棄了個人主義，必須想想小說裏合羣與墮落的關係。

被欺欺人其實在名字上已經點題，阿Q的轉折開始是被閒人打到去打小D，祥子第一次墮落從偷駱駝開始。是的，當時祥子很慘很無辜，被兵痞搶走了自己的車，荒郊野外，駱駝也是隨手牽的。被社會欺負到這麼慘，難道無權拿回一點補償嗎？往小處講，這是減少損失；說大一些，這是「以惡抗惡」——就在我們非常同情祥子第一次「以惡抗惡」時，我突然想到駱駝的主人。或者再設身處地，比如你停在路邊的車被人開走了，你會因為有別人搶走了那人更好的車，你就不再生氣了嗎？

祥子怎樣從奴隸走向奴才？被偵探敲竹槓以後，祥子的確

有過到曹家拿些東西補償的一閃念，但是他還是克制了。真正「被人欺負又欺負他人」的情況，主要是小說後半部他和虎妞的關係。尤其是老婆難產的時候，有沒有全心全意救老婆的命？作家在這些地方有意無意地也寫出了「被侮辱者同時也在損害他人」，《駱駝祥子》和《金鎖記》是魯迅之後解剖國民性最重要的作品。

祥子的初心——光明正大地拉自己的車，靠自己努力過幸福生活——和我們以前接受的「好好學習，天天向上」的教育完全吻合。「好好學習，天天向上」的第一層最完美的解釋就是，通過學習思想知識進步，人生境界天天向上。第二層意思比較世俗：好好做自己的事情，拉車、修鞋、做大廚或者是畫畫、寫文章等等，總之把工作做得像事業一樣，就會得到社會的回報。做得比別人好，生活就會天天向上。

祥子和我們讀者原本都是這樣想的，打工、種地、經商、教書也和祥子的拉車一樣原理。祥子甚麼事情都不想，就想拉好車。讀書人有時反省，深更半夜寫文章，有誰在乎我們在煞費苦心推敲字句？為甚麼要把自己有限的生命投入在這些文字裏邊？其實都不是為別人，都是為自己。說好聽是馬克斯・韋伯（Max Weber）所說的 calling（使命）、profession（專業）。古訓是朝聞道夕死可矣。總之做好自己本分的事情，便是生命所繫，也是一種「斷魂槍」。

可是曾幾何時，祥子和我們都發現，老實地學習、做好事，生活沒有向上，甚至還有噩運。看看周圍，混日子的、投機取巧的，他們卻可能「天天向上」。這個時候，怎麼辦呢？

所以必然也會祥子像一樣在甚麼地方動搖？在甚麼時候放棄初心？是不是也必須像祥子一樣在一步一步走向犬儒，走向世故，走向合羣？

《駱駝祥子》的結尾過於戲劇性，主人公明明有機會回到曹先生家裏拉包月，但他在小福子自殺以後好像崩潰了，最後出賣情報，替人家抬花圈，結婚時候舉舉旗傘來謀生，小說寫道：「體面的，要強的，好夢想的，利己的，個人的，健壯的，偉大的，祥子，不知陪着人家送了多少回殯；不知道何時何地會埋起他自己來，埋起這墮落的，自私的，不幸的，社會病胎裏的產兒，個人主義的末路鬼！」這算是老舍的主題後行了。

令人困惑的是，在體面、好強、利己、個人一起並列的，居然有「偉大」這兩個字，這是嘲諷還是悲嘆？在早期老舍心目中，個人主義本來不是一個貶義詞，個人主義可以是英雄，也可以偉大。

可三十年代的祥子是一個偉大的、失敗的英雄，老舍從此放棄他的個人主義的英雄觀，他的後半生走的是一條不同的道路。

比較茅盾和老舍，在他們筆下，資本家吳蓀甫是悲劇英雄，人力車夫祥子也是個悲劇英雄，他們在三十年代的文學裏都無路可走，那麼誰是這個時代的英雄？一般的人又走向哪裏去呢？

一、大陸新村九號

　　1936 年 8 月 5 日，我們現在知道這一天距離魯迅生命的終點還有兩個多月，但魯迅並不知道，或者說他大概知道，但不確切。魯迅怎麼度過他的一天？

　　魯迅當時住在上海山陰路大陸新村九號，一座磚木結構、紅磚紅瓦的三層樓房，一樓黑鐵皮門內有個小花園。走進臺階是會客室，有西式餐桌、書櫥、留聲機，工作臺據說是瞿秋白送的，還有一個玻璃屏風，屏風後面是一個中式的八仙桌，日常用的餐桌，還有衣帽架。二樓的前間，朝南的房間，是魯迅的臥室兼工作室，有書桌、籐椅、黑鐵床。這裏建築面積二百二十二平方米，使用面積估計大概也就一百五六。三樓有陽臺，有周海嬰和保姆的臥室。

　　這個一百多平方米的大陸新村九號，是魯迅除了紹興老家

和北京八道灣四合院以外，一生裏住過最「闊氣」的住宅了。

晚清和民國時期大部分作家都不能完全靠稿費謀生。非常有名的作家，很多時間也要有別的謀生方式，或者編報紙雜誌，如李伯元、吳趼人、黎烈文、孫伏園，包括後來的金庸等。或者在大學當正職或兼職教授，如胡適、周氏兄弟、聞一多、老舍、沈從文、朱自清等。極少數作家，在某一時期進入「官場」，魯迅在教育部當僉事，胡適任國府駐美大使，陳獨秀、郭沫若、茅盾也都曾經是職業革命家。但是這些都是特例，人數遠比辦報教書的少。即使是職業革命和家，表面身分、日常工作也還是要辦雜誌、編報紙，比方說夏衍、茅盾在香港。

蔡元培任教育總長期間，周樹人每月津貼六十元。之後任教育部僉事俸銀二百多元。[1] 廈門大學是四百銀洋聘約，轉到中山大學應該更多。1927 年到上海後基本上專業寫作。有幾年也在南京大學院兼職「特約著述員」，每月三百塊。《魯迅日記》裏對收支有清晰記載。月平均有三百元到五百元收入，固定一百元寄給母親和朱安，另外一百元自己買書。餘下來生活費用的也就是二百元左右，小康偏上。魯迅去世以後，許廣平很後悔沒有讓他抽更好一點的、貴一點的煙，以致於損害了他的肺。抽煙還要挑牌子，可見後期魯迅在經濟上談不上富有。看美國電影不會吝嗇，跟北新書局談版稅必須是計較。

有人算過一筆帳，[2] 魯迅從 1912 年到 1936 年這二十四年裏總收入十二萬四千四百銀元，其中五萬五千銀元是薪金、講課費，另外一半多一點是版稅、稿費。二十四年十二萬，每年就是五千了，每個月差不多就四百了，如果平均來說，算不上發財，

但也夠生活。這是民國時期的一個中國作家的典型生態。

二、1936 年 8 月 5 日魯迅日記

1936 年 8 月 5 日的日記，全文如下 ——

> 5 日曇。上午得趙越信。得依吾信。得吳渤信。同廣平攜海嬰往須藤醫院，下午島津（津島）女士來。晚蘊如攜蕖官來。三弟來。夜坂本太太來並贈罐頭水果二種。夜治答徐懋庸文記。[3]

魯迅日記通常純粹記事，平實簡單，這一天已算比較詳細。兩天之前 8 月 3 日的日記就是三個字 ——「雨，無事。」無事也要記一下。

8 月 5 日日記提及三封來信，四個來訪。我們在這其中最關心兩件事，一，魯迅和許廣平、海嬰去了須藤醫院；第二，魯迅這一天寫完了〈答徐懋庸並關於抗日統一戰線問題〉。三天前魯迅的日記裏就說過收到徐懋庸的信，所以這三四天裏邊有了這篇文章。

最後幾年給魯迅看病主要就是日本醫生須藤五百三。須藤父親是雜貨商，幾個堂兄都曾在上海經商。早在 1893 年，須藤考入日本的第三高等醫學院，十年後畢業參加日本陸軍，曾經駐紮朝鮮。1918 年退役，中校軍銜，之後就到上海開醫院。醫院有一兩百人，規模不小。魯迅是通過內山完造認識須藤醫生的。

這之前，魯迅看過很多日本醫生，十幾二十位，看得最久的就是
這位須藤。因為魯迅自己學過醫，又在日本待過，和醫生能夠用
日文交流，這些都是原因，醫院離魯迅的住處是 2.4 公里，往返
也比較方便。

　　魯迅去世是 1936 年 10 月 19 日，須藤醫生撰文〈醫學者所
見的魯迅先生〉，[4]1936 年 11 月 15 日發表，不到一個月。但是內
容接近的日語文章則發表在 1936 年 10 月 20 日到 23 日，[5] 即魯
迅先生去世第二天（寫得真快）。根據《魯迅日記》，最後的三年
魯迅請須藤醫生看病，一共一百五十次以上。須藤對魯迅一生
的健康狀況比我們知道的多。他說魯迅七八歲開始牙就不好，
治乳牙以後「因為蛀牙的緣故夜裏疼得睡不着，讓父母很困擾，
甚至被父母斥責連這點疼痛都無法忍耐」。那時紹興沒有牙醫，
最多就是拔牙的，其他人牙痛就去求仙問菩薩，所以魯迅的蛀牙
惡化，牙根腐壞，到二十三歲，大部分牙齒已經缺損，二十七歲
裝了假牙。因為牙病導致胃擴張、腸遲緩以及其他消化器官均
受影響。魯迅到死，他的食量只有常人的一半。魯迅「常常說自
己生來就不知道飢餓和美味為何物」。這個也還是須藤的原話，
「因其消化器官機能的衰退造成營養不良，其結果就是筋肉薄
弱，當他自己覺察到時，體重已不到四十公斤。由於先生天生體
質特異的緣故，不管是原稿的起草或是讀書研究，常常都是在夜
間進行，已成為他的生活習慣，加上體質筋骨虛弱，神經過度疲
勞，成了惡性循環。」[6] 所以須藤醫生認為魯迅棄醫從文也是牙痛
的結果。

　　據須藤記載，魯迅的病情 1936 年 1 月開始惡化。1 月 3 日

魯迅的日記就說，「夜肩及脅均大痛」，就去了須藤醫院。3 月 2
日「下午驟患氣喘，即請須藤先生來診，注射一針。」[7] 連續幾天
都有記載，3 月 8 日說「須藤先生來診，云已漸癒。」可是到了
5 月 8 日，日記裏記載都是自己在發低燒。

三、魯迅之死：誤診所致？

《魯迅傳》的作者朱正說須藤的醫道不高明，只是因為來往
久了，魯迅對他有信任。[8] 周建人（魯迅的弟弟）曾告訴魯迅說，
須藤是日本退役軍人，烏龍會的副會長，魯迅說「還是叫他看下
去，大概不要緊吧」。[9] 史沫特萊（Agnes Smedley，魯迅的美國
友人）要介紹個肺病專家，魯迅開始還不同意，到了 5 月 31 日，
病情嚴重，馮雪峰看不過去，就去找了茅盾，茅盾做翻譯打電話
給史沫特萊，請來了一位美國醫生叫鄧恩。

魯迅在散文〈死〉裏面講到了這個美國醫生──

> 今年的大病……原先是仍如每次的生病一樣，一任着
> 日本的 S 醫師的診治的。他雖不是肺病專家，然而年紀大，
> 經驗多，從習醫的時期說，是我的前輩，又及熟識，肯說
> 話。……大約實在是日子太久，病象太險了的緣故罷，幾個
> 朋友暗自協商定局，請了美國的 D 醫師來診察了。他是在
> 上海的唯一的歐洲的肺病專家，經過打診，聽診之後，雖然
> 譽我為最能抵抗疾病的典型的中國人，然而也宣告了我的就
> 要滅亡；並且說，倘是歐洲人，則在五年前已經死掉……

D 醫師的診斷卻實在是極準確的，後來我照了一張用
X 光透視的胸像，所見的景象，竟大抵和他的診斷相同。[10]

這麼悲慘的情況，人家說病沒法治了，魯迅還能夠用幽默
的筆墨書寫。〈死〉是魯迅最好的散文之一。同一次診斷，周建
人後來在 1936 年的《人民日報》上寫文章，[11] 說魯迅病重時也曾
看過肺病專門醫生，醫生說病嚴重，但還可治。「第一步需把肋
膜間的積水抽去，如果遲延，必不治。須藤卻說肋膜下並無積
水，但只過了一個月，他又說確有積水。」才開始抽水。

到底在 5 月底之前，魯迅的病是怎麼醫治的，怎麼診斷的？

魯迅自己在 5 月 15 日致曹靖華的信裏邊說，「日前無力，
今日看醫生，云是胃病，大約服藥七八天，就要好起來了。」

就是說 5 月的時候，須藤醫生診斷是胃病，吃藥七八天。

5 月 23 日，魯迅又寫信給趙家璧說，「發熱已近十日，不能
外出；今日醫生開始調查熱型，那麼，可見連甚麼病也還未斷
定。何時能好，此刻更無從說起了。」

到了 5 月份的時候，發燒的原因都搞不清楚。

我們後來知道這段時間正是魯迅為「兩個口號」論爭操碎心
思的時候。嚴家炎教授在 2003 年《中華讀書報》上撰文，[12] 說須
藤先生在魯迅死後應治喪委員會要求，寫了一份醫療報告，可是
這個報告有可疑。須藤說是 1936 年 3 月開始抽肋骨積水，但多
方資料顯示，比方說魯迅自述、周建人文章、魯迅書信等，實際
是在美國醫生診斷之後，到 1936 年 6 月才開始抽積水。

病醫不好也許不全是醫生責任，但是改動報告，推卸責任，

顯然有違醫德。將近四十年後，1984 年，上海魯迅紀念館將館藏的魯迅 X 光片請了二十三位醫學專家研究，讀片以後的結論是——根據病史摘要和 1936 年 6 月 15 日後前位 X 線胸片，一致診斷：一、慢性支氣管炎，嚴重肺氣腫，肺大皮包；二、二肺中上部慢性肺結核病；三、右側結核性滲出性胸膜炎。根據逝世前二十六小時的病情記錄，大家一致認為魯迅死於上述疾病基礎上發生的左側自發性氣胸。

這個結論從醫學上證明了須藤醫生誤診，如果死於肺結核是自然死亡，如是自發性氣胸，其實是可以搶救的。10 月 18 日凌晨，自發性氣胸，如果當時立刻抽氣減壓，有可能轉危為安。

這個世界上沒有那麼多「如果」，想想如果魯迅被搶救回來了，如果魯迅一直活到 1949 年以後⋯⋯

8 月 5 日日記除了寫魯迅夫婦為了兒子去須藤醫院之外，還有一件事情更加重要，就是「答徐懋庸文訖。」〈答徐懋庸並關於抗日統一戰線問題〉是魯迅晚年最重要的一篇文章，卻不一定是魯迅自己寫的。此文關係整個三十年代中國文藝界的思潮變化和派別鬥爭。

四、「倘受了傷，就躲入深林，
自己舐乾，紮好，給誰也不知道」

二十年代末到三十年代中，文藝界至少有六次文學論爭，魯迅捲進了其中的五次，而且都是主角。最後一次就是「兩個口號之爭」，影響深遠，對晚年魯迅的心力也是消耗巨大。如果說

之前魯迅一直「與人奮鬥其樂無窮」，那麼這一次卻是有苦難言。原因是這次論戰離文藝思潮遠，離政治人事近。以前自以為與右派論爭，魯迅理直氣壯；這次是和「自己營壘中人」暗戰，魯迅不大擅長。

魯迅在《花邊文學》序言裏說「這一個名稱，是和我在同一營壘裏的青年戰友，換掉姓名掛在暗箭上射給我的。」[13] 這裏所謂「同一營壘的青年戰友」，指的是廖沫沙。廖沫沙六十年代任北京市委統戰部長，文革初他和鄧拓同屬「三家村」。年輕時革命文青廖沫沙寫文章令魯迅很不開心。詳細情況很瑣碎，都是一些文字誤解，但魯迅對於這些誤解不會忘卻。有人化名紹伯，在《大晚報》副刊調侃魯迅氣量狹小，魯迅認為這個紹伯就是田漢。「倘有同一營壘中人，化了裝從背後給我一刀，則我的對於他的憎惡和鄙視，是在明顯的敵人之上的。」[14]「例如紹伯之流，我至今還不明白他是甚麼意思。為了防後方，我就得橫站，不能正對敵人，而且瞻前顧後，格外費力。」「橫站」就是說打仗時面對敵方，但又害怕後面有人攻擊，所以不能正對着敵方，就得橫過來。「身體不好，倒是年齡關係，和他們不相干，不過我有時確也憤慨，覺得枉費許多氣力，用在正經事上，成績可以好得多。」[15] 在 1935 年給蕭軍、蕭紅寫信時，魯迅把這種憤怒進一步放大，說「敵人不足懼，最令人寒心而且灰心的，是友軍中的從背後來的暗箭；受傷之後，同一營壘中的快意的笑臉。因此，倘受了傷，就得躲入深林，自己舐乾，紮好，給誰也不知道。」[16]

這段自我描寫真的令人感慨，「受了傷」、「舐乾傷口」，因為甚麼？就因為廖沫沙、紹伯這些年輕人的文字？還是另有一

些「給誰也不知道」的難言苦衷？

二十年代中期寫《墳》、《熱風》，魯迅並沒有明確的「同一營壘」的概念，孤身一人在《野草》裏，傷口也可以舐舐，痛苦憤怒就他一人，不要考慮那麼多陣營、戰線，所以也不需要「躲起來舐傷」，且「給誰都不知道」。營壘、戰友、陣線、敵我、後方、橫站等等，這些都是軍事概念，或者說是政治術語。魯迅骨子裏是個文人。

1935 年 9 月 12 日給胡風的信，魯迅描寫他在左聯的處境：「無論我怎樣起勁的做，也是打，而我回頭去問自己的錯處時，他卻拱手客氣的說，我做得好極了，他和我感情好極了，今天天氣哈哈哈⋯⋯真常常令我手足無措，我不敢對別人說關於我們的話，對於外國人，我避而不談，不得已時，就撒謊。你看這是怎樣的苦境？」[17]

後來很多研究者感興趣這封信裏的「工頭」到底是誰？是不是講周揚或夏衍？當時胡風、馮雪峰、丁玲和魯迅關係比較好。這些人事派別的鬥爭後來一直延續到延安 ——「魯藝」對「文抗」。丁玲、馮雪峰在五十年代很早被打成反黨集團和右派，胡風則是反革命集團。1966 年，周揚、夏衍等也成了黑幫。文革後胡風、馮雪峰、周揚等都平反了。可是丁玲和周揚之間，始終還是有些意見。本書並不關心文藝派別的鬥爭演變，更關注的是魯迅的心態。魯迅一直很敏感奴隸受壓迫，奴才麻木忍讓，現在居然有「工頭」、「奴隸總管」在他背後抽鞭子，他卻甚麼都不能說，為了這個事情還向外國人撒謊。用魯迅的原話說「你看這是怎樣的苦境？」[18]

五、「我真覺得不是巧人，在中國是很難存活的」

夏濟安在〈魯迅與左聯的解散〉[19] 一文中引胡適的話，說很晚才看到魯迅給胡風的信，推測魯迅如果當時不死，他將怎麼介入之後的中國文壇。魯迅當時不知道，就在他抱怨「橫站」苦境時，1935 年下半年共產國際第七次代表大會已在莫斯科決定，「左聯」應當解散。此時紅軍已經到達陝北，意識形態工作由總書記張聞天和王明、康生等負責。王明委託蕭三帶信到上海，先給魯迅看，再轉給周揚（地下黨電臺被破壞了，周揚和陝北斷了聯繫）。1936 年 1 月 19 日魯迅看信以後覺得很突然，沒法接受。他把信轉給了周揚、夏衍，周揚等左聯領導決定要執行王明代表中央的指示。

為甚麼看到要解散左聯的信，大家態度會有不同？因為周揚他們是戰士，服從命令是天職。魯迅是文人，自己沒想通，怎麼執行命令？茅盾後來有回憶，說夏衍他們主張「左聯」解散，要成立新的文藝界抗日組織，門檻低，只要抗日就可進來。他們徵求魯迅的意見，魯迅名義上是左聯的領袖。可是魯迅不肯見夏衍，情況有點尷尬。

茅盾跑來跑去無功而返，他說自己就是一個傳話的人，這是幾十年以後的回憶。[20] 但當時魯迅對他的朋友說，內幕如何，我不得而知，指揮的或者是茅（茅盾）與鄭（鄭振鐸）。「我真覺得不是巧人，在中國是很難存活的。」[21] 說明魯迅對處在中間的茅盾，也有看法。

此事僵持數月，1936 年 4 月 25 日，馮雪峰從陝北回到上

海，他是左翼地下黨裏面除了瞿秋白以外，最被魯迅信任的人。他參加了紅軍兩萬五千里長征，從陝北重回上海時，周恩來、張聞天、毛澤東都給他佈置任務，還帶了電臺。

馮雪峰後來回憶，到上海馬上去魯迅家裏，魯迅見面第一句話就說，「這兩年我給他們擺佈得可以！」[22]。馮雪峰後來說，這句話以及魯迅說話的表情，他永遠都記得。

然後馮雪峰就和魯迅講了長征、陝北、紅軍等等。魯迅又講了上海的情況，馮雪峰說他記得魯迅講了兩句話，第一句是說，「我成為破壞國家大計的人了」，另外一句就是說「我真想休息休息」。[23]

1936 年是魯迅生命的最後一年，年初大病，去世是 10 月，4 月 25 日就是魯迅去世前半年。「破壞大計」，就是指他不加入新的統戰的文藝團體。魯迅認為「『國防文學』這個口號我們可以用，敵人也可以用。」與「國防文學」相對，胡風在魯迅家裏見到馮雪峰以後，提出了一個新口號，叫「民族革命戰爭的大眾文學」，朱正《魯迅傳》說，這個口號表面上是胡風提，實際上是馮雪峰建議，也就是陝北帶來的意思。[24]

作為口號，「國防文學」更容易喊，「民族革命戰爭的大眾文學」有點長。但重要的是這個口號是誰提的。大背景是馬上國共合作、西安事變，「國防文學」是戰略調整，「民族革命戰爭的大眾文學」是原則堅守。用今天的術語，前者是與時俱進，後者是不忘初心。

王明名義上還是黨的領袖，後來寫了一本書叫《中共五十年》[25]，說這兩個口號都是根據中共中央文件提出來的。周揚等人

在 1936 年初提出「國防文學」，依據的是 1935 年 8 月 1 日為進一步發展抗日民族統一戰線而以中共中央和中華蘇維埃共和國中央政府名義發表的《為抗日救國告全體同胞書》，簡稱「八一宣言」。而魯迅等人 1936 年 5 月提出的「民族革命戰爭的大眾文學」，依據的是中共中央 1931 年 9 月 19 日，因「九一八」日軍侵佔瀋陽而發表的宣言，宣言裏提出了「武裝民眾，進行抗日」。王明說，周揚和魯迅不同的文藝界抗日統一戰線的口號，都是依據這兩個中央文件，所以歸根結底這兩個口號都是他起草的，時間上一個是 1931，一個是 1936。

一個政治集團、政治力量為了自身利益而變換口號，非常正常。可惜文學家轉彎沒那麼快。文人的理想，不僅為了利益、形勢，更多出於理念、信仰。好不容易經過近十年戰鬥，魯迅也有了陣營、敵我、橫站之類的意識，突然又轉向要他搞統戰，用幾年前剛剛批判過的民族主義（現在叫「國防文學」）口號，魯迅適應不過來。毛澤東後來說，魯迅不僅是偉大的文學家，而且是偉大的思想家、革命家。但是從「兩個口號」之爭的情況看，魯迅確實是偉大的思想家，偉大的革命家，但歸根結底他是一位偉大的文學家。

就在「兩個口號」爭論時候，魯迅的身體狀況急劇惡化，1936 年 6 月 5 日，魯迅因病停了日記。他的日記之前連續 25 年沒有中斷過，可是在 1936 年 6 月停了 25 天。這個時候不止一篇文章由馮雪峰代筆。胡風對魯迅說，雪峰模仿周先生的語氣倒很像，魯迅淡淡一笑說，我看一點都不像。[26] 胡風這個回憶是否準確，也難說。

六、魯迅：胡説！胡説！胡説！

再回到 1936 年 8 月 5 日，魯迅日記提到了〈答徐懋庸並關於抗日統一戰線問題〉，徐懋庸這個名字也因為這篇文章永遠留在中國現代文學史上。

徐懋庸當時二十幾歲，寫雜文模仿魯迅風格，魯迅曾給他的雜文集寫過序。1936 年徐任「左聯」宣傳部長，也是新創辦的中國文藝家協會的理事。1936 年 8 月 2 日，就是我們看到那篇日記的前三天，他給魯迅寫了封信，裏面直接批評魯迅：「在目前，我總覺得先生最近半年來的言行，是無意地助長着惡劣的傾向的。」「言行」、「惡劣傾向」等，很不客氣。「在目前的時候，到聯合戰線中提出左翼的口號來，是錯誤的，是危害聯合戰線的。」除了批評魯迅，批判魯迅支持的口號，徐懋庸還尖銳地責罵魯迅身邊的一些人，比方說「胡風的性情之詐」，「黃源的行為之諂」，「巴金的『安那其』的行為，則更卑劣」。信中說魯迅「先生可與此輩為伍，而不屑與多數人合作，此理我實不解。」還說「我覺得不看事而只看人，是最近半年來先生的錯誤的根由。」[27]

當然，讀了這麼一封極不客氣的來信，8 月 3 日那天日記說「雨，無事」，其實是生氣，怎麼沒事？魯迅成為文壇領袖，已經十多年了。這是他提拔的一個年輕人，居然跑出來這樣和他說話，語言囂張，態度不遜，而且這封信不僅是徐懋庸個人的驕橫，還代表着「左聯」其他一些實際領導的觀點。在魯迅看來，這是來自於自己營壘的迄今為止最嚴重的一次攻擊，所以〈答徐懋庸並關於抗日統一戰線問題〉過萬字，罕見地把徐懋庸的

信放在前面 —— 通常魯迅寫辯論文章，都是把人家的文章附錄在後面。

現在知道這篇文章是馮雪峰代擬的初稿，魯迅花了幾天時間做了修改、增補，在我看來這是一篇非典型的魯迅文章，魯迅以前從來沒有發表過這樣格式的文章。

這篇文章跟魯迅一貫的文風有甚麼不同？

第一，這篇文章裏有大段的政治宣言，因為徐懋庸置疑魯迅支持的口號危害統一戰線，魯迅在文中加了重點號，直接聲明自己的立場。

> 中國目前的革命的政黨向全國人民所提出的抗日統一戰線的政策，我是看見的，我是擁護的，我無條件地加入這戰線，那理由就因為我不但是一個作家，而且是一個中國人，所以這政策在我是認為非常正確的，我加入這統一戰線，自然，我所使用的仍是一枝筆，所做的事仍是寫文章，譯書，等到這枝筆沒有用了，我可自己相信，用起別的武器來，決不會在徐懋庸等輩之下！
>
> 其次，我對於文藝界統一戰線的態度。我贊成一切文學家，任何派別的文學家在抗日的口號之下統一起來的主張。[28]

這樣政治表態的宣言文字，實在不像魯迅的文風。

第二，這篇文章裏不再運用魯迅常用的諷刺、譏笑、拐彎抹角罵人，而是直接正面，從政治人格上指責對方：

那種表面上扮着「革命」的面孔，而輕易誣陷別人為「內奸」，為「反革命」，為「託派」，以至為「漢奸」者，大半不是正路人；因為他們巧妙地格殺革命的民族的力量，不顧革命的大眾的利益，而只借革命以營私，老實說，我甚至懷疑過他們是否係敵人所派遣。

徐懋庸說不能提出這樣的口號，是胡說！「民族革命戰爭的大眾文學」，也可以對一般或各派作家提倡的，希望的，希望他們也來努力向前進，在這樣的意義上，說不能對一般或各派作家提這樣的口號，也是胡說！但這不是抗日統一戰線的標準，徐懋庸說我「說這應該作為統一戰線的總口號」，更是胡說！[29]

撇開內容不談，這三個胡說，三個感嘆號，應該也是馮雪峰的文筆，魯迅在重病之下氣憤之中，修改也力不從心。

第三，更重要一點，文章裏邊有很多地方非常有策略，雖然這個策略已經不大符合事實了，但是很顧及統一戰線、政治正確，這個也是魯迅一生的寫作裏很罕見的。比方說關於「民族革命戰爭的大眾文學」，「我先得說，前者這口號不是胡風提的，胡風做過一篇文章是事實，但那是我請他做的。」

事實上口號是馮雪峰向胡風提的，魯迅出來背書，是保護胡風和馮雪峰。文章是我請他做的，怎麼樣？

魯迅又說，「這口號，也不是我一個人的『標新立異』，是幾個人大家經過一番商議的，茅盾先生就是參加商議的一個。」但實際上茅盾沒有參與，茅盾回憶錄裏有說明。魯迅文章還說，

「郭沫若先生遠在日本，被偵探監視着，連去信商問也不方便。」
這又是統戰筆法了，魯迅平常有事，哪裏會找郭沫若商量？一篇
文章裏有三處提到郭沫若，另外一處是引用郭沫若的話，還有一
處這樣說：「例如我和茅盾，郭沫若兩位，或相識，或未嘗一面，
或未衝突，或曾用筆墨相譏，但大戰鬥卻都為着同一的目標，決
不日夜記着個人的恩怨。」[30]

現在沒法考證，此話是魯迅本意，還是馮雪峰起草的統
戰策略。

整篇文章寫得很有氣勢，邏輯分明，局部地方非常有文采。
有一段非常有名，是這樣說：

> 卻見駛來了一輛汽車，從中跳出四條漢子：田漢，周
> 起應，還有另兩個，一律洋服，態度軒昂。

這番話到後來就被人反覆引用了，文革當中批判「四條漢
子」，出處就在這個地方，這倒像典型的魯迅文風。

1936 年 8 月 5 日，這時魯迅的生命還有兩個多月。

注

1　陳光中：《走讀魯迅》(北京：中國文史出版社，2015 年)，頁 61。

2　同注 1，頁 249-250。

3　魯迅：《魯迅全集》第十六卷 (北京：人民文學出版社，2005 年)，頁 615。

4　須藤五百三：〈醫學者所見的魯迅先生〉，《作家》月刊 (上海) 第二卷第二號，1936
　　年 11 月 15 日。

5　須藤五百三：〈醫者所見之魯迅先生〉，《上海日報》(晚報版)，1936 年 10 月 20-22
　　日。日本關西大學北岡正子教授指出《魯迅先生紀念集》中「日本各雜誌新聞所記
　　載的追悼文細目」提到 1936 年 10 月 23 日《上海日報》曾刊載一篇須藤五百三名為
　　〈醫者所見之魯迅先生〉的文章，之後該文章被「剪短的摘要在日本的雜誌《新青年》
　　1973 年 1 月號 (第十八卷第一號)上。」北岡正子將其與須藤五百三發表在《作家》
　　雜誌上的〈醫學者所見的魯迅先生〉對比後認為二者「應該是不同的文章」，前者並非
　　後者的日文原稿。「所提到的有幾個不同點。首先是標題的假名部分並非片假名而
　　是平假名 (『醫者より觀たる魯迅先生』)，另外發表日並非 23 日，而是昭和十一年
　　(1936 年) 的 10 月 20、21、22 日，分『上、中、下』三回，發表在《上海日報》的
　　夕刊 (晚報版)。把〈醫者所見之魯迅先生〉與《作家》中的〈醫學者所見的魯迅先生〉
　　比較之下，顯而易見的不同之處在於〈醫學者所見的魯迅先生〉附錄的『魯迅先生病
　　狀經過』並沒有附在〈醫者所見之魯迅先生〉裏面。另外，即使把日文與中文在翻譯
　　上的差異都計算進去，文章的長度，〈醫者所見之魯迅先生〉還是比較長。從這兩點
　　應該就可以斷言，〈醫者所見之魯迅先生〉並不是〈醫學者所見的魯迅先生〉的日文
　　原稿。」參見：[日] 北岡正子：〈有關《上海日報》記載須藤五百三的《醫者所見之魯
　　迅先生》〉，《魯迅研究月刊》，2003 年第十一期，邱香凝譯。

6　須藤五百三：〈醫者所見之魯迅先生〉，《上海日報》(晚報版)，1936 年 10 月 20-22
　　日。轉自 [日] 北岡正子：〈有關《上海日報》記載須藤五百三的《醫者所見之魯迅先
　　生》〉，《魯迅研究月刊》，2003 年第十一期，邱香凝譯，頁 25。

7　魯迅：《魯迅全集》第六卷 (北京：人民文學出版社，2005 年)，頁 595。

8　朱正：《魯迅傳》(北京：人民文學出版社，2012 年)，頁 377。

9　周海嬰：〈父親的死〉，《魯迅與我七十年》(上海：文匯出版社，2006 年)，頁 51。

10　魯迅：〈死〉，《中流》半月刊第一卷第二期，1936 年 9 月 20 日。引自《魯迅全集》
　　第六卷 (北京：人民文學出版社，2005 年)，頁 634。

11　周建人：〈魯迅的病疑被須藤醫生所耽誤〉，《人民日報》，1949 年 10 月 19 日。

12　嚴家炎：〈魯迅的死與須藤醫生無關嗎？〉，《中華讀書報》，2003 年 3 月 19 日。

13　魯迅：〈花邊文學·序言〉，《魯迅全集》第五卷 (北京：人民文學出版社，2005 年)，
　　頁 437。

14　魯迅：〈答《戲》週刊編者信〉，《魯迅全集》第六卷 (北京：人民文學出版社，2005
　　年)，頁 152。

15　魯迅：〈致楊霽雲〉，《魯迅全集》第十三卷 (北京：人民文學出版社，2005 年)，頁
　　301。

16 魯迅：〈致蕭軍、蕭紅〉，《魯迅全集》第十三卷（北京：人民文學出版社，2005 年），頁 445。

17 魯迅：〈致胡風〉，《魯迅全集》第十三卷（北京：人民文學出版社，2005 年），頁 543。

18 同注 17。

19 ［美］夏濟安：〈魯迅與左聯的解散〉(Lu Hsün and the Dissolution of the League of Leftist Writers) 收入其英文名著《黑暗的閘門：中國左翼文學運動研究》(*The Gate of Darkness: Studies on the Leftist Literary Movement in China*) 中，中文版參見夏濟安著、萬芷均、陳琦等譯：《黑暗的閘門：中國左翼文學運動研究》（香港：香港中文大學出版社，2016 年）。

20 茅盾：《我走過的道路》（中）（北京：人民文學出版社，1984 年），頁 307-347。

21 魯迅：〈致曹靖華〉，《魯迅全集》第十四卷（北京：人民文學出版社，2005 年），頁 81。

22 馮雪峰：〈有關一九三六年周揚等人的行動以及魯迅提出「民族革命戰爭的大眾文學」口號的經過〉，《新文學史料》，1979 年第二期，頁 248。

23 同注 22。

24 同注 8，頁 285-290。

25 王明：《中共五十年》（出版地不詳：現代史料編刊社，1981 年）。

26 胡風：〈魯迅先生〉，《新文學史料》，1993 年，第一期。

27 魯迅：〈答徐懋庸並關於抗日統一戰線問題〉，《魯迅全集》第六卷（北京：人民文學出版社，2005 年），頁 547-548。

28 同注 27，頁 549。

29 同注 27，頁 549-550、553。

30 同注 27，頁 557。

〈華威先生〉

張天翼

官場與國民性

　　從五四到四十年代的現代文學，一般學術界的共識，最成功的文學形象是農民和知識分子。但是如果從 1902-1903 年梁啟超、李伯元開始讀上世紀中國小說，一個明顯的事實是，晚清小說主要寫的是官場。而且 1942 年以後，「十七年文學」及八十年代以後的小說，官員（幹部）也一直是重要人物形象。這就迫使我們要重新思考上世紀文學之中農民、知識分子和官員的三角關係。

　　晚清小說主要描寫官場，五四小說主要關注國民性，張天翼的〈華威先生〉同時描寫官場與國民性。

一、三十年代中國最傑出的幽默短篇小說作者

　　〈華威先生〉1938 年 4 月 16 日發表在《文藝陣地》，這個期刊的背景需要回顧。1937 年的 10 月，茅盾從上海到漢口，想編一份抗戰期刊，之後戰火連天，作家到處流離 —— 漢口、長沙、

南昌、杭州，又到上海、香港、廣州等。到 1938 年 2 月，茅盾在武漢決定辦《文藝陣地》，當時鄒韜奮也在。在長沙，張天翼就交給茅盾〈華威先生〉的稿子。之後茅盾到廣州，想在廣州印這份雜誌，但情況又有變化，薩空了邀茅盾到香港編《立報》副刊，所以《文藝陣地》是在廣州排成，在香港出版。

因為張天翼的〈華威先生〉，《文藝陣地》創刊號引起強烈反響。《文藝陣地》十八期以後，由樓適夷代編，編務後來移到上海，四十年代被查禁。茅盾又在重慶復刊，最後在 1944 年停刊。這是一份典型的抗戰文藝期刊，也是香港文學的一部分。不過在香港大概很少人認為〈華威先生〉是香港文學。

張天翼（1906-1985）早年讀北大，1931 年加入左聯。夏志清《中國現代小說史》將張天翼與沈從文、張愛玲、錢鍾書放在一樣高的藝術地位，認為他是「三十年代中國最傑出的幽默短篇小說作者。」多年之後，夏志清還很遺憾人們沒有足夠注意他對張天翼的特別推崇，「在同期作家當中，很少有人像他那樣，對於人性心理上的偏拗乖誤，以及邪惡的傾向，有如此清楚冷靜的掌握。他沒有華麗的辭藻，也沒有冗長的段落結構，他只是以精確的喜劇性來類比不同社會階層的特徵。特別他運用起方言來，那絕對精彩。我每次都要提到他，可就是沒有多少人回應。我明明講了四個人，可大家後來只提前面三個，就是忘記了張天翼。有人說我是反共的，凡是共產黨的作家都不好，這其實是冤枉，張天翼不就是左翼作家嗎？」[1]

二、永遠在「忙」的華威先生

現代文學人物中，我們會用來形容現實生活中人，第一是阿 Q，第二就是華威先生。比方說某人有「阿 Q 精神」，也會說某人像「華威先生」。這是一個常常可以在周圍發現的典型人物，甚至也可以在自己身上發現阿 Q 和華威先生的特徵。

小說第一段，「轉彎抹角算起來 —— 他算是我的一個親戚。我叫他『華威先生』。他覺得這種稱呼不大好……『你應當叫我威弟。再不然叫阿威。』」

「拐彎抹角的親戚關係」，暗示敍事者「我」和華威先生有關係，都在官場，常常一起開會，而且也沾親帶故。但又有距離，「我」只是觀察者，沒有太多評論，只是描述華威先生的行動、舉止、表情、談吐，語氣之中滲透諷刺。

華威先生的特點，第一個就是忙 —— 不是真忙，而是顯得很忙。這是他的特點，還是官場中人的一般特徵？

> 「我們改日再談好不好？我總想暢暢快快跟你談一次 —— 唉，可總是沒有時間。今天劉主任起草了一個縣長公餘工作方案，硬叫我參加意見，叫我替他修改。三點鐘又還有一個集會。」
>
> ……
>
> 「王委員又打了三個電報來，硬要請我到漢口去一趟。這裏全省文化界抗敵總會又成立了，一切抗戰工作都要領導起來才行。我怎麼跑得開呢，我的天！」
>
> 於是匆匆忙忙跟我握了握手，跨上他的包車。[2]

忙，還包括包車必須快跑。「據這裏有幾位抗戰工作者的上層分子的統計，跑得頂快的是那位華威先生的包車。」「他的時間很要緊。他說過——『我恨不得取消晚上睡覺的制度。我還希望一天不止二十四小時。抗戰工作實在太多了。』接着掏出表來看一看，他那一臉豐滿的肌肉立刻緊張了起來。眉毛皺着，嘴唇使勁撮着，好像他在把全身的精力都要收斂到臉上似的。他立刻就走：他要到難民救濟會去開會。」

在現實生活中，其實也經常可以看到這樣一面忙，一面抱怨忙的人，或者說，我們自己也會不由自主地抱怨。中國人見面打招呼，通常是「吃過飯了沒有？」或者「最近好吧？」又或者——「最近忙不忙？」怎麼回答呢？看關係遠近。關係一般的同事朋友，我們通常說——「忙啊，忙不過來。」其實不一定真忙。碰到好朋友，也許我們就說——「無聊，無所事事。」為甚麼大部分情況我們要裝得自己很忙？貌似抱怨，實則炫耀。計程車司機、餐廳營業員，真的很忙，卻不會炫耀。顯得很忙，通常是強調要開會，忙出差、接項目、做生意，特別是見領導。忙，說明自己有價值，不可替代，在學術界，在商界，尤其是在政界，在官場，忙是一種身分，一種地位。忙甚麼，忙出甚麼成果，反而不重要。

晚清小說寫官員，主要描繪貪，較少強調忙。忙，作為官場時髦甚至職場美德，可能還和現代社會制度與官場問責形式有關。中國士大夫傳統，當然也有鞠躬盡瘁的例子，但太忙碌也可能代表太功利，高手能人有時故作清閒狀。華威先生的忙，是民國新官場新氣象。

　　但忙也好，閒也罷，官場核心還是權。權，則必須在眾人他者態度中才能確定。「照例 —— 會場裏的人全到齊了坐在那裏等着他。華威先生的態度很莊嚴，用種從容的步子走進去，他先前那副忙勁兒好像被他自己的莊嚴態度消解掉了……甚麼困難的大事也都可以放下心來。他並且還點點頭。他眼睛並不對着誰，只看着天花板。他是在對整個集體打招呼。會場裏很靜。會議就要開始……華威先生很客氣地坐到一個冷角落裏，離主席位子頂遠的一角。他不大肯當主席。『我不能當主席，工人抗戰工作協會的指導部今天開常會。通俗文藝研究會的會議也是今天。傷兵工作團也要去的，等一下。你們知道我的時間不夠支配：只容許我在這裏討論十分鐘。我不能當主席。我想推舉劉同志當主席。』」雖然不做主席，卻能推舉主席。樣子要低調，權力要保持，這是新官場文化的第二個特徵。晚清小說裏官員對上當然恭敬無比，但鮮有對下也裝作（哪怕只是裝作）謙遜姿態。將上下級關係的貌似平等也作為官場遊戲規則，應該也是「現代性」的要求。華威先生推舉了主席，卻要求主席在兩分鐘之內報告完，平等謙遜姿態裝得不太像，兩分鐘以後他就打斷了主席的話說 ——「我現在還要赴別的會，讓我先發表一點意見。」這種情況重要的不是他說甚麼，而是他在顯示或驗證自己擁有打斷別人（哪怕是主席）的權力。官場裏的權力有時不在於說甚麼做甚麼，而在坐在哪裏，遲到早退，說話時留着人們鼓掌的時間等等形式因素。

「我的意見很簡單，只有兩點，」他舔舔嘴唇。「第一點，就是——每個工作人員不能夠怠工。而是相反，要加緊工作。這一點不必多說，你們都是很努力的青年，你們都能熱心工作。我很感謝你們。但是還有一點——你們時時刻刻不能忘記，那就是我要說的第二點。」

他又抽了兩口煙，嘴裏吐出來的可只有熱氣。這就又括了一根洋火。「這第二點呢就是：青年工作人員要認定一個領導中心。你們只有在這一個領導中心的領導之下，抗戰工作才能夠展開。」

話還真不多，就講兩點。直接道出新官場文化在「忙碌」與「假裝低調」之外的第三特徵，那就是「一個中心」。第三特徵是最重要的，這也是從李伯元筆下的晚清官場，到張天翼小說裏的抗戰會場最關鍵的轉變與傳承。反覆重申一個中心，就是假裝民主（這是轉變），其實不允許有反對意見（這是傳承）。

⋯⋯「好了，抱歉得很，我要先走一步。」

把帽子一戴，把皮包一挾，瞧着天花板點點頭，挺着肚子走了出去。

可是「到門口可又想起了一件甚麼事⋯⋯『你們工作——有甚麼困難沒有？』他問。」人們要說，他又沒時間聽了，要人們去他家。一個長髮青年抱怨：「星期三我們到華先生家裏去過三次，華先生不在家⋯⋯」華威先生說，「你們跟密司黃接頭也

可以。」然後他就去了通俗文藝研究會的會場。那裏會已經開了，他拍手打斷會議，說我還有會，讓我先講兩點，又是第一，工作要努力；第二，認清一個領導中心。

五點三刻，他到了文藝界抗敵總會的會場，先和一個小鬍子密談了幾句昨晚喝酒的事情，之後主席就打斷別人發言說，讓華威先生先說，他又在講領導中心的重要性。

小說裏描寫的情況有兩種可能，一種華威先生確是威權人物，真有實權，所有這些會議非他到場不可。他到了，會議的級別就提高了，就可能有實質性的決議。他兼了這麼多的委員會，甚麼事都離不開他（當然也說明他對別人都不放心都不放手，整天提醒大家只有一個領導中心）。

還有第二種可能：這些會他到不到其實沒多大關係，又是抗戰文藝，又是婦女問題，又是通俗文藝等等，似乎都也不大像戰爭年代的重要議題。只是因為他資格老、關係多，才到處要插一腳。滿足個人虛榮心，也是官場浮誇作風，如此而已。越忙，越說明地位虛弱，朝夕不保，其實是官場中的弱者。這便帶出了官場形態之四：發言提議越大聲越積極，通常是越沒實權的人 —— 這也正是官場文學與國民性主題的相通之處，或者說在官場文化中「自欺欺人，被欺者欺人」的國民劣根性秩序顛倒：看似欺人的官員，其實可能正是被人欺負（恐懼被拋棄）的人物。

小說的最後兩段尤其精彩，一個是華威先生發現婦女界組織「戰時保嬰會」竟然沒有找他，他便十分生氣，找人來問。問話當中，聽到有個人又去了一個叫日本問題座談會。

「甚麼！甚麼！——日本問題座談會？怎麼我不知道，怎麼不告訴我？」更加發火了，這天晚上他喝了很多酒。「密司黃扶着他上了床。他忽然打個寒噤說：『明天十點鐘有個集會……』」

最後這個細節，我們不要笑別人，也會看到自己。官場和文化、學術場域不無相通之處，都遵循官本位的基本結構原則。在同行那裏，如果聽到一個甚麼學術會議，主辦方如果請我，我也未必去，但居然沒找我。本來應該或者可以參加的，我卻一點都不知道，沒人通知我，這個時候會不會有一種被忽略、被拋棄的感覺呢？

從這個角度看，華威先生不僅不是個威權人物，而且是一個害怕被人忽略、拋棄的小官僚。或者說即使是威權人物，同時也可能害怕被人忽略、拋棄。小說開篇皮包、手杖，神氣活現，到了小說結尾，在床上還要打寒顫，怕錯過了明天的甚麼會議，猶如契訶夫筆下的公務員形象，概括着官僚文化的普遍精神。官場文學一旦與國民性反思結合，小說就不僅寫華威，不僅寫國民黨，不僅寫官員。

三、〈華威先生〉會不會被敵人所利用？

小說在抗日期刊《文藝陣地》上發表後，引發了持續兩年之久的關於「暴露與諷刺」的文藝論爭。林煥平稱讚「華威先生」，認為小說表現了一個救亡要人的典型，這類人物在現實中實在

不少，張天翼小說是一個有力的諷刺。但也有人批評，早期香港作家李育中說：「在緊張的革命行進和作生死決鬥的時期，嚴肅與信心是異常需要的，接受幽默的餘暇是太少了。何況幽默有時出了軌，會鬧出亂子的，傷害着嚴肅。」[3]

有學者認為李育中的觀點受了郭沫若浪漫主義抗戰文學主張的影響。郭沫若當時認為抗日文藝應該正面宣傳，以鼓舞信心為主，而《文藝陣地》的主編茅盾就比較重視對國民黑暗性的寫實批判意義。抗戰初期茅盾也曾經到過武漢，董必武問他願不願意留下？中華全國文藝界抗敵協會和政治部第三廳都需要人。茅盾說，做這種工作我是外行，我還是去編雜誌，寫小說。後來第三廳廳長是郭沫若。中華全國文藝界抗敵協會領銜的是中立派老舍。魯迅去世以後，為甚麼是「魯郭茅」，而不是「魯茅郭」呢？按照政治資歷，茅盾是中共的創始人之一，文學成就《子夜》也不在《女神》之下。當時是周恩來說，魯迅是新文化運動的導師，郭沫若是新文化運動的主將。

〈華威先生〉引起的爭論，在一定程度上反映了茅盾和郭沫若在抗戰文藝思想上的一些分歧。

小說發表幾個月以後，增田涉將它譯成日文，在日本的《改造》期刊上發表，「編者按」借機詆毀中國抗日，用這個小說來鼓舞日本的士氣，所以更引起了中國文藝界的討論了：戰爭期間，暴露抗日官員都是這樣虛榮，這是否幫了敵人的忙？給敵對勢力「遞刀子」？

離開特殊的戰爭背景，我們在〈華威先生〉裏卻可以讀到

民國新官場的四個特徵：作忙碌狀，假裝低調，強調中心，害怕出局。

這只是抗戰中的官員嗎？這樣的官員是不是跨時代的？還是反映了官場隨時代而變化？五十年代初，有人問張天翼，說小說描寫官僚主義是不是有現實意義？張天翼馬上否認說，這只是寫抗日戰爭的官員，只是諷刺國民黨的官員，沒有別的意思。

「沒有別的意思」，後來張天翼一直寫兒童文學。

注

1　季進：〈夏志清訪談錄〉，《當代作家評論》(瀋陽) 2005 年第四期。

2　張天翼：〈華威先生〉，《中國短篇小說百年精選》(香港：三聯書店，2005 年)，頁 475。下同。

3　李育中：〈幽默、嚴肅和愛〉，引自蘇光文編：《文學理論史料選》(成都：四川教育出版社，1988 年)，頁 228。原載於《救亡日報》，1938 年 5 月 30 日。

貞貞、「我」和「霞村」的三角關係

　　我們在閱讀李劼人《死水微瀾》時注意到一個「一女多男」模式 —— 不論是袍哥首領、有權勢的教民，或者是藥鋪掌櫃及其他士紳，不同政治勢力經濟背景社會身分的男人，都會圍着一個風情萬種的女人轉。怎麼來解釋這種現象呢？是主題隱喻？還是情節需要？象徵層面上或者女人代表山河、土地，男人們（各種勢力）爭來爭去，都是為了佔有這些山河土地；佔有豐乳肥臀，就等於勝利。寫實層面上也可以說女人十分現實 —— 你們去爭吧，誰贏了，我跟誰一起，過幸福生活。

　　但是否還有別一種讀法？男人們的戰鬥、爭奪，甚至很神聖的民族、國家、戰爭、城鄉、生死、革命，為甚麼常要在女人的身體上開闢戰場呢？

一、第一個到解放區的知名作家

　　胡也頻被國民黨槍殺後，丁玲在馮雪峰的安排下，和一個

相對比較實惠平凡的知識分子馮達結婚（馮達晚年一直在海外靜靜關注丁玲在中國大陸的沉淪起伏）。兩人 1933 年在南京被軟禁，很多人以為丁玲遇難，魯迅紀念文章已寫好。沒想到後來丁玲在馮雪峰、聶紺弩的幫助下去了陝北。當時丁玲也可以去法國，但那是三十年代，文人進步，延安比巴黎更美麗。1936 年 9 月，丁玲到達保安，她是第一個到達解放區的知名作家，毛澤東、周恩來、張聞天等人開會歡迎她。毛澤東特地為丁玲寫詩。組織上有意讓丁玲領導文藝工作，她卻要求去前線，且十分崇拜彭德懷。電影《黃金時代》，描述丁玲在陝北附近遇見蕭軍蕭紅，其實那個時刻，對這幾個人來說都是十字路口：蕭軍後來也去了延安，他和丁玲有十分特殊的友誼；蕭紅懷着蕭軍的孩子，卻隨端木蕻良南下，經重慶到香港，後來在香港悲慘去世。一年以後，丁玲從西北戰地服務團再回到延安，抗戰正式爆發了，周揚、何其芳、卞之琳等很多知名作家，包括電影明星藍蘋，都已經從上海到了延安，情況就不同了。

　　在延安的前幾年，丁玲很受重視，擔任黨中央機關報《解放日報》文藝副刊主編，副主編是陳企霞。1942 年發表雜文〈三八節有感〉是一個轉捩點，文章原意是幫婦女地位說話，但有一句涉及延安的官員：「有着保姆的女同志，每一個星期可以有一天最衛生的交際舞。雖說在背地裏也會有難比的誹語悄聲的傳播着，然而只要她走到那裏，那裏就會熱鬧，不管騎馬的，穿草鞋的，總務科長，藝術家們的眼睛都會望着她。」這個女同志是誰呢？丁玲沒有明說，但是當時大家都知道，「每星期跳一次舞是衛生的」，是江青說的話，於是丁玲犯錯了。康生領導搶救運動，

反覆審查丁玲當年在南京被軟禁的過程，後來是中組部長陳雲保她過關，主席也說話。丁玲真正變成「反黨集團」是到了十幾年以後，1956 年的事情。

二、〈我在霞村的時候〉：「慰安婦」間諜回來以後

〈我在霞村的時候〉是篇一萬多字的小說，發表在 1941 年 6 月《中國文化》第三卷第一期。《中國文化》是一份綜合性的學術雜誌，主要發表理論文章，類似後來的《紅旗》雜誌。毛澤東《新民主主義論》就發表在《中國文化》上。可以想像，在這麼一份期刊上發表這樣一篇小說，規格很高，引人注目。也說明寫作的時候，丁玲在延安有地位，有影響，也有信心。後來從文學史角度來看，這個黃金時刻轉瞬即逝。

「我」是一個到霞村休養兩週的作家幹部，有點像丁玲自己。在宣傳科女同事阿桂的陪同下，花了很長時間走到霞村，村莊裏沒甚麼人，氣氛有點冷清詭異。雖是陝北農村，卻有個天主教堂。她們慢慢爬山，爬到最高的地方，就是「我」要住的劉二媽家。「我」發現村民們在交頭接耳，低聲說話，神神秘秘，但並不是對幹部感興趣，而是議論別的事情。「我」很好奇，也去聽，弄了半天才知道，大家是在議論她房東的女兒貞貞。貞貞從日本人那裏回來，她已經在那裏「幹」了一年多了，阿桂說「我們女人真作孽呀！」[1]

第二天，「我」聽到了更多村民對貞貞的議論，一個雜貨鋪老闆說，「聽說病得連鼻子也沒有了，那是給鬼子糟踏的呀，虧

她有臉回家來，真是她爹劉福生的報應。」「聽說」——說明他也沒見到。老闆的老婆在裏頭說，「那娃兒向來就風風雪雪的，你沒有看見她早前就在這街上浪來浪去，她不是同夏大寶打得火熱麼，要不是夏大寶窮，她不老早就嫁給他了麼？」老闆進一步聳人聽聞，「聽說起碼一百個男人總睡過，哼，還做了日本官太太，這種缺德的婆娘，是不該讓她回來的。」

「我」聽了村民的議論很生氣，但也不願同他們去吵，走了幾步，又看見兩個打水的女人也在議論，說貞貞「還找過陸神父，要做姑姑，陸神父問她理由，不說，只哭，知道那裏邊鬧的甚麼把戲，現在呢，弄得比破鞋還不如」，還說她怎麼走路一瘸一拐，帶着鬼子送的戒指，鬼子話也會說等等。

小說寫到這裏，「我」還沒看見貞貞，但我們已經明白丁玲為甚麼要給女主角起這麼一個名字，就像沈從文的小說〈丈夫〉一樣，「貞貞」的反諷意義，就是強調解放區鄉民依然愚昧保守，眾人一起鄙視一個在戰爭裏的被侮辱被損害者，而且特別強調女人的身體的貞潔、疾病。之後，房東劉二媽補充細節情況，原來出事那天貞貞父親幫她訂親，給西柳村一家米鋪的小老闆做填房，貞貞不從，跑去天主堂，正好碰到鬼子來了。原來，中國女人是為逃婚而在天主教堂被日本軍人搶去成為慰安婦——多麼複雜弔詭的一組象徵符號。

「我」又問起夏大寶是怎麼回事，劉二媽說這個小伙子挺有良心的，現在仍然要貞貞。這時小說已經寫了一半，貞貞終於出場了——

這間使我感到非常沉悶的窰洞，在這新來者（貞貞）的眼裏，卻很新鮮似的，她拿着滿有興致的眼光環繞的探視着。她身子稍稍向後仰的坐在我的對面，兩手分開撐住她坐的鋪蓋上，並不打算說甚麼話似的，最後便把眼光安詳的落在我臉上了。陰影把她的眼睛畫得很長，下巴很尖。雖是很濃厚的陰影之下的眼睛，那眼珠卻被燈光和火光照得很明亮，就像兩扇在夏天的野外屋宇裏的洞開的窗子，是那麼坦白，沒有塵垢。[2]

三、小說為甚麼用第一人稱「我」敍事

小說明明寫貞貞的遭遇，為甚麼要用第一稱「我」？花了那麼多筆觸寫「我」，比寫貞貞還多，標題就是「我在霞村的時候」。

小說的來源是丁玲聽到一個傳聞，「其中的主人公雖然沒有其人，不過我卻聽到過這樣一件新聞。有一次，我看到一個同志要到醫院裏去，他告訴我說，是去看一個剛從前方回來的女人，那個女人被日本人強姦了，而她卻給我們做了許多的工作，把病養好了以後，又派她到前方去做原來的工作。她是恨透了日本人的，但她為了工作，為了勝利，結果還是忍痛去了。我當時聽了，覺得非常感動，也非常難過。」[3] 這裏邊有一句話聽上去有點殘酷：「又派去做原來的工作」。很多後來的革命文學，一般只寫這類故事「非常感動」，張愛玲〈色戒〉就主要寫「非常難過」，只有獨特的丁玲，既寫感動也寫難過。《延安日記》1940 年 8 月 19 日也記載了一段類似的故事：「一個從侮辱中逃出的女人，一

個在河北被日本人掠去的中年女人，她是個共產黨員，日本兵姦污她，把她挾到太原，她與八路軍取得聯繫，做了很多有利工作，後來不能待了，逃出來，黨把她送到延安養病——淋病」。[4] 蕭軍當時和丁玲關係密切，但也沒明說這是他提供給丁玲的素材或是丁玲告訴他的故事，細節上也已經和丁玲後來寫的故事有所不同。

1983 年丁玲「解放」以後又回憶寫作〈我在霞村的時候〉，說「文章寫了三分之二，我覺得寫得不好，就撕了，改用第一人稱。」[5] 改用第一人稱的目的是甚麼？第一，有偵探小說的角度，鋪墊層層，隨着「我」的目光，一步一步慢慢揭開貞貞之謎。第二，這個觀察角度，等於看到了貞貞在她的家鄉被示眾，被圍觀鄙視，但是這個圍觀者當中也有阿桂、劉二媽等樸素的同情者，同時夾雜「我」的現代性的、知識分子的視角，只有「我」注意到鄙視貞貞的更多的是女人：這些女人因為有貞貞才看出自己的聖潔來，因為自己沒有被強姦而驕傲了。

這些女人看貞貞得到的滿足，只是「我」發現的。「我」和霞村的既投入又抽離的關係對立，也像〈三八節有感〉和另一篇小說〈在醫院中〉所顯示，某種程度上正是丁玲和延安的複雜關係。

在「我」和貞貞的交談中，貞貞並沒有太多控訴日本人的暴行，反而不太理解日本人也有人性的一面，比方說那些軍人為甚麼藏着自己家裏女人的照片，寶貝似的。在旁邊聽的阿桂插話說「做了女人真倒楣」。「做了女人真倒楣」這句話後來被王德威寫評論時用作標題。[6] 貞貞很樸素地講她生病了，痛得要命，

肚子裏像爛了一樣，可是還走三十里地來完成任務，「後來阿桂倒哭了，貞貞反來勸她，我本有許多話準備同貞貞說的，也說不出口了，我願意保持住我的沉默。」貞貞被這麼多村民鄙視、同情、侮辱、圍觀，只有在「我」這個外來的知識分子身上獲得了理解，所以小說裏說我們的關係就密切了，誰也不能缺少誰似的。兩週以後「我」要離開了，貞貞忽然顯得很煩躁，小伙子夏大寶還來看貞貞。「我以為我是非常的同情他，尤其當現在的貞貞被很多人糟踏過，染上了不名譽的，難醫的病症的時候，他還能耐心的來看視她，向她的父母提出要求，他不嫌棄她，不怕別人笑罵，他一定想着她這時更需要他⋯⋯」其實大寶來求愛、求婚時，心裏帶着犯罪感，因為當初因他不敢與貞貞私奔，貞貞賭氣去了天主堂，才發生了被日本人搶去的事情。

「我」臨走的時候問貞貞為甚麼你拒絕大寶？貞貞平靜地說，「我總覺得我已經是一個有病的人了，我的確被很多鬼子糟踏過，到底是多少，我也記不清了，總之，是一個不乾淨的人，既然已經有了缺憾，就不想再有福氣。」

不僅村民這麼看，貞貞也自覺自己「是一個不乾淨的人」，如果能去延安養病，在不認識的人面前，她會比較快樂。最後，她實現了這個願望，小說結尾時，「我彷彿看見了她的光明的前途」，彷彿看見。

小說裏貞貞、「我」和「霞村」構成一個三角關係。「士觀官與民」，也是從五四到當代文學的一個經典模式。貞貞是苦難民眾，遭遇奇特，命運悲慘，令人同情；「我」是幹部身分的知識分子，哀貞貞之不幸，怒村民之愚昧。這些都是五四以來知識分

子──農民關係的延襲。但新的因素是「霞村」。小說題目不叫〈貞貞〉或〈貞貞的故事〉，而強調「我」在「霞村」，增加了解讀的複雜性。不知是否真實地名，但字面上看，「村」是空間，「霞」是時間，「村」裏有舊生態，「霞」卻是曙光。「霞村」既存在從柳媽閏土以來的鄉民保守愚昧，又是可以接待像「我」這樣幹部的解放區根據地，背後包含了新生的政權力量。

官場政權已在現代文學中消失已久，而且晚清小說是官民對立，像「霞村」這樣的官民混雜的意象，是二十世紀中國小說在 1942 年的「新生事物」。 新政權新文化理應批判鄉民蒙昧，但又要順應民風調控民情。「霞村」的內涵複雜，「貞貞」與「我」與「霞村」的關係也變得弔詭：「貞貞」與「霞村」血肉相連，卻只有「我」這個外來人才理解她；「霞村」無法原諒接受一個慰安婦，只好讓她繼續再做間諜；「我」對於鄉民歧視貞貞很不滿，但對於去延安醫病後再去執行同樣的工作，既感動又難過，其實是對舊傳統新官方的混合體不知所措。〈三八節有感〉裏有批評，結果是自己被批判。〈在醫院中〉抱怨官僚主義，結果也無濟於事。在某種意義上，丁玲初到延安時，她和延安的關係就像「我」和「霞村」的關係：認同，但也批判。等到丁玲最後離開延安時，她和延安的關係更像貞貞和「霞村」的關係：已經血肉相連，又隱隱懷疑自己「是一個不乾淨的人」，人人都好像在幫助她，走向「光明的前途」。

王德威認為，就文字藝術的試煉而言，丁玲的小說或者流於煽情造作，但她對女性身體社會地位及意識的體驗，是有心人探討性與政治或者女性與政治時候的絕佳素材。[7]貞貞回村被

鄉親歧視，還不能聲明自己是為革命犧牲肉體。到了 1958 年，丁玲被批判時，《文藝報》發表了一篇文章〈丁玲「復仇的女神」──評《我在霞村的時候》〉，[8] 說丁玲把一個被日本侵略者搶去做隨營妓女的女子當作女神一般神化，而且說貞貞是一個喪失了民族氣節，背叛了祖國和人民的寡廉鮮恥的女人。原來五十年代的革命理論家跟霞村的雜貨鋪老闆是一脈相承的，所用詞彙直到今天在網絡上還是常常可以見到。

百年中國，百年小說，太有戲劇性了，鄙視或者批判貞貞固然是極左加封建，但讚揚貞貞犧牲身體為革命，又何嘗不隱含着女性命運與民族國家的複雜關係。和《死水微瀾》以及將來我們要讀的《白鹿原》、〈紅高粱〉一樣，女性身體在男性社會中具有某種神話意義。日本學者中島碧在〈丁玲論〉[9] 一文當中說，貞貞是個慰安婦，現代文學當中寫慰安婦的作品非常罕見，〈我在霞村的時候〉倒是一篇。在我看來，〈我在霞村的時候〉代表了延安文藝的最高水平，不明白為甚麼到現在還沒有人把它改編成電影，應該可以像李安改編〈色戒〉那樣，「把病養好了以後，又派她到前方去做她原來的工作……」

注

1　丁玲：〈我在霞村的時候〉，《中國文化》第三卷第一期，1941 年 6 月；《中國短篇小說百年精選》(香港：三聯書店，2005 年)。下同。

2　丁玲：〈我在霞村的時候〉，《中國短篇小說百年精選》(香港：三聯書店，2005 年)，頁 516。下同。

3　丁玲：〈關於自己的創作過程〉1952 年 4 月。轉引自李向東、王增如：《丁玲傳》上 (北京：中國大百科全書出版社，2015 年)，頁 245。

4　蕭軍：《延安日記 1940-1945》上卷 (香港：牛津大學出版社，2013 年)，頁 8。

5　李向東、王增如：《丁玲傳》上 (北京：中國大百科全書出版社，2015 年)，頁 245。

6　王德威：〈做了女人真倒楣？—— 丁玲的「霞村」經驗〉，收入《想像中國的方法 —— 歷史‧小說‧敘事‧生活》(北京：三聯書店，1998 年)。

7　同注 6。

8　華夫：〈丁玲「復仇的女神」—— 評《我在霞村的時候》〉，《文藝報》，1958 年第 3 期。

9　[日] 中島碧：《丁玲論》：「女主人公貞貞，過去曾被日本軍拉走，強行作過『安慰婦』」，原載《飆風》(日本) 1981 年第十三期。轉自孫瑞珍、王中忱：《丁玲研究在國外》(長沙：湖南省人民出版社，1985 年)，頁 191。

「重讀二十世紀中國小說」，偶爾也不讀小說。

我們讀過郁達夫 1927 年 1 月 14 日的日記，郁達夫第一次見到王映霞。以那一天的日記為中心，可以看到一位作家在二十年代大革命浪潮當中的文學轉型。

我們讀過魯迅 1936 年 8 月 5 日的日記，記載了他和須藤醫生的來往，還有批判徐懋庸的文章，在那一天的日記裏，可以窺見三十年代中國文學的重要轉折。

1941 年 7 月 20 日蕭軍的日記，則記述三天前毛澤東在延安約他談話的過程。這天的日記比較長。

一、 1941 年 7 月 20 日的蕭軍日記

7 月 20 日星期日

幾天來為了疲倦和忙碌，日記竟擱置了三天。[1]

蕭軍在延安，基本每天都寫日記，常常寫得很長，寫當天的人和事，寫自己的心情，也把他認為重要的書信、報告、檔案都記錄下來。作家後來說他寫這些日記時從沒想過給第二個人看，甚至也沒想過給自己的妻子、兒女看。他說如果知道日後會被作為批判材料拿出來，也許當時就不寫日記了，或者就不是這種寫法。[2] 所以雖然這些日記可能有誤解、失實、偏見之處，但也應該有資料參考價值。

十八日下午約一時許，喬木有信來，說毛澤東約我談話。

我去的時候他正散步在院中，藍布軍衣，圓口布鞋，行動很緩慢，我走上坡時約幾丈遠彼此打了一個招呼。握手的時候，我沒敢用力，知道他的右臂在病風濕症。他的客廳是簡單的，新鋪了地板，開始是談了一些魯迅研究會的事以及魯迅的事：

「你是東北哪裏人？」

「錦縣……」

「唔……山海關外那個錦縣……」他抽出兩支煙來，我們每人點了一支。我給他點火柴，他也並沒有謙讓。這是自然而誠樸的。接着又開始了談話：

「你來就一年多了……想要到外面走走麼？」

「我有這意思……」

「現在恐怕外面還不好走吧？」

「待過了今年魯迅先生紀念會再說……關於路費的事，

> 我已經去信給洛甫同志了，他也回了信，答應可以想辦
> 法⋯⋯我是先借一萬元，待將來有錢再還⋯⋯」
>
> 「何必說借呢？這裏可以想辦法的⋯⋯」[3]

　　蕭軍自己記日記，卻用了加引號的直接引語來記錄談話，像小說一樣。當然，沒有錄音，事後補記，歷史學家也不能確定這些談話是否完全是原貌，但至少說明作家想在日記裏記錄這次約談的實況。

　　蕭軍，原名劉鴻霖，1907 年出生，十八歲入伍，二十一歲考進「東北陸軍講武堂」，後來做憲兵教練處教官。「九一八事變」後與友人一起籌組抗日義勇軍，失敗以後到了哈爾濱，開始文學活動。1932 年在一個旅館裏營救蕭紅，然後兩個人一起生活，出版小說、散文合集《跋涉》。1934 年寫成名作《八月的鄉村》，到上海後，因為魯迅的推薦，作為「奴隸叢書」，和蕭紅的《生死場》一起出版。1936 年魯迅出殯時，近萬人的出殯隊伍，蕭軍擔任總指揮。1938 年他到山西「民族革命大學」教書。之後和蕭紅分手，蕭紅懷着蕭軍的孩子和端木蕻良一起去了重慶、香港。1940 年蕭軍到延安，積極組織抗戰文藝活動，當時他最重要的身分是魯迅信任、提拔的青年作家，所以和毛澤東見面先談魯迅，十分自然。

> 　　接着是談了魯迅先生的一些生活，我也告訴他，昨夜我剛剛讀完了四本書：《蔣委員長西安半月記》、《魯迅的死》、《憶馬克思》、《毛澤東自傳》我說：

「偶然地看了這四本書，這是四個不同的人物……對照起來看很有趣的……蔣介石那裝腔作勢外強中乾的樣子……有些可憐可笑……你的自傳是誠樸的，我看你如果不是從事政治，倒很可以成為一個文藝作家……」他笑了。

蕭軍和毛澤東談話時不用「您」，只用「你」。

「我很喜歡文學的……」他（毛澤東）說。
「有一次一些人問我，魯迅先生對於我的影響怎樣，我回答說，我好比一缸豆汁，魯迅先生好比石膏或鹵水，經過了他的指點，我才成了形，結了晶……渾水和清水分開……」（蕭軍語）

蕭軍高度形容魯迅對他的影響。

「你這比方倒很妙啊！」我們共同地笑了。在談到魯迅先生底清苦生活，以及一些戰鬥的故事，他的眼睛似乎有感動的淚！這是個人性充足的人！

蕭軍在寫給自己看的日記裏，幾乎從來不稱讚人家，所以說「這是個人性充足的人」已是很高的評價。1940 年 10 月 7 日的日記，蕭軍描寫從莫斯科回來的中共高級領導，「王明變胖了，像一個資產階級的小官員，面部是沒表情的，頭表示自負和驕傲地揚着，兩雙手分撐在身子兩邊像隻螃蟹腳似的。聲音是單薄的，無有潛在的力量，言辭是一篇流行的社論文章。他用的手法

是拍一拍每一個人的肩膀……他是一個十足的政治工作者，他絕沒有大政治家那樣魄力、熱情、深刻有力感人的力量。」[4]王明並沒有得罪蕭軍，還處理過他的一些投訴，但是蕭軍在日記裏把他描寫得像「華威先生」一樣。還有蕭軍寫周揚，「他說話總是那樣漫長、囉嗦，時刻要引幾句原則做根據……周揚的策略是借了政治的力量來獲得羣眾，借了羣眾的基礎來鞏固和提高自己的地位」（1941 年 2 月 2 日）。還有一些關於林彪、賀龍的評論，都是直觀的印象，也都不大恭敬。相比之下，蕭軍對毛澤東印象很好。

當時蕭軍三十四歲，青年作家，毛主席四十八歲，還是中共領袖，兩人談話卻都直呼「你」，毛澤東聽蕭軍講魯迅的事情，眼睛裏還似有感動的淚。

> 接着我就談起了我預備談的題目：1. 根據施政綱領，組織的紀律與政府的法令抵觸時，應該誰服從誰？（我舉了洛男非法調工作的例子）

蕭軍問的倒是關鍵問題：黨紀與國法，誰服從誰，直接問主席。

> 2. 關於黨內的一些事，黨外人士可否批評？

當時蕭軍不是黨員，屬於黨外人士。怎麼會有這次約談？其實是因為蕭軍寫信求見。在 1940 年 9 月日記裏有記錄，有一次他跟一些士兵有衝突，曾經向洛甫（總書記張聞天）投訴，在日記裏也說「我要求見毛主席」，而且說「我要告別延安了」。

蕭軍的日記裏一般總是幾項內容：第一是整天表揚鼓勵自己的文學成就；第二是傾訴對新婚妻子王德芬的各種不滿；第三是詳細記載他和丁玲的特殊友誼，很多談心，共同話題是對延安的負面現象表示不滿，並討論如何在延安繼續魯迅的精神，繼續批判諷刺等等。

蕭軍給毛澤東寫信，說是要離開延安，其實也有點「士為知己者所用」的期望。7 月 8 日蕭軍寫信，9 日是他妻子生產，可是日記裏記載的卻是收到胡喬木的回信，毛主席要他把意見寫好送來。7 月 11 日日記說，「為了得不到毛的回信有些疑惑跟焦灼，其實這是不必的。」7 月 12 日又說，「為了收不到毛的信，感到很煩躁。如果他是『搭架子』或『有成見』那是不好的。」第二天又寫一信，說這個會晤算作告別禮吧。這樣反覆寫信才產生了 1941 年 7 月 18 日毛澤東約見長談。

談了魯迅以後，馬上討論黨紀國法關係。「他先是問我：『你對於施政綱領是贊成還是不贊成呢？』他翻着我帶去的一本中國文化上面的施政綱領。」蕭軍說他全部贊成，但是個別條款跟經歷的事實不符。毛澤東回答為甚麼要規定施政綱領？就因為黨和羣眾中間有了矛盾……如果抵觸了政府法令也就是抵觸了組織紀律……黨外人士當然可以批評黨，你可以批評……

第三項，蕭軍談了到延安一年多的感想、經過……

第四項，談到作家在延安寫不出東西的原因。蕭軍從他的角度講了作家在延安的處境，他發現毛澤東當時不太知道延安文壇的情況，丁玲調工作他不知道，艾青來了延安他也不知道。總之，蕭軍把他想說的話都說了，主席也都聽了。

在日記裏蕭軍做了這樣的總結：

> 1. 使我懂得了，他是對一些事隔閡的……
>
> 2. 毛的為人使我對他起了好感，誠樸，人性純厚，客觀……
>
> 3. 我盡情地說了自己要說的話，也代別人打通了一條路。
>
> 4. 他答應把《魯迅全集》借給（魯迅）研究會。
>
> 5. 他的病着的膀子不能舉起，每次吃飯取菜總要站起來，這使我感動。

看來他們是在毛澤東家裏吃晚飯的。「從他的臉上看不出棱角，眼睛也沒有桀驁的光，他是中國讀書人的樣子。」

二、從《延安日記》看蕭軍

從《延安日記》看蕭軍，第一，這是一個非常驕傲自負的作家，「我有些性格總近乎托爾斯泰：藐視一切，憎惡淺薄的機智和趣味……我的《八月的鄉村》，可以算為此次中華民族解放精神和行動的縮型的指標，他是青年們精神和行動的戰略……我應該像成吉思汗和拿破崙那樣，雖然以劍征服世界我是無望了，但是我卻要以筆征服這世界，至少是中國。」[5] 這是他對自己的期許，對自己的信心。本來是私下鼓勵自己，也沒打算給外人看。第二，這是一個「大男人主義」的丈夫，不斷抱怨妻子不夠愛他，還定條約規定「她不能結交任何男友，即使和女同學在一起，也

不能和男人在一起走⋯⋯除開 T（丁玲）的友情，我決不再結交
甚麼新的女友，即偶而有，我一定也同她說清。」蕭軍也知道這
是不平等條約，但還是直言不諱，「⋯⋯我專橫、封建⋯⋯我的
感情現在確實是這樣，我的理性也覺得應該這樣做！」。[6]「我把
一個做配偶的四個條件向她說了，讓她自己想想，她對於這四
個條件具備些甚麼？」[7] 第三，蕭軍及丁玲等作家對延安革命文藝
看法有些悲觀，說「將來文壇的趨勢，凡是有些才能和骨氣的作
家，他們一定不屬於國民黨也不屬於共產黨。」[8] 第四，蕭軍在延
安樹敵很多，他列了一張「敵人」的表，幾乎把當時文壇的人都
列進去了。[9] 他主持的「文抗」（文藝界抗敵協會）和「魯藝」（魯
迅藝術學院）長期對立。其實也是三十年代上海「兩個口號之爭」
的某種人事及觀點分歧的延續。

　　可是奇怪了，就這麼一個驕傲自大、大男人主義、對延安
文藝持有偏見，而且樹敵眾多的人，為甚麼毛主席願意跟他長談
幾個小時？而且 7 月 18 日約見以後，8 月 2 日毛澤東又有信給
他，說：「延安有無數的壞現象，你對我說的都值得注意，都應
改正。但我勸你同時注意自己方面某些毛病，不要絕對地看問
題，要有耐心，要注意調理人我關係，要故意的強制的省察自己
的弱點⋯⋯你是極坦白豪爽的人，我覺得我同你談得來，故提議
如上。如得你同意，願同你再談一回。」[10]

　　收到毛澤東這封坦率批評他的信以後，沒想到蕭軍一段時
間卻成了毛澤東家裏的常客，並且參與了延安文藝座談會的醞
釀準備。

　　蕭軍在日記裏寫道，「我恐怕是托爾斯泰之類的人，我是越

來越要孤獨，也越要向人類傳教了。」在和毛澤東初次談話以後，有作家（李又然）誇他新作，「僅是一篇就可以在中國奠定第一流作家的地位了」。蕭軍聽到好話就認為「他是真摯的，充滿着感情的，他是有文學靈魂的人⋯⋯能夠有幾個真正能理解我創作的人，我就滿足了。」[11] 文學上自認是天才，對新婚不久很快要生產的妻子也更加不滿，1940 年 9 月 21 日的日記寫到，「她為甚麼是這樣一個女人！她自己毫不知道反省⋯⋯我必須有一個具備各種條件的好妻子，不然就獨身一生吧！」同時蕭軍、丁玲對延安文藝都有批評，1941 年 3 月 19 日日記：「在讀文學作品的方法上，最近延安發生了一個傾向，就停滯在主觀人物的階級成分及政治意義⋯⋯等這一大套用一個公式去套一個作品，這樣是不好的⋯⋯為甚麼在延安的詩作者滿足口號，名詞，術語呢⋯⋯原因安在？」文藝批評背後又有派別鬥爭，日記記載，蕭軍先和周揚、艾青不和，後來也和丁玲、羅烽也是吵架。在延安，蕭軍好像有點學習魯迅，「與人奮鬥，其樂無窮」。

7 月 18 日初次談話以後，8 月 2 日，毛澤東寫信給蕭軍指出若干毛病，說有機會再談一回，可能感到有些話沒說清楚。蕭軍馬上回信，毛澤東說過幾天。

過了幾天，1941 年 8 月 10 日晚上，毛澤東派人拿來一張條子，

蕭軍同志：

我現在有時間，假如你也有暇，請惠臨一敍，此致

敬禮！

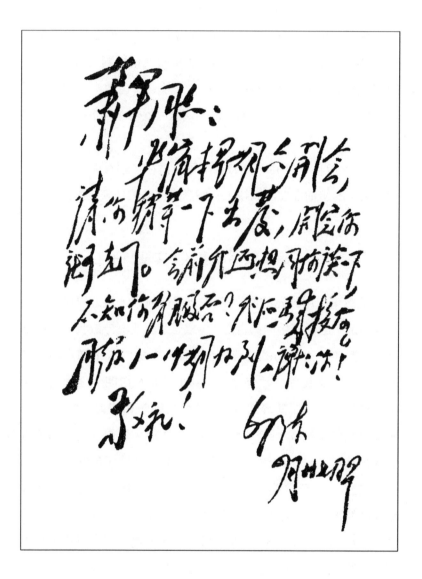

條子是晚上八點半寫的，蕭軍馬上去了。延安當時是個幾萬人口的小鎮，大約四分之一是中央軍政文化機關人口，他們住的窰洞距離不遠，「他正在院中和夫人趁着月色散步。他急步親切地我們握了手。我先詢問了他的病狀，就坐在月下院中，我們交談起來。」

這是 1941 年 8 月，此時德國軍隊正在長驅直入攻佔蘇聯，中國未來的領袖卻在深夜找了一個滿腹牢騷的作家，談甚麼呢？

三、蕭軍與毛澤東談「文藝鬥爭」

毛澤東引用魯迅的話：「敵人以弓箭射之，報之以弓箭；友軍以弓箭，應執其手而勸告之。」意思是說要區分敵我。他們聊到十二點半，蕭軍仍然趁着夜色走回家。第二天毛澤東訪問了蕭軍主持的文藝界抗敵協會，見到了艾青、白朗。之後毛主席又請羅烽、舒羣、艾青到他家，也約了凱豐和陳雲。8 月 12 日蕭軍日記這樣記載：「我和江青談了一些話，覺得她並不如我所想像那樣壞，是一個薄命女人相……毛一直是興奮着。他和每個人交談：『真理常常是在黨外啦』……」中組部長「陳雲說所有參加黨的人，幾乎十分之九是從文藝路上來的」。之後蕭軍和毛澤東來往相當頻繁，8 月 15 日蕭軍路過，就到毛澤東家裏喝酒到一點鐘，博古、彭真也在，可見延安時期政治家和文化人關係相當密切。8 月 29 日，蕭軍還到毛澤東家裏打牌，一邊打牌一邊討論中國文藝政策，說要爭取朱光潛、顧頡剛這些學者。9 月 4 日還跟毛澤東夫婦一起去看戲。10 月 2 日，蕭軍日記裏有這

麼一段比較,「從他(毛澤東)和朱德那裏給了我一些做人的影響,那就是他們的緩和與寬厚。從魯迅先生那裏所得的,卻是深刻、艱苦、忍受和認真不苟,實踐、嚴肅、堅貞的精神。」

10 月 16 日,蕭軍又在毛澤東家裏,從蘇德戰爭講到四大名著,講到毛澤東的生平。毛澤東說「《紅樓夢》是一部新勢力以賈寶玉為首和封建勢力做鬥爭的小說。」在 11 月 26 日的一次長談中,毛澤東問:在秦漢之前為甚麼沒有農民暴動?還問蕭軍:「你和周揚為甚麼弄不來啊!我看他是個好人……」當天晚上日記裏蕭軍又自我膨脹起來,「我的目的,是要使中國文學在世界上佔一席之地……」雄心壯志。緊接着一句話蕭軍在日記中說中要害:「他(毛澤東)說他學習一切為了政治,政治是科學;我說我是一切為了文學。」[12]

這使我們聯想到二十年代後期李初梨批判魯迅的話,為革命而文學還是為文學而革命?很可能就是在這些喝酒、吃飯、月光下的閒聊當中,毛澤東想到了他日後在文藝座談會要討論的核心課題 —— 文藝為甚麼要為政治服務?政治標準第一還是藝術標準第一?怎樣才能為工農兵服務等等。

不知道蕭軍在頻繁與毛主席交往、談話中,有沒有要保持良好關係的「仕途」功利考慮 —— 哪怕是無意識的層面?

蕭軍在 1941 年 12 月 31 日的日記裏有一個年度總結,「和毛澤東談話近六七次,討論黨內外等關係,接着組織部就開始調查等工作,此影響甚大,改正了黨內一些上下不通以及官僚主義作風。有多少被懷疑的人被理解了。我自問這是我很重要的工作之一。」

蕭軍其實在某種程度上成了毛澤東的研究對象,蕭軍則把他和毛主席的談話看作是他自己的工作成績。距離這麼近,不代表他真的理解毛澤東當時在思考的有關延安文藝、知識分子心態以及中國文藝方向等大題目。

四、在延安文藝座談會上的蕭軍

幾個月以後,蕭軍準備離開延安,想到前線去看看。但是1942年4月7日接到毛主席的信,要他遲些再走,商量一個重要問題。毛主席提的三個題目——一,內容與形式;二,作家的態度;三,作家與一般人的關係。也就在這個時候,蕭軍聽到了蕭紅去世的消息,心情很壞,但他還是收集了一些各家的意見交給主席。

1942年5月1日,延安召開了蕭紅追悼會,第二天文藝工作者座談會就在楊家嶺開幕了,毛澤東的講話就是後來發表的〈在延安文藝座談會上的講話〉的引言部分。毛主席首先肯定「五四」以來文藝戰線和軍事戰線都有成績,到了延安以後,他們才有可能更好的結合起來,於是就講立場、態度、工作對象、工作和學習等幾個問題。這些題目應該事先都和蕭軍說過,所以在主席講話以後,蕭軍第一個發言,逐條對應也講這幾個問題,好像很有準備的樣子,當然,我們今天看得清楚,他其實不大明白毛主席的用意。

毛澤東講的立場問題,就是文藝要站在無產階級和人民大眾的立場上。態度分三種:對敵人要打倒;對同盟者要可讚揚

可批評；對人民要耐心教育，不能錯誤諷刺。總之對敵、我、友，不同的人，用不同的態度。工作對象指的是為工農兵和革命幹部，要熟悉他們，不能人不熟，語言不通。最後是學習——學習馬列、學習社會。

現在回頭看，蕭軍在主席講話以後第一個站起來發言，還講了四十分鐘，真是「無知無畏」。蕭軍後來把自己的發言以〈對於當前文藝諸問題的我見〉為題在《解放日報》發表，也分立場、態度、給誰看、寫甚麼、如何搜集材料和學習六個部分。《延安日記》中記載，「我的講話跟平時一般，引起普遍注意凝神和歡騰。我的精神和語言始終在控制着他們。缺點：A 語調欠柔和抑揚，B 有的地方囉嗦，C 急快，D 顯得才情煥發，E 欠含蓄，F 強制人。大致上是好的。」[13]

一方面是由於蕭軍的個人性格原因，自我感覺良好，欠缺自知之明。另一方面也說明延安座談會民主氣氛濃厚，或者距離太近，人在歷史當中看不到歷史。

蕭軍顯然意識不到毛澤東的這個講話，後來會影響幾十年中國文學和文化的方向，甚至劃分了中國現代文學和當代文學兩個時代。緊接着主席講話以後第一個發言（可能有別的與會者當時已經感覺「三觀」受到衝擊），蕭軍卻在當晚日記裏全神貫注地檢討自己的語調「欠柔和抑揚，顯得才情煥發」，這個歷史場景令人想笑又笑不出來。蕭軍也是有性格，「堂吉訶德」中國版。

跳出蕭軍的自戀，蕭軍日記其實也是從另一個角度回顧延安文藝座談會的起因和細節。除了與王明、張聞天等爭奪黨內意識形態領導權等政治背景外，「講話」的直接動因一是解決延

安文藝界的派別鬥爭，協調「文抗」和「魯藝」之間的矛盾。二是討論文藝能否諷刺延安，因為軍方很多人對丁玲、王實味的寫作不滿。蕭軍在 1941 年 4 月 4 日的日記裏記載，他找毛澤東的時候碰到王震，王震就批判〈野百合花〉，賀龍等將軍也對丁玲的〈三八節有感〉很有意見。當時還有馬加的小說〈間隔〉，寫一個色瞇瞇的老幹部極力追求從城市來的女學生，博古也說軍方不滿。晚清五四以來的文學，皆以批判諷刺為傳統，到了延安能不能再延續？這關係文學的傳統和使命，以及延安有沒有缺陷。毛澤東在「引言」裏邊，不談使命和延安，先把作家的態度立場分成了三種 —— 對敵、對友、對自己人。推而廣之，比方說〈華威先生〉諷刺國民黨可以，諷刺八路軍不行。作家的態度，根據立場，立場則關係到世界觀。到座談會結束時，5 月 24 日，毛澤東的結論很有系統了：

　　首先，「我們的文藝是為甚麼人的？」[14]「我們」兩個字就把文藝已經加了限定詞了，說明討論的並非一切文學，而是延安的革命文學。「我們討論問題，應該從實際出發，不是從定義出發。如果我們按照教科書，找到甚麼是文學、甚麼是藝術的定義，然後按照它們來規定今天文藝運動的方向，來評論今天所發生的各種見解和爭論，這種方法是不正確的。」[15] 也就是說，討論問題，從現實需要出發，「我們」的文藝當然首先要協助延安的軍隊文武作戰。蕭軍之前也明白，主席「學習一切為了政治」，所以文學要為人民大眾 —— 工人、農民、士兵和城市小資產階級（後來簡化為「工農兵」，「忘」了第四項）。其次，如何為人民大眾服務？毛澤東提出了「先普及，後提高」。這是「講話」內容

中後來最有文學發展實績的部分。第三，文藝服從政治，所以要討論黨內黨外文藝界統一戰線。第四，「文藝界的主要的鬥爭方法之一，是文藝批評。……文藝批評有兩個標準，一個是政治標準，一個是藝術標準。一切立於抗戰和團結的，鼓勵羣眾同心同德了，反對倒退促成進步的東西，便都是好的；和一切不利與抗日和團結的，鼓勵羣眾離心離德的，反對進步、拉着人們倒退的東西，便都是壞的。」[16]

簡而言之，一是目的，二是方法，三是策略，四是標準。目的是「我們」的文藝要為大眾；方法是先普及後提高；策略是團結黨內外；標準是政治第一，藝術第二。其實近年不少西方理論家也贊成政治標準第一，藝術標準第二，認為一切文藝都在有意無意地服務不同的「我們」，從古至今，奴隸主、封建君王、「無產階級」，都要求文以載道，文藝為政治服務，一切都是操控運作、書寫策略、場域爭奪。超階級超功利只是康德等人製造的資本主義意識形態的神話。

「先普及後提高」中的高與低，應該主要指藝術標準。政治標準只是前提。毛澤東的文藝思想，引用恩格斯觀點不多，更相信列寧關於「黨的組織和黨的文學」的論述。[17]強調文藝功利性，延續的是中國古代文以載道傳統，但他的個人趣味，更傾向三李（李白、李賀、李商隱）。我一度好奇，人們欣賞《紅樓夢》，是因為政治標準，還是藝術標準？後來看到毛主席和蕭軍說他喜歡賈寶玉，因為賈寶玉是革命黨。我頓時明白，也是政治標準第一。「學習一切為了政治」。

「講話」的內容太豐富了，錢理羣等人的《中國現代文學

三十年》說「毛澤東〈講話〉可以說是二戰以來馬克思主義文論中最有體系色彩且影響最大的論作之一。」[18] 通過日記討論蕭軍的一天，顯然無法概括「講話」精神。但可以肯定，「講話」影響和改變了二十世紀中國文學的發展，我們會在之後的重讀小說過程中慢慢觀察，逐步驗證。

雖然近在咫尺的蕭軍無法理解，但遠在重慶的郭沫若卻有一個很有意思的評價，連毛澤東本人也表示認可。據胡喬木回憶，座談會講話發表不久，毛澤東對他說，郭沫若和茅盾都發表意見了。郭沫若的意見就是：「凡事有經有權」，意思是說講話本身有經常性的普遍道理，也有特殊時代環境中的權宜之計。近年來有學者專門研究郭沫若的「有經有權」之說，[19] 想討論「講話」到底哪些是闡述文藝和政治的普遍規律？哪些是「整風」前後的意識形態管理策略？哪些是古今中外的文學經典？哪些是延安戰爭環境下的文化動員？比如困在山溝打遊擊時自然要「我們」的戰士首先讀《白毛女》、〈小二黑結婚〉，而不是《包法利夫人》、《卡拉馬助夫兄弟們》，這應該是「權」。如果和平年代執政國家甚至向外輸出軟實力也依照相同標準，也許就是以「權」為「經」了。

後來也有一些對「講話」精神的誤解甚至濫用，但不能都歸咎於「講話」的文本和原意。這也是為甚麼我們要從蕭軍這麼一個特殊的同時代親歷者的角度，來回看這個歷史檔案。

注

1　蕭軍:《延安日記 1940-1945》上卷 (香港:牛津大學出版社,2013 年),頁 223。

2　蕭軍:〈關於我的日記 —— 代序〉,《延安日記 1940-1945》上卷 (香港:牛津大學出版社,2013 年)。

3　同注 1,頁 224。

4　同注 1,頁 79。

5　1940 年 9 月 22 日蕭軍日記,同注 1,頁 46。

6　1940 年 9 月 16 日蕭軍日記,同注 1,頁 39。

7　1940 年 9 月 22 日蕭軍日記,同注 1,頁 45。

8　1940 年 8 月 15 日蕭軍日記,同注 1,頁 1。

9　「我統計着我的仇人,幾乎成了九面楚歌了,1. 郭沫若系統。2. 田漢系統。3. 陽翰笙系統。4. 國民黨系統。5. 成仿吾系統。6. 周揚系統。7. 蕭三系統。8. 山西閻錫山系統。9. 茅盾系統。10 …… 好,我倒要看看他們究竟能把我怎麼樣,」1941 年 1 月 16 日蕭軍日記,同注 1,頁 99。

10　蕭軍將毛澤東的信,全文記錄在 1941 年 8 月 2 日蕭軍日記裏,同注 1,頁 250。

11　1941 年 7 月 23 日蕭軍日記,同注 1,頁 230。

12　1941 年 11 月 26 日蕭軍日記,同注 1,頁 342。

13　同注 1,頁 456。

14　毛澤東:〈在延安文藝座談會上的講話‧結論 1942 年 5 月 23 日〉,《毛澤東選集》第三卷 (北京:人民出版社,1953 年),頁 856。六、七十年代北京每年都在 5 月 23 日紀念〈講話〉,說明官方認為「結論」部分才是講話的重點。

15　同注 14。

16　同注 14,頁 889-890。

17　列寧在 1905 年 11 月 26 日發表〈黨的組織與黨的出版物〉(俄文標題為 партиийнаяорганизация и партиийная литература,英文對應標題為 Party Organization and Party Literature)。標題裏的 литература 一詞,英文翻譯為 Literature。中譯文自 1926 年最早的翻譯至 1980 年,均為「文學」。毛澤東 1942 年延安文藝座談會講話引證該文,《毛選》第三卷注解標明:「見列寧《黨的組織和黨的文學》。」列寧另一段著名論斷:「寫作事業應當成為整個無產階級事業的一部分,成為由整個工人階級的整個覺悟的先鋒隊所開動的一部巨大的社會民主主義機器的『齒輪和螺絲釘』。」也出自這篇文章《列寧選集》第一卷 (北京:人民文學出版社,1995 年),頁 663。)1980 年根據胡喬木和其他人的提議,「黨的文學」改譯為「黨的出版物」。研究者陳力丹、姚曉鷗認為:「俄文 литература 一般理解即中文的『文學』,但根據上下文,列寧這裏講述的不是一般意義的文學,而是指黨的組織出版和黨員撰寫的各種著述,包括文學作品,更指政治性的黨報和黨刊、黨控制的圖書館、閱覽室推薦和收藏的書籍,以及由黨領導的文化活動。」(見〈名詞原文、中譯文和英譯文比對分析 —— 源於俄文的馬克思主義新聞觀〉,《新聞與傳播研究》2017 年第五期)。

18　錢理羣、溫儒敏、吳福輝：《中國現代文學三十年》（北京：北京大學出版社，1998年），頁 456。

19　劉奎：〈有經有權：郭沫若與毛澤東文藝體系的傳播與建立〉，《東嶽論叢》2018 年第一期。

無意之中開啟新時代

一、最接近〈講話〉精神的作家

《延安日記》1941 年 8 月 8 日記載，李又然去見毛主席，「他（毛澤東）慨嘆着缺乏一個既懂文藝又懂政治這樣一個領導人」。[1] 其實當時在延安，蕭軍、丁玲和周揚都是文藝界領導的可能人選。蕭軍主張「魯迅風」，可是在延安諷刺批判只能對敵不能對友（即使阿 Q 也是羣眾），再加上蕭軍的個人性格，難做領導。丁玲從〈莎菲女士的日記〉到左聯，再到〈我在霞村的時候〉，實際上是在延安最出色的作家。但因為三十年代在上海被軟禁的歷史問題，受了多年批判審查。1942 年後她再改變文風，《太陽照在桑乾河上》寫農村土改，獲斯大林文學獎的二等獎。不過這樣的榮譽，單槍匹馬，他人很難效法。周揚是三十年代上海左聯的領導，積累了豐富的鬥爭經驗，也翻譯過托爾斯泰，雖然自己沒有創作，但他敏銳地發現了一個農民作家，並把這個作家的作品評為「體現〈講話〉精神的新文學方向」。

《周揚文集》裏有一篇〈論趙樹理的創作〉:「趙樹理,他是一個新人,但是一個在創作、思想、生活各方面都有準備的作者,一位在成名之前就相當成熟了的作家,一位具有新穎獨創的大眾風格的人民藝術家。」[2] 據李向東、王增如的《丁玲傳》,周揚對《太陽照在桑乾河上》的出版並不熱心。[3] 一度有解放區文化機關出於尊敬,同時掛了魯、郭、茅、丁的畫像,丁玲也大為緊張,趕緊叫人摘下來。與此同時,陳荒煤 1947 年在晉冀魯豫文藝工作者座談會上,正式提出了「向趙樹理方向邁進」。一個在文學史上流行的說法,就是趙樹理的〈小二黑結婚〉,最出色地體現了〈講話〉的精神和方向。陳荒煤總結趙樹理方向三個特徵 —— 第一是鮮明政治傾向性;第二是羣眾口頭語言;第三是埋頭苦幹精神。

這三個特徵確實符合〈講話〉的基本精神,〈講話〉的要點,第一是強調文藝為政治服務,為工農兵服務,這是政治傾向;第二是先普及後提高 —— 趙樹理主要是「先普及」;第三是改造世界觀,到羣眾中去 —— 趙樹理本來就從羣眾中來。所以「普通高等教育九五教育部重點教材」《中國現代文學三十年》為趙樹理列了專章。同一本書裏,張愛玲、錢鍾書、梁實秋都沒有這樣的「待遇」。打個比方,坐火車他們是沒有專門車廂的,魯迅有兩個車廂,郭沫若、茅盾、巴金、老舍、曹禺等都是一個專用車廂,趙樹理也是一個車廂。《中國現代文學三十年》說,「無論從新文學發生以來就始終在探索的大眾化課題來看,還是從解放區文學與當代的歷史關聯來看,趙樹理的出現都是重要的文學史現象。」[4]

這裏有兩個關鍵詞，一是「大眾化」，一是「解放區 」。

周揚等人說趙樹理體現〈講話〉精神，有部分道理。但是如果認為 1943 年 9 月出版的〈小二黑結婚〉是按照〈講話〉精神而創作的，是貫徹為工農兵服務指示的最早的主旋律文學，那就是誤會了。因為延安文藝座談會雖然在 1942 年 5 月 2 日到 23 日召開，但毛澤東的「講話」最早卻是在 1943 年 10 月 19 號的《解放日報》上才發表，載入《毛澤東選集》則是 1944 年 5 月。而〈小二黑結婚〉寫於 1943 年 5 月。[5] 所以應該說〈小二黑結婚〉和〈講話〉是不約而同，是農民作家和政治人物在解放區推廣大眾化文學的理論與實踐的某種重合。

當然，任何偶然都是多種必然性的交叉點。

二、趙樹理：農民喜歡的評書故事體

趙樹理，山西晉城市沁水縣尉遲村人。1906 年出生於一個農民家庭，他的父親一生務農，會看風水，是〈小二黑結婚〉裏保守迷信的二諸葛的原型。趙樹理小學畢業後教書，後來就讀於長治的山西省立第四師範學校，之後又教書，又被炒，被懷疑是共產黨。1930 年起，二十四歲的趙樹理開始邊流浪邊寫作，1937 年真的加入共產黨。教書、編報，做過區長、公道團團長、報刊編輯，總之起初是黨的基層文化幹部。他最早的作品也是五四文藝腔的。後來發現這樣的作品在農村沒有讀者，農民不接受。所以到了 1943 年〈小二黑結婚〉就轉用了一種農民比較喜歡的「評書故事體」。這種故事體後來有很長久的影響。如上海

文藝出版社的《故事會》，印數長期上百萬，是一本非常暢銷的雜誌，專門給農村人講故事的，形成一種農民喜歡的評書故事體。

〈小二黑結婚〉的原型是趙樹理聽來的一個真實故事。山西左權縣（原遼縣）芹泉鎮橫嶺村，一個僅十三戶人家的村莊，民兵隊長岳冬至和一個婦女會主任智英祥戀愛，幾個把持鄉政權的幹部，村長石獻瑛、青年部長史虎山、救聯會主席石羊鎖，說他們在地裏搞腐化（當時岳家訂了童養媳，智英祥也已被家裏許婚給一個商人），用這個罪名把岳冬至迫害致死（一說原意「教訓教訓」，失手誤殺）。縣政府偵訊後，懲辦了兇手。趙樹理到案發的村中調查，令他驚訝的是，兩個受害年輕人的家庭，也不同情岳冬至和智英祥的自由戀愛，認為打死岳冬至固然不對，但教訓教訓是理所當然，村裏人也持同樣的論調。正好那時邊區政府頒佈《妨害婚姻治罪法》，趙樹理就在這時把這個故事改寫成了〈小二黑結婚〉。

如果按照故事原來形態寫，可能是一部男版〈我在霞村的時候〉。故事中的焦點人物，既不是被迫害打死的民兵隊長及女友，也不是把持政權的兇手，而是眼見着自己的兒女被害死，還認為搞自由戀愛應該被打的雙方父母以及鄉親們。這是一個解放區裏的「哀其不幸怒其不爭」的故事，雙方父母包括鄉親，既是受害者也是迫害者。這也是一個啟蒙加救亡的故事，一個喚醒鐵屋中沉睡者的故事。

但是趙樹理改寫了這個故事。小二黑和小芹依然是無辜的好人，迫害者金旺、興旺，依然是反面形象村幹部。趙樹理改了甚麼？他將愚昧到殘酷的雙方家長和鄉親，變成了只是迷信愚

昧但可以改造的中間落後羣眾二諸葛和三仙姑。再加上了更高的政權——區長像包公一樣地斷案,把悲劇改成了光明結尾,邪不壓正。

這麼一來,對照〈講話〉——批判了階級敵人,團結了落後羣眾,歌頌了自己人,政治標準有了。真實素材裏,金旺興旺的原型是幾個同樣喜歡年輕婦女主任的村幹部,最後由假裝未成年的青年部長史虎山頂罪,其他人一起照顧史虎山的家人。落後羣眾受教育後仍然羞愧難當,智英祥遠嫁黑龍江後,智母(三仙姑原型)上吊自殺。

〈小二黑結婚〉的成功並不僅僅因為符合政治標準,趙樹理在藝術上對五四小說傳統也有突破。從魯迅、許欽文,到葉紫、沙汀、艾蕪、吳組緗,還有蔣牧良、魏金枝、沈從文、蕭紅等,鄉土文學的傳統,基本上都是作家進城後懷念反思自己的鄉土背景小鎮記憶。但趙樹理寫的不是鄉土文學,是農民文學。他不是由上而下的以同情、感慨的態度看農民,而是試圖自下而上模擬農民的白日夢。在內容上,一方面輕鬆免去受害人家長以及鄉親的幫兇看客責任,改為只是迷信虛榮。二諸葛看風水,三仙姑愛打扮、貪財等,都是可以改造的習性;另一方面更盼望包青天式的官員來拯救農民。在形式上,趙樹理放棄五四時期如〈孔乙己〉、〈藥〉之類橫截面小說結構,重新使用了以故事情節為中心的評書體:每一節介紹一個人物,連成一段一段故事,也不是完全章回體。他用了農民感興趣的故事語言——是農民能聽懂的語言,並不真正是農民自己說的語言。(真正模仿農民說的語言,那又是純文學的工作,後來賈平凹《秦腔》等有

試驗。）真正寫農民語言，農民不一定喜歡看，農民喜歡以故事情節為中心的評書體。〈小二黑結婚〉其實是混合了「新文學教員」工作和舊式說書人文體，把鄉土文學改造成了農民文學。

在周揚等評論家看來，〈小二黑結婚〉在為工農兵服務方面很有成效。「先普及後提高」，起到了團結人民、教育人民、打擊敵人、消滅敵人的目的。其實〈小二黑結婚〉也是「有經有權」。權宜的方面，就是符合當時邊區農村讀者的審美需求。如果說李伯元、徐枕亞、魯迅等人的假想讀者應該有中學以上文化，那麼延安文藝的假想讀者可以是小學程度。「經」的方面，其實〈小二黑結婚〉也貫穿了通俗文學的基本原則。在某種意義上，香港的翡翠台、湖南的芒果台，和〈小二黑結婚〉一樣，也一直貫徹〈講話〉的「先普及」的精神。第一，以情節主導敘事；第二，人物善惡分明；第三，大團圓結局。今天出版商判斷作品是否暢銷，第一還是看故事，第二，判斷純文學和通俗文學的重要標誌，就是有沒有絕對的壞人。曲折故事和善惡分明，從來是通俗文學兩大標誌，在這個意義上，〈小二黑結婚〉標誌着二十世紀中國小說中通俗文學與革命文學開始合作。

雖然有善惡分明，但是讀者最感興趣的，卻還是二諸葛三仙姑等中間人物。只有這兩個人物比較接近圓形人物，二諸葛是趙樹理寫自己父親，自然筆下留情。三仙姑當時被人嘲笑，後來人們也會思考：為甚麼中年女人不能打扮，為甚麼臉上塗粉就叫「驢糞蛋上下了霜」……趙樹理在 1950 至 1960 年仍然一直提倡「中間人物論」，後來受到批判，因為政治潮流越來越要求文學歌頌英雄。趙樹理很有骨氣，一度被推崇為「樣板作家」，

身為「趙樹理方向」，依然一直堅持自己的感覺，寫農村寫農民，可惜的是文革當中被批鬥致死。

三、〈小二黑結婚〉：從寫「官」到寫「人」到寫「民」的轉折

把〈小二黑結婚〉放在從晚清到當代的小說人物系列裏，我們更可以看出它的關鍵性轉折意義。

晚清四大名著，主要批判諷刺黑暗社會現實，主人公是各級官員。民眾，不管地主還是僕人，不管是小姐還是妓女，總之是被欺負受冤屈。「民」的具體階級成分，並不細分。界線最清楚的就是官與民、官欺民、官壓民。

到了五四，小說人物轉了——首先官少了，幾乎沒有了。整個現代文學裏邊以官員為主人公的作品屈指可數，〈動搖〉和〈華威先生〉是罕見的例外。五四小說或者描寫官方的爪牙幫兇（康大叔、孫偵探），或者寫「仕途」如墮落（魏連殳、狂人）。與晚清相比。五四作家重點寫民和官的相通之處——就是人，就是國民性。阿Q是雇農，做夢也想地主女人，並驅使小D；吳蓀甫是資本家，又是失敗的英雄；覺慧覺民與高老太爺抗爭，價值觀卻有相通之處；華威先生虛張聲勢後面是失落恐懼，等等。

〈小二黑結婚〉的轉折意義在於：第一，官員又重新成為重要角色，無論是負面角色金旺興旺，還是主持正義的區長，各有善惡使命，從此官員重回中國小說中心舞臺。而且以後在區分官員善惡時，還有好官辦壞事，或者好人變壞官（或者反過來壞

官反省頓悟），或者壞官卻又幫助民眾等等不同變化。總之〈小二黑結婚〉以後，在中國小說裏又會反反覆覆看到很多官員身分的主角，以及由他們的上下級及不同陣線所組成的「新官場」，一直到二十一世紀，迄今沒有衰減跡象。中國古代小說歷史悠久的「忠—奸」對立的情節模式，在晚清「新小說」被瓦解，在「五四」被轉化為貧—富、新—舊或中—外矛盾（《子夜》），到延安文學又重新出現官場的「忠—奸」之分。

第二，官有善惡，民亦兩分。小二黑、小芹先進，二諸葛、三仙姑落後。先進都是一樣的先進，落後卻有不同的落後。「落後」的後面其實有非常豐富的社會內涵：一是年輕人要反家長權威，背後是宗族祠堂文化（族權）；二是二諸葛的迷信，關係鄉間的知識和信仰系統（神權）；三是三仙姑的勢利，說明普通農民之中的窮富差異以及性別歧視。後來趙樹理別的小說，還有其他寫農村的《創業史》、《艷陽天》等，作家最花筆墨的、讀者最感興趣的，就是那些落後的羣眾怎麼一步步的被勸、被幫、被改造（或很難被改造）。所以好官對壞官，是政治框架。先進羣眾幫落後羣眾，是藝術內容。從〈小二黑結婚〉的人物四分法，後來發展到五十年代《紅旗譜》的窮富國共階級鬥爭模式，農民「落後」的豐富內容被簡化了。直到半個世紀之後，農村中的政權、族權與神權的複雜關係，才在九十年代的《白鹿原》等作品中得到高度重視。

從寫「官」到寫「人」，再到寫「民」，在二十世紀中國小說的發展脈絡當中，〈小二黑結婚〉有意無意之中成為一個重要的轉捩點。

注

1　蕭軍：《延安日記 1940-1945》上卷（香港：香港牛津大學出版社，2013 年），頁256。

2　周揚：〈論趙樹理的創作〉，《周揚文集》第一卷（北京：人民文學出版社，1984 年），頁 486-487。

3　李向東、王增如：《丁玲傳》上（北京：中國大百科全書出版社，2015 年），頁 377-378。

4　錢理羣、溫儒敏、吳福輝：《中國現代文學三十年》（北京：北京大學出版社，1998年），頁 475。

5　1943 年 9 月 趙樹理〈小二黑結婚〉由華北新華書店出版。本章引文版本為趙樹理：〈小二黑結婚〉（北京：作家出版社，2000 年）。

香港的傳奇

　　1941 年，丁玲在延安最重要的文化期刊上發表了〈我在霞村的時候〉，兩年以後，另一個中國現代最重要的女作家，在日據上海的鴛鴦蝴蝶派雜誌上發表了〈沉香屑・第一爐香〉。前者寫慰安婦做間諜，回延安養病；後者寫上海女生在香港半山豪宅自願從娼。兩部作品，內容南轅北轍，手法完全不同，卻都是二十世紀中國小說中的精品，而且兩個故事居然也不無相通之處。為了革命養病，今後再到前線「做同樣的工作」也好，為了虛榮或婚姻，為姑媽找男人，為丈夫找錢也好，女性身體在男性壓力下又被迫、又自願的特殊掙扎和困境卻是相同的。說起來，莎菲女士和薇龍小姐所傾心的男人，竟然也有驚人相似之處，或是南洋歸來的僑生，或是香港貴族子弟，都是生理／精神上的混血，都有令女人心動的顏值、風度以及花花公子的本性（在其他現代文學作品中，這樣的男人很難尋找）。二十世紀中國小說系列，選擇重讀張愛玲的四篇早期作品，〈第一爐香〉和〈傾城之戀〉是張愛玲筆下的香港傳奇，〈金鎖記〉和〈紅玫瑰與白玫瑰〉則是張愛玲講述的上海故事。

一、大城市裏的「墮落女性」

〈沉香屑‧第一爐香〉是張愛玲第一部小說,初載於 1943 年的《紫羅蘭》雜誌,是張愛玲早期代表作。〈第一爐香〉可與曹禺的劇本《日出》、張恨水的長篇《啼笑因緣》並置閱讀,幾部作品都寫美麗的女人在大都市裏的墮落。這也是中國現代文學,尤其是城市文學的常見故事,即便是享受都市文明的新感覺派(如〈上海的狐步舞〉)也不例外。然而,都寫女人在都市墮落,《日出》、《啼笑因緣》和〈第一爐香〉在寫法上有明顯差別——某種具有文學史意義的差別。

假定「一個本來純潔、樸素、弱勢的美女,為了金錢等利益屈從一個她不喜歡的有權勢男人」是「墮落」的標誌和過程(這個「墮落」要加引號,因為其定義可能是男性中心主義的觀點),那麼《日出》敍述墮落的過程「略前詳後」。前面陳白露結婚,失戀,到大城市做舞女、明星,後來變成交際花,都只用幾句臺詞簡略交代,但是「墮落」的後果,交際花的悲慘結局,卻詳盡描繪。豪華酒店,花天酒地,應付各種男人,最後欠債,被迫吞藥。最後她的臺詞:這麼年輕,這麼美麗,「太陽升起來了,黑暗留在後面,但是太陽不是我們的,我們要睡了。」觀眾對女主人公充滿同情,覺得她是一個無辜的被侮辱被損害者。既然她是無辜的受害者,眼前悲劇應該由誰負責?當然就是社會,罪惡的大城市,這是左翼文學主流的聲音。

張恨水《啼笑因緣》裏的賣唱女鳳喜,已和書生樊家樹在一起,又貪圖錢財跟了軍閥,雖有一定脅迫性,也有一點自願成

分。軍閥把她騙到家裏，然後手舉存摺跪下，鳳喜先是拒絕，最後一笑接受。有俠客在窗外，也沒法再救她。正因為女主人公對自己的墮落有一定責任，所以之後她受到虐待，甚至發瘋，讀者的感受就比較複雜，有同情，又有譴責——此乃通俗小說的基本功能，先讓讀者迷醉白日夢，再提醒大家不可模仿，有一個道德教育的框架底線。所以《啼笑因緣》寫女人在城裏墮落，是「詳前詳後」，全過程一個環節也不少。

在這樣的文學史背景下，張愛玲〈第一爐香〉的敍事方法卻是「詳前略後」，因此同樣的故事卻顯示了不同的意義。

二、〈第一爐香〉：女學生「自願從娼」的故事

葛薇龍從一個懇求香港姑媽贊助學費的上海姑娘，一步一步自願地走進了墮落的結局，中間經過了至少四個選擇。

第一步，明知姑媽家裏風氣不正，仍然住進去；第二步，睡房裏邊這麼多衣服，提醒她「這跟長三堂子裏買進一個討人，有甚麼分別？」擺明是要她充當學生以外的角色，但她陶醉於美麗衣服的華爾滋舞，對自己說「看看也好！」第三步，姑媽老相好司徒協，突然套個金剛石手鐲給薇龍，顯示她在姑媽家的培訓期結束了，It's time to work（要上班了）。薇龍還是不捨得離開香港，接下來就和混血靚仔喬琪喬感情賭博。這三步選擇，我在北京和香港的課堂上做過調查，大部分學生都認為會走下去，「看看也好」。可是到了第四步，為了挽救名聲而嫁給花花公子，還要幫姑媽勾引其他男人，這個荒唐結局是人人都害怕的——

但它又是前面幾步的合理發展。

夏志清這句評論被很多人引用:「人的靈魂通常都是給虛榮心和慾望支撐着的,把支撐拿走以後,人變成了甚麼樣子——這是張愛玲的題材。」[1]在我讀來,〈第一爐香〉的結尾就是《日出》的開端,幾年以後,薇龍就是陳白露。張愛玲的「詳前略後」,使得她的小說一開始就有別於左翼主流文學和鴛鴦蝴蝶派。張愛玲的祖父張佩綸是李鴻章的女婿,張愛玲的家庭背景是所謂「最後的貴族」——衰敗、破落、腐朽,但又有不少別人沒有的、令她留戀的東西。張愛玲考取了倫敦大學,因為二戰只能在香港讀書,香港生活經驗在她早期創作中演化為異國情調。〈第一爐香〉和〈傾城之戀〉,其實都是為上海讀者製造的香港傳奇。香港於是變成專為中國人製造的「異國夢」(同時又是為西方人演出的「中國夢」)。在另外一篇小說〈茉莉香片〉裏邊,張愛玲預言,「香港是一個華美的但是悲哀的城」(如果言中,純屬偶然)。〈第一爐香〉有意無意地延續了晚清狎邪小說的傳統,特別是《海上花列傳》中青樓家庭倫理化的傳統,性工業也要模擬家庭氣氛並遵守倫理道德。仔細想想薇龍後來在姑媽家裏的華麗生活,很多男人因她而來,有的會姑媽,有的見她。靚仔老公也要應付姑媽,又要照顧薇龍,還獲得金錢,當然還有別的女人,家裏的美麗丫頭也要承擔各種不同的功能……

高全之曾把〈第一爐香〉和《金瓶梅》相比較,認為薇龍和李瓶兒都有「飛蛾投火的盲目與清醒」,她們美麗的從娼心理歷程有兩個顯著特點,第一是自願性,第二是現實性。[2]其實青樓文學傳統,也有社會批判功能,《官場現形記》和《二十年目睹

之怪現狀》都有官員將女兒或者兒媳婦送給上司做妾的狗血橋段。茅盾的《子夜》改寫這一情節，鄉下財主馮雲卿將女兒送給趙伯韜刺探情報，更凸顯色情交易和家庭道德的結合與衝突。甚至〈上海的狐步舞〉裏，也描寫了一個老太婆要幫自家兒媳婦在街上拉客。仔細想想，〈第一爐香〉中的姑媽，不也在替薇龍拉客嗎？而且還不完全是勉強的，薇龍對喬琪喬還有自欺欺人的感情投入。從這個角度看，〈第一爐香〉可以看作是「青樓家庭化」向「家庭青樓化」的一個轉折（張愛玲最喜歡的小說之一就是《海上花列傳》。〈第一爐香〉裏的「長三堂子」不只是一個隱喻）。

三、〈傾城之戀〉：從飯票出發卻找到愛情

晚清青樓小說，除了《海上花列傳》式的「近真」，也有《花月痕》式的「溢美」，從交易出發最後收穫真情。現代版「從飯票出發卻找到愛情」的傳奇，就是〈傾城之戀〉。傅雷在稱讚〈金鎖記〉的同時曾批評〈傾城之戀〉「華彩勝過了骨幹，兩個主角的缺陷，也就是作品本身的缺陷」。[3] 張愛玲的愛情故事大都悲觀絕望，〈傾城之戀〉是一個例外。在現實層面上，當然也是白日夢：剛剛跳舞認識就買頭等船票，馬上入住男人付錢的淺水灣高級酒店，這段感情遊戲一開局就不平等。張愛玲寫白流蘇的上海舊家庭，親戚排斥母親不幫，這就把女主角在香港尋找飯票之旅合理化了。沒有退路，她才跑上閣樓，對着鏡子陰陰一笑，然後出征。

在〈傷逝〉、〈創造〉、《家》或〈春風沉醉的晚上〉等作品中，五四小說的基本愛情模式已經一再重複 —— 男的總是思想進步的才子（凌吉士思想不進步，就被莎菲女士「飛」了）；男人窮，他的性苦悶才值得同情。怎麼吸引女性？當然主要靠文化，男人相貌並不重要。女人必須玉潔冰清。基本上男人在講他看甚麼書，女人就在旁邊睜大了美麗的眼睛，點頭，仔細傾聽⋯⋯

〈傾城之戀〉也有這樣的場面。華僑商人范柳原花錢把二十八歲的女人白流蘇從上海請來香港淺水灣，住進海景房，先吃飯後跳舞。男人說：「我要你懂得我！」女人低下頭來說：「我懂得，我懂得。」然後兩個人就到夜晚的花園裏，來這裏本來就可以 kiss 了，「流蘇願意試試看。在某種範圍內，她甚麼都願意。」[4] 可是，男主角覺得，只靠錢來拍拖，勝之不武，所以他還要模仿一下五四文人的戀愛方式，便將白流蘇帶到了一個荒涼的斷牆下面，講了一番「地老天荒，執子之手」等詩經金句。這種場面在五四愛情小說裏常見，沒有見過的是女主角的心理獨白 ——

原來范柳原是講究精神戀愛的。她倒也贊成，因為精神戀愛的結果永遠是結婚，而肉體之愛往往就停頓在某一階段，很少結婚的希望，精神戀愛只有一個毛病：在戀愛過程中，女人往往聽不懂男人的話。然而那倒也沒有多大關係。後來總還是結婚、找房子、置傢俱、雇傭人——那些事上，女人可比男人在行得多。[5]

這段話「放在整個現代文學史上看，是女主人公覺悟的一個小降低，卻是女性主義創作的一個大飛躍。」[6] 五四的愛情小說灌入了太多啟蒙內容，使命就是教人、救人，男主角或者作家經常看不到女主角心中到底在想甚麼，他們只覺得女主角睜大美麗的眼睛，在聽他講民主自由，個性解放……男主角或者作家看不見女性曲折壓抑的情慾，也看不到女人睜大美麗眼睛溫柔點頭時，其實可能在考慮更實際的飯票、衣服等人生問題。子君當年聽涓生講雪萊、拜倫時，是不是也會腦子裏閃過 —— 這個男人將來住哪裏？女作家下筆就視野不同，〈莎菲女士的日記〉寫了女人浪漫主義的性慾，〈傾城之戀〉寫了女人現實主義的心理。為甚麼女性的這些平凡的慾望心思，才華洋溢要救人救世的男主角們卻看不到呢？這才是真正的問題所在。

小說最後靠了香港傾城的這個外力（實際上不大可能發生的條件），促使男女主角在愛情方面從互相算計到同病相憐。作家告訴讀者，這也不是天長地久，也許十年八年。但已經可以使很多張愛玲的讀者感到欣慰，畢竟這是她筆下唯一的一次 happy ending。

〈傾城之戀〉除了挑戰五四以來的愛情小說模式以外，還有一個特點值得討論：一般愛情小說都是男女主角一見鍾情，然後因為家庭、階級、民族或者其他社會因素的阻礙而導致悲劇。男女是衝突的一方，外界壓力是另一方，這是很多愛情文學的基本格式。然而〈傾城之戀〉並沒有明顯外力在反對他們，戲劇衝突就發生在男女之間。衝突是甚麼？表面看，女方追求長期飯票，男方貌似花花公子，好像是一場食與色的鬥爭。難道「食、

色，性也」，真的男女有別？女的比較看重社會條件，比如財產、知識、穩重、可靠、有才、氣度，男的更加關注外在生理因素，比如美貌、儀態、善良、身材、氣質。可是這種「食色性也男女有別」的情況，其實也是男權社會的歷史後果。〈傾城之戀〉承接了這些後果，又顛覆了這種後果。仔細讀小說，我們發現女主角目標明確，手段不拘，男主角只貪過程，意圖不明。在感情博弈過程中，男人處處佔優勢，但最後女方達到了結婚的目標，所以這是一場男女愛情戰爭當中以弱勝強，又達到雙贏的典型戰例，難怪讀者們一直喜歡。

注

1　夏志清著、劉紹銘譯：《中國現代小說史》（臺北：傳記文學社，1979 年），頁 405。

2　高全之：〈飛蛾投火的盲目與清醒 —— 比較閱讀《金瓶梅》與《第一爐香》〉，《張愛玲學》（臺北：麥田出版，2008 年），頁 49-64。

3　「……美麗的對話，真真假假的捉迷藏，都在心的浮面飄滑；吸引，挑逗，無傷大體的攻守戰，遮飾着虛偽。男人是一片空虛的心，不想真正找着落的心……總之，〈傾城之戀〉的華彩勝過了骨幹；兩個主角的缺陷，也就是作品本身的缺陷。」（迅雨：〈論張愛玲的小說〉，《萬象》第三卷第十一期，1944 年 5 月。）

4　張愛玲：〈傾城之戀〉，《傳奇》（增訂本）（上海：山河圖書公司，1946 年），頁 171。

5　同注 4，頁 172。

6　許子東：《許子東細讀張愛玲》（北京：北京大學出版社，2020 年），頁 126。

上海的故事

在張愛玲的作品裏，香港傳奇與上海故事常常交織對照，互為他者。如果說香港是風景，上海就是窗臺；香港是房子，上海是地基；香港是夢幻，上海是現實；香港是面子，上海是裏子；香港是紅玫瑰，上海是白玫瑰。香港是「封鎖」之中的時間；但「封鎖」之前或之後那就是上海。如果香港是電影，上海就是電影院；香港是冒險，上海是生活；香港是男人，上海是女人……

張愛玲的兩部香港傳奇，其實也是為上海人，或者說為一般城市裏的中國人所製造的白日夢。這些夢都是從感情賭博出發，一部輸得淒涼（〈第一爐香〉），一部贏得僥倖（〈傾城之戀〉）。張愛玲的兩部上海故事，卻都是白日夢醒，直面人生，一部解析「母愛」（〈金鎖記〉），一部診斷男性（〈紅玫瑰與白玫瑰〉）。

張愛玲早期寫上海的小說，幾乎篇篇都好。比如〈封鎖〉，一個電車上凝固的、切割的時間，寫出了男人（以及女人）到底是要做「好人」還是「真人」。細節具體如上海西裝男提了一條

魚，用報紙包着包子，報紙上的字印在包子上等等，非常精彩。另外有篇〈留情〉，講五六十歲的男人跟一個三十來歲的女人不太美滿的婚姻。是張愛玲寫得最樸素、最囉嗦，最不浪漫但是她自己又最滿意的一個作品。還有〈桂花蒸‧阿小悲秋〉，寫一個女傭，主人是一個很窮的外國花花公子，這是張愛玲筆下罕見的寫無產階級的作品。當然從篇幅看，從影響看，張愛玲最有名的「上海故事」還是〈金鎖記〉和〈紅玫瑰與白玫瑰〉。

一、〈金鎖記〉中的情慾與「母愛」

七巧和薇龍的不同是，薇龍嫁了一個壞男人，七巧嫁了一個病男人。七巧向小叔子抱怨丈夫無用，感覺有點曖昧：「她試着在季澤身邊坐下，只搭着他的椅子的一角，她將手貼在他腿上，道：『你碰過他的肉沒有？是軟的、重的，就像人的腳有時發了麻，摸上去那感覺……』季澤臉上也變了色，然而他仍舊輕佻地笑了一聲，俯下腰，伸手去捏她的腳道：『倒要瞧瞧你的腳現在麻不麻！』」[1]女人的腳是可以隨便亂摸的嗎？中國傳統女人的腳，用現代的說法，那是第二性器官。西門慶調戲潘金蓮，首先碰的就是腳。林語堂專門分析過，中國過去的男人為甚麼喜歡女人的小腳？因為纏了小腳以後，女人走路的姿態是他們最欣賞的一種美。[2]大概七巧的腳是小的，又被小叔子這麼一摸，小說寫她蹲在地上，「不像在哭，簡直像在翻腸攪胃地嘔吐。」叔嫂之間身體接觸的這段文字，同時寫了她的兩層性苦悶：丈夫無能，小叔遊戲。

小說裏有段意識流，交代七巧的情慾歷史——

> 有時她也上街買菜，藍夏布衫褲，鏡面烏綾鑲滾。隔
> 着密密層層的一排吊着豬肉的銅鈎，她看見肉鋪裏的朝祿。
> 朝祿趕着她叫曹大姑娘。難得叫聲巧姐兒，她就一巴掌打在
> 鈎子背上，無數的空鈎子蕩過去錐他的眼睛，朝祿從鈎子上
> 摘下尺來寬的一片生豬油，重重的向肉案一拋，一陣溫風直
> 撲到她臉上，膩滯的死去的肉體的氣味……她皺緊了眉毛。
> 床上睡着的她的丈夫，那沒有生命的肉體……

這段文字用舊白話展現電影蒙太奇技巧，當年追求她的是
肉鋪裏的朝祿，從生豬油溫風轉到了她現在身邊睡着的沒用的
富家男人。

〈金鎖記〉全文分成兩部分，第一部分是她被迫害，描寫她
的情慾；第二部分是她迫害別人，分析她的母愛。〈金鎖記〉和
〈阿Q正傳〉是二十世紀中國最傑出的兩部中篇小說，主題都是
「被侮辱者損害他人」。

男人死後分家，某日季澤上門敘舊，你知道我為甚麼跟家
裏那個不好，為甚麼拼命在外面玩，把產業都敗光了，這都是為
了你啊，二嫂、七巧……

聽了這段「愛情表白」，張愛玲筆下出現了一段極為罕見的
「五四文藝腔。」

> 七巧低着頭，沐浴在光輝裏，細細的音樂，細細的喜

悦⋯⋯這些年了，她跟他捉迷藏似的，只是近不得身，原來還有今天！可不是，這半輩子已經完了 —— 花一般的年紀已經過去了。人生就是這樣的錯綜複雜，不講理。當初她為甚麼嫁到姜家來？為了錢麼？不是的，為了要遇見季澤，為了命中注定她要和季澤相愛。她微微抬起臉來，季澤立在她跟前，兩手合在她扇子上，面頰貼在她扇子上。他也老了十年了，然而人究竟還是那個人呵！⋯⋯

我不得不打斷一下，come on，嫁進豪門不為錢，為了和小叔子相戀？⋯⋯看不清季澤騙你就算了，何必自己騙自己 —— 但這就是愛情的頭暈，愛情的偉大，基本上愛情總是要自己騙自己的。「沐浴在光輝裏，細細的音樂⋯⋯」這是一個層次 —— 動情。「他難道是哄她麼？他想她的錢 —— 她賣掉她的一生換來的幾個錢？僅僅這一轉念便使她暴怒起來」。這是第二個層面 —— 懷疑。「就算她錯怪了他，他為她吃的苦抵得過她為他吃的苦麼？好容易她死了心了，他又來撩撥她。她恨他。」這是第三個層次 —— 比較清醒的計算、對照。但這個男人還在看着她。「他的眼睛 —— 雖然隔了十年，人還是那個人呵！」這是第四、第五個層次了，留戀昔日感情，也懷念自己的青春，「就算他是騙她的，遲一點兒發現不好麼？即使明知是騙人的，他太會演戲了，也跟真的差不多罷？」

就這麼一層一層地，從感動到猜疑，從怨恨到留情，然後又自我欺騙，真假「不可知論」。當然，最後她用金錢角度試探，小叔子果然是來騙錢，結局非常有名，七巧把扇子丟過去，打翻

了姜季澤手裏的酸梅湯，張愛玲這麼寫：

> 酸梅湯沿着桌子一滴一滴朝下滴，像遲遲的夜漏——一滴，一滴……一更，二更……一年，一百年。真長，這寂寂的一剎那。

為甚麼這麼長呢？這是電影慢鏡頭效果。七巧下意識知道拒絕了這個男人，她這一輩子也不會再有了。但是更精彩的是接下來一段，把小叔子趕走後，七巧急急上樓，「她要在樓上的窗戶裏再看他一眼。無論如何，她從前愛過他。她的愛給了她無窮的痛苦。單只這一點，就使他值得留戀。多少回了，為了要按捺她自己，她迸得全身的筋骨與牙根都酸楚了。今天完全是她的錯。他不是個好人，她又不是不知道。她要他，就得裝糊塗，就得容忍他的壞。她為甚麼要戳穿他？人生在世，還不就是那麼一回事？歸根究底，甚麼是真的，甚麼是假的？她到了窗前，揭開了那邊上綴有小絨球的墨綠洋式窗簾，季澤正在弄堂裏往外走，長衫搭在臂上，晴天的風像一羣白鴿子鑽進他的紡綢褲褂裏去，哪兒都鑽到了，飄飄拍着翅子。」

要是電影拍到這個地方，管弦樂起，這是病態的愛情的讚歌！

二、七巧：從被損害到損害自己的兒女

為甚麼說這是七巧從被損害到損害他人的轉捩點？如果

一定要考慮「性心理」因素，之前主要是性壓抑，之後更走向性變態。

其實當時七巧年紀也不是很大，應該三十左右。高全之分析過，為甚麼不能再找別的男人？阻力是小腳和鴉片。[3]

再讀一段更精彩的文字（李歐梵教授講課時說這段文字是中國現代文學裏面最頹廢的一個場面）。兒子長白已經娶媳婦了，長得瘦瘦小小白白的。

> 七巧把一隻腳擱在他肩膀上，不住的輕輕踢着他的脖子，低聲道：「我把你這不孝的奴才！打幾時起變得這麼不孝了？」長安在旁笑道：「娶了媳婦忘了娘嗎！」七巧道：「少胡說！我們白哥兒倒不是那們樣的人！我也養不出那們樣的兒子！」長白只是笑。七巧斜着眼看定了他，笑道：「你若還是我從前的白哥兒，你今兒替我燒一夜的煙！」

成年讀者不妨想像一下這個畫面：女主角把她的小腳 —— 第二性器 —— 放在兒子的小白臉上拍打，兒子在幫她燒鴉片，她還要兒子講述自己夫妻之間的床事細節，而媳婦就睡在隔壁，聽得見她們說話。後來這些話還傳到親戚朋友當中去。難怪她兒媳婦看着天上的月亮，說像一個小太陽。兒媳婦當然也活不長了。

後來王安憶把張愛玲的〈金鎖記〉改編成話劇，刪去了母親和長白的這條線索。王安憶非常感興趣母親和女兒鬥法的情節，可是長白的戲砍了可惜。如果說七巧後來真有性心理的變態壓

抑,那麼轉移和宣洩方式也是男女有別:對兒子是縱慾(娶妻妾、抽鴉片),對女兒是壓制(不讓讀書及戀愛)。

七巧強迫女兒裹腳,到女兒學校鬧事致使長安羞辱退學,好不容易長安有個正常男友,又用各種方法破壞。先是兒子出面,請童世舫吃飯,吃到一半,七巧登場:

> 世舫回過頭去,只見門口背着光立着一個小身材的老太太,臉看不清楚,穿一件青灰團龍宮織緞袍,雙手捧着大紅熱水袋,身旁夾峙着兩個高大的女僕。門外日色昏黃,樓梯上鋪着湖綠花格子漆布地衣,一級一級上去,通入沒有光的所在。世舫直覺地感到那是個瘋人 —— 無緣無故的,他只是毛骨悚然。長白介紹道:「這就是家母。」

形象驚怵之外,還要加一句「她再抽兩筒就下來了。」留學生徹底崩潰,他怎麼敢和一個抽鴉片的女學生結婚?

小說最後有一段話,總結七巧的一生:

> 三十年來她戴着黃金的枷。她用那沉重的枷角劈殺了幾個人,沒死的也送了半條命。她知道她兒子女兒恨毒了她,她婆家的人恨她,她娘家的人恨她。她摸索着腕上的翠玉鐲子,徐徐將那鐲子順着骨瘦如柴的手臂往上推,一直推到腋下。

夏志清說,「〈金鎖記〉這段文章的力量不在杜斯妥也夫斯

基之下。……不論多麼鐵石心腸的人，自憐自惜的心總是有的；張愛玲充分利用七巧心理上的弱點，達到了令人難忘的效果。」[4]雖然寫的是徹底的人性之惡，但其實仍有具體而獨特的社會內容。放回二十世紀眾多中國故事之中，七巧將「被欺欺人」的國民傳統，發展到極端，演變成「被旁人欺然後欺自己人」（不要說各位讀者沒見過），具體說就是母親自己被人欺，再欺負自己兒女。所以「被欺欺人」呈現了女人和母親雙重身分的衝突。七巧也年輕過，為了做有錢人家的「母親」，幾乎放棄了自己做女人的某些權利。但所有作為女人的「壓抑」都可能轉化為「母親」的權力。張愛玲對二十世紀中國文學的獨特貢獻之一，就是像〈金鎖記〉這樣細分三個層次解析審判「母愛」——

第一是「控制型關愛」，對長安說男人不可靠，都看中你的錢，我是為了保護你，等等。「放縱」也可以是「愛」，讓兒子收心，所以年紀輕輕就要有妻妾，要用鴉片等等。總之是無微不至的關愛，無微不至的控制，不能有母親不知道不掌控的情況。

第二是「索求感恩」，做你們的母親，我多麼不容易，犧牲那麼多（情慾），所以你們要知道，要感恩，要對得起我，我付出了這麼多……反反覆覆重申以後，兒女就像負債一樣，不僅想感恩，而且會自卑（這種自卑後來貫穿《易經》和《小團圓》）。

第三是「潛意識嫉妒」。「女人都是同行」，無意之中與兒女競爭，所以可以犧牲兒女的幸福彌補自己的不幸（我沒得到的，你們也不能有；我們那時不可以的，你們現在也不行……）

這幾個層次的母愛解構，看似與《家》、《北京人》等五四男作家的「弒父情結」遙相呼應，但是更突出女性心理生理特點。

同樣反叛家長制，可能比反抗父權更加複雜一些。從階級角度看，七巧原是受害者，「半路出家」熬成當權派，不懂權術，但用權更狠（後來張煒《古船》寫窮人出身的惡霸，尤其兇惡，同樣道理）。從性別政治看，拒絕父權義無反顧，審母作品情緒矛盾，不會完全絕情（就像長安對母親的態度）。張愛玲早期作品，多少都有些戀父審母傾向，小說裏的母親形象大都不太溫暖崇高，比如〈傾城之戀〉裏的母親並不同情白流蘇，〈茉莉香片〉中母親形象在聶傳慶想像中十分軟弱，〈第一爐香〉的姑媽，血緣隔了一層，自然更是陷薇龍於不義的「惡母」角色……張愛玲寫自傳散文〈私語〉，母親是個接受新文化的年輕女人，美麗瀟灑，說走就走，同時又是常常「缺席」的「失職母親」，分別時暗暗責怪女兒不知感恩，令女兒自卑，後來對女兒衣着打扮甚至頭型都有苛刻評語。

從長安角度代入，七巧也是典型的「惡母」。問題是，「惡母」也是女人，或者是做不成女人才逐漸變「惡」。張愛玲後來用英文寫《易經》，用中文寫《小團圓》，反覆重寫母親的形象，還是一直堅持女兒挑剔反叛的態度，客觀上卻慢慢透露「女人—母親」雙重身分的深刻矛盾（比如母親為救女兒的病而與外國醫生上床等等）。考察從〈私語〉到《易經》及《小團圓》中母親形象的變化，作為女人，似乎有從美麗成功走向艱難奮鬥再走向悽楚可憐的變化過程——但這種作為女人越來越失敗的感覺，又是從女兒（也就是從「母親期待」）角度書寫的。〈金鎖記〉寫七巧沿着傳統方法用母親身分發洩做女人之不成功，固然是徹底的悲劇，但別的新女性獨立自主追逐幸福，後來也還要被其「母

親」身分做評判所審問，因而也會艱難淒涼？對五四以後女人與
母親這雙重身分的矛盾衝突消長重和，張愛玲後來在《小團圓》
裏有持久的探索。雖然一直堅持女兒的殘酷的審判視角，但也
有對母親還錢、「感恩」並絕情的「勝之不武」的懺悔與感慨。[5]

三、〈紅玫瑰與白玫瑰〉：衣食住行

張愛玲認識胡蘭成的時候，她早期的主要作品〈第一爐
香〉、〈傾城之戀〉、〈金鎖記〉都已完成。只有〈紅玫瑰與白玫瑰〉
是在認識胡蘭成以後寫的。小說第一段原有一個敍事者，一個
佟振保的姪子說我叔叔以前怎麼怎麼，但後來被作家刪了。去
掉了傳統說書的架子，現在就是第三人稱：

> 也許每一個男子全都有過這樣的兩個女人，至少兩個。
> 娶了紅玫瑰，久而久之，紅的變了牆上的一抹蚊子血，白的
> 還是「床前明月光」；娶了白玫瑰，白的便是衣服上的一粒
> 飯黏子，紅的卻是心口上的一顆朱砂痣。[6]

〈紅玫瑰與白玫瑰〉中佟振保喜歡他朋友的太太王嬌蕊，戀
愛過程簡單概括就是衣食住行。第一次見到嬌蕊，她剛洗完澡，
穿着浴衣：「一件條紋布浴衣，不曾繫帶，鬆鬆合在身上，從那
淡墨條子上可以約略猜出身體的輪廓，一條一條，一寸寸都是活
的。」振保把女人留在地上的亂頭髮撿起來放在口袋裏。和女人
握手以後，又覺得肥皂一直在吸吮他的手指。相比茅盾〈動搖〉

中寫方羅蘭當面誇妻子,「你的顫動的乳房,你的嬌羞的眼光,是男子見了誰都要動心的。」[7] 的確女作家寫性感比較微妙細膩。

「衣」之後是「食」,嬌蕊發嗲,叫振保幫她往麵包上抹花生醬,理由是說自己不好意思抹得太厚,又想減肥又想好吃等等,廢話一通,就是調情。

「食」之後是「住」,嬌蕊說:「我的心是一所公寓房子。」振保笑道:「那,可有空的房間招租呢?」嬌蕊卻不答應了。振保道:「可是我住不慣公寓房子。我要住單幢的。」嬌蕊哼了一聲道:「看你有本事拆了重蓋!」

除了寫衣,寫食,寫房以外,〈紅玫瑰與白玫瑰〉裏還寫了兩段文字是關於「行」,就是關於車。這兩段文字都非常重要。當時男主角還在猶豫「朋友妻不可欺」,他懷疑女的有點放蕩,他不知道自己到底想怎麼樣。

> 振保抱着胳膊伏在欄杆上,樓下一輛煌煌點着燈的電車停在門首,許多人上去下來,一車的燈,又開走了。街上靜蕩蕩只剩下公寓下層牛肉莊的燈光。風吹着兩片落葉踏啦踏啦彷彿沒人穿的破鞋,自己走上一程子……
>
> 這世界上有那麼許多人,可是他們不能陪着你回家。到了夜深人靜,還有無論何時,只要是生死關頭,深的暗的所在,那時候只能有一個真心愛的妻,或者就是寂寞的。振保並沒有分明地這樣想着,只覺得一陣悽惶。

整個這段文字是從「振保抱着胳膊扶在欄杆上」展開的,讀

者可以假想這是他看到的夜景：電車、燈光、樹葉……接着順理成章也會假設這是男主角的想法：世界夜深人靜，寂寞的時候，要有一個真心愛的妻……但就在這個時候，敍事者突然告訴我們，振保並沒有這麼想着，或者並沒有想得這麼清楚，他只覺得一陣悽惶。

這是張愛玲很特殊的一個寫作技巧，她把主人公的眼光和敍述者的眼光有意混淆，產生了一個很朦朧、很微妙，可以有錯覺的心理。

這段文字，好像作家站在男主人公身邊說，你看你只知道淒涼，你不知道你其實心中渴望着愛，你不知道你錯過了甚麼。這是作家在寫一個人物的潛意識。男主角佟振保不知道自己無意識中在渴望着愛，或者在女作家張愛玲的理解中，男人也可能有這麼一種對愛的渴望，只是他常常不知道。

四、男人不知道自己為甚麼流淚

因為他不珍惜愛情，王嬌蕊要和丈夫攤牌，佟振保卻害怕了。然後娶了一個很符合世俗標準的女子孟煙鸝，但是他們沒有感情，結婚以後生活非常平淡，而且沒有「性趣」。

幾年以後，他在公共汽車上偶遇嬌蕊。「振保看着她，自己當時並不知道他心頭的感覺是難堪的妒忌。」他「當時並不知道」，這是敍述者旁白。一般張愛玲只在男主人公耳邊旁白，女主人公就算犯傻，就算七巧把酸梅湯向小叔子扔過去，她自己還是知道自己在犯傻的，可是男人們不知道。

嬌蕊道：「你呢？你好麼？」振保想把他的完滿幸福的
生活歸納在兩句簡單的話裏，正在斟酌字句，抬起頭，在公
共汽車司機人座右突出的小鏡子裏，看見他自己的臉，很平
靜，但是因為車身的嗒嗒搖動，鏡子裏的臉也跟着顫抖不
定，非常奇異的一種心平氣和的顫抖，像有人在他臉上輕輕
推拿似的。忽然，他的臉真的抖了起來，在鏡子裏，他看見
他的眼淚滔滔流下來，為甚麼，他也不知道。

真是寫得太好了，這個男人不知道自己為甚麼流淚。張愛
玲還是給他一面鏡子，車外的小鏡子，原來是用以確定方向與安
全。車上在開，鏡子在抖，所以他開始沒想到是自己的臉在顫抖。

在這一類的會晤裏，如果必須有人哭泣，那應當是她。
這完全不對，然而他竟不能止住自己。應當是她哭，由他來
安慰她的。她也並不安慰他，只是沉默着，半晌，說：「你
是這裏下車罷？」

這裏最精彩的一句，就是「如果必須有人哭泣，那應當是
她。」這句話是誰說的？如是敍事者旁白，說的便是社會遊戲
規則。如是男主角自言自語，那便是內心的大男人意識。男的
以為重逢總是女人後悔，總是女人哭泣，沒想到現在自己在流
淚。這個時候男主人公才意識到自己是真愛這個女人的，腸子
都悔青了。

回家以後又發現自己老婆和一個裁縫通姦，他就很絕望

地跑了出去。氣憤之中沒講價就上了黃包車。張愛玲的筆，真是刻薄。

〈紅玫瑰與白玫瑰〉拍成電影時，關錦鵬非常尊重張愛玲，很多場面索性將張愛玲的小說文字打在螢幕上。記得電影結束時，「第二天起床，振保改過自新，又變了個好人。」

五、張愛玲筆下的「好人」與「真人」

在張愛玲筆下，男人被分成兩類——「真人」和「好人」。遵守社會規則的是「好人」，追求自己慾望的是「真人」。只有在「封鎖」的車廂裏，在短暫的、虛構的空間，才可能做片刻的「真人」。回到正常世界，振保也好，呂宗楨也好，張愛玲小說的很多男人都是只能去做「好人」。

張愛玲大部分小說是解析女性的，只有〈紅玫瑰與白玫瑰〉主要解剖男性。

小說開局有伏筆，男主角在巴黎碰到一個白人妓女，卻做不了事，此事造成了伴隨終生的恥辱感。後來他一直想做「主人」，在英國有個混血女人對他很好，可是他扮正經，說這樣的女人不適合於中國家庭，拒絕了人家，其實潛意識裏是害怕再受到恥辱。

嬌蕊又是一個紅玫瑰，他其實已經「勝利」，自己不知道，因為心裏害怕結果錯過了真的愛情。張辛欣在八十年代有篇小說，題為〈我在哪裏錯過了你〉。永恆的問題，能知道就好了。

最後是孟煙鸝，賢妻良母不性感，男人又無慾無求了。定

期去妓院,像是體格檢查。佟振保購買性服務,也算做「好人」。孟煙鸝偶然出軌,便是不守婦德。張愛玲在一篇文章裏發過議論:「婦德的範圍很廣。但是普通人說起為妻之道,着眼處往往只在下列的一點:怎樣在一個多妻主義的丈夫之前,愉快地遵行一夫一妻主義。」[8]

　　張愛玲的小說,與四十年代中國語境,關係好像不太密切。但是放在八十年代、九十年代以及二十一世紀讀,卻也不過時。

注

1　張愛玲:〈金鎖記〉,《傳奇》(增訂本)(上海:山河圖書公司,1946 年),頁 118-119。下同。

2　「其作用等於摩登姑娘穿高跟皮鞋,且產生了一種極拘謹纖婉的步態,使整個身軀形成弱不禁風,搖搖欲倒,以產生楚楚可憐的感覺。」林語堂:《吾國與吾民》,《林語堂文集》第八卷(北京:作家出版社,1995 年),頁 157。

3　高全之:〈《金鎖記》的纏足與鴉片〉,《張愛玲學》(臺北:麥田人文,2008 年),頁 79-98。

4　夏志清:《中國現代小說史》,張愛玲章由夏濟安翻譯(臺北:傳記文學社,1979 年),頁 412。

5　張愛玲:《小團圓》(香港:皇冠出版社,2009 年),頁 289。

6　張愛玲:〈紅玫瑰與白玫瑰〉,《傳奇》(增訂本)(上海:山河圖書公司,1946 年),頁 36。下同。

7　茅盾:〈動搖〉,《蝕》(北京:人民文學出版社,2008 年),頁 99-100

8　張愛玲:〈借銀燈〉,《流言》(臺北:皇冠出版社,1982 年),頁 88。

好風景、血戰場、新婦女、舊美德

> 月亮升起來，院子裏涼爽得很，乾淨得很，白天破好的
> 葦眉子潮潤潤的，正好編席。女人坐在小院當中，手指上纏
> 絞着柔滑修長的葦眉子。葦眉子又薄又細，在她懷裏跳躍
> 着。……這女人編着席。不久在她的身子下面，就編成了一
> 大片。她像坐在一片潔白的雪地上，也像坐在一片潔白的雲
> 彩上。她有時望望澱裏，澱裏也是一片銀白世界。水面籠起
> 一層薄薄透明的霧，風吹過來，帶着新鮮的荷葉荷花香。[1]

倘若不知作者和文本的背景，感覺上是在讀沈從文的「鄉
村牧歌」。後來汪曾祺也是這類文風，這般風景。不過沈從文、
汪曾祺的鄉村風景真的就是優美，真的就是安靜。孫犁的〈荷花
淀〉，卻是用美好風景在寫鮮血戰場。

錢理羣等人的《中國現代文學三十年》有評論：「在解放區
短篇小說家中，孫犁是趙樹理之外最重要的作家。與趙樹理以
現實主義精神着重表現農民心理思想改造的艱難歷程不同，孫

犁的小說着重於挖掘農民的靈魂美和人情美，藝術上追求詩的抒情性和風俗化的描寫，帶有浪漫主義的藝術氣質。」[2]

戰場上本來大部分都是男人，孫犁寫抗戰卻多以女人為主角。戰場本來充滿血腥殘酷，孫犁的小說卻風景秀美：「萬里無雲，可是因為在水上，還有些涼風。這風從南面吹過來，從稻秧上葦尖吹過來。水面沒有一隻船，水像無邊的跳蕩的水銀。」

文學裏的風景常常就是抒情，小說裏風景好，說到底就是人物的心情好。可那是戰爭時期，兵荒馬亂，國土被踐踏，人民受煎熬，荷花淀的女人怎麼會有這樣的好心情？怎麼能在鮮血戰場上看到美好風景？那是因為她們對戰爭，對土地，抱着樂觀的情緒。評論界一直稱讚，說描寫新鮮的地域風貌和樂觀的抗戰情緒，是孫犁作品的成功之道。

我們不妨再追問，為甚麼樂觀呢？戰火燃燒在自己美麗的家鄉，仗已經打了八年了——〈荷花淀〉是 1944 年寫作，次年發表——為甚麼滲透在美好的風景當中的是女人們的樂觀心情？並不是因為她們把世界局勢看透了，知道再過幾個月蘇聯紅軍就要進攻關東軍；也不是因為戰爭少給她們和她們的家人帶來苦難，苦難是說不完的。這種樂觀態度，在很大程度上來源於她們對自己鄉親尤其是對自己男人的信任。

〈荷花淀〉裏，水生是「小葦莊的遊擊組長，黨的負責人」。他回來跟女人說：「明天我就到大部隊上去了。」說到這裏，「女人的手指震動了一下，像是叫葦眉子劃破了手，她把一個手指放在嘴裏吮了一下」。（《紅旗譜》後來也有類似細節，向孫犁學習。）當然，這個女人手上一抖這個細節，說明她當然不捨得

丈夫走，但她沒有阻擋。小說寫，「女人鼻子裏有些酸，但她並沒有哭」。

水生又去跟其他幾家的女人那裏去告假，因為她們的男人害怕，不敢回來說，怕老婆。那些女人們也都跟水生嫂一樣傷心，但是背後是樂觀，相信她們的男人能夠勝利。

孫犁自己一再說，說農村青年婦女「在抗日戰爭年代，所表現的識大體、樂觀主義以及獻身精神，使我衷心敬佩到五體投地的程度」。[3] 這句話有三個要點 —— 識大體、樂觀主義和獻身精神，尤其是甚麼叫「識大體」，特別值得留意。

「識大體」就是知道國事大於家事，抗戰勝利比男人在家過小日子更重要，樂觀主義也來自於識大體。我們注意到，男人要走了，要囑咐女人幾件事情，一般說來，越重要的事越是最後說：

> 「沒有甚麼話了，我走了，你要不斷進步，識字，生產。」
> 「嗯。」
> 「甚麼事也不要落在別人後面！」
> 「嗯，還有甚麼？」
> 「不要叫敵人漢奸捉活的。捉住了要和他拼命。」
> 那最重要的一句，女人流着眼淚答應了他。

孫犁點明，最後這句話是最重要的 ——「不要叫敵人漢奸捉活的。捉住了要和他拼命」，這也是「識大體」。從對話的先後

次序來看，貞操是比進步、識字、生產，甚至性命，更重要的「大體」。所以《中國現代文學三十年》強調，「孫犁所表現的是解放了的新時代勞動婦女的靈魂美，……發展了現代文學表現勞動婦女靈魂美的傳統。」[4] 不知道靈魂美和身體是一個甚麼樣的關係。

「不要叫敵人漢奸捉活的」，是否意味着寧可死去，也不能被侮辱。魯迅〈我之節烈觀〉裏有這麼一段話定義「烈女」：「……有強暴來污辱他的時候，設法自戕，或者抗拒被殺，都無不可。這也是死得越慘越苦，他便烈得越好，倘若不及抵禦，竟受了污辱，然後自戕，便免不了議論。」[5] 當然，魯迅是批評傳統禮教，孫犁是歌頌勞動婦女靈魂美。

「捉住了要和他拼命」，並不單是水生一個人的特別囑咐。小說寫這些女人後來划了一個小船去看望從軍的丈夫們，在荷花淀裏，被鬼子的一個大船追趕。小說這樣描寫：

> 幸虧是這些青年婦女，白洋澱長大的，她們搖的小船飛快。小船活像離開了水皮的一條打跳的梭魚。她們從小跟這小船打交道，駛起來，就像織布穿梭，縫衣透針一般快。假如敵人追上了，就跳到水裏去死吧！

最後一句說的，看來不是水生對水生嫂的個別要求，差不多是這些老公在打仗，女人們的一個不需要講的共識。當然這個共識背後可能也是她們丈夫們的集體無意識的要求。「跳水去死事小，受敵污辱事大」——既是男人世界的傳統也是女人們的靈魂美德。

在巴金的《家》裏，覺民也這樣稱讚過鳴鳳跳湖，說沒想到她是這麼一個烈性的女子。照此邏輯，丁玲寫的〈我在霞村的時候〉裏，貞貞回到霞村，被雜貨鋪老闆等鄉親們議論也是正常的。鄉親們會說，你看鬼子是壞，可是你當初怎麼會不拼命到底呢？你怎麼不會跳水去死呢？

回到〈荷花淀〉具體語境，也許水生的意思，就是說千萬不能讓人家活捉，否則你就不知道會發生甚麼事了，也可能生不如死了。就是一個夫妻之間生離死別的意思。所以識大體必然包含了獻身精神。所以孫犁小說令人感動。

孫犁在抗日戰火中的這種青春秀美抒情文體獨樹一幟，後來文學界就有了「荷花淀派」。評論家楊聯芬說孫犁是革命文學中的「多餘人」，他的優美的風格是因為他要疏離主流政治，固守獨立的個性。[6] 熊權的研究文章則認為孫犁的「優美」風格其實也是當時的意識形態環境鍛造出來的。考證孫犁早期作品，受到冀中「肅托」（肅清托洛茨基信徒）運動的影響，孫犁的作品一度因傷感受到批評。〈荷花淀〉的前身是 1939 年寫的〈白洋澱之曲〉，差不多同樣的人物，寫得哀傷悲痛。作家面對別人的批評，也會調整寫作策略。等到他寫「優美」風格時，便「有意識地剔除死亡、規避悲劇，讓田園牧歌的地域風情與人物積極飽滿的情緒共鳴合奏」。[7]

所以小說裏邊，那些女人們拼命逃，鬼子在狂追時，馬上就會出現一批在荷葉下面躲藏的遊擊隊員（說不定就有她們的男人），立刻就把大船上的鬼子打掉。水生嫂她們擔心的被活捉的困境是不會出現的。

　　孫犁小說的抒情風格不僅在抗戰文學裏獨樹一幟，而且後來也很適合做學校的教材。因為既有革命歷史教育的內容，畫面和文字又不至於太傷痛悲慘。後來的革命歷史教育中有兩個短篇選用比較多，一篇是孫犁的〈荷花淀〉，另外一篇是茹志鵑的〈百合花〉，革命戰爭文學中的「兩花」。

注

1　〈荷花淀〉首次發表於 1945 年 5 月 15 日延安《解放日報》副刊，收入中國社會科學院文學研究所當代文學研究室編：《中國短篇小說百年精華（上）現代卷》（香港：三聯書店，2005 年）。引文下同。

2　錢理羣、溫儒敏、吳福輝：《中國現代文學三十年》（北京：北京大學出版社，1998年），頁 522。

3　孫犁：〈關於荷花淀的寫作〉，《晚華集》（天津：百花文藝出版社，1979 年），頁 87。

4　同注 2，頁 523。

5　魯迅：〈我之節烈觀〉，《魯迅全集》第一卷（北京：人民文學出版社，2005 年），頁 122

6　楊聯芬：〈孫犁：革命文學中的「多餘人」〉，《中國現代文學研究叢刊》，1998 年第四期。

7　熊權：〈「革命人」孫犁：「優美」的歷史與意識形態〉，《唐弢青年文學研究獎論文集》（武漢：長江文藝出版社，2020 年），頁 430。

現代文學篇幅最長的小說

　　路翎的《財主底兒女們》，是現代文學中篇幅最長的作品，[1]
總共八十多萬字，1945 年 11 月由重慶希望社出版上卷，下卷
1948 年出版。很多現代文學史，包括唐弢、朱棟霖和夏志清的
文學史小說史，都沒有特別討論路翎這個長篇。但在《亞洲週刊》
「二十世紀中國小說一百強」中，《財主底兒女們》排名很高（第
十四名）。胡風在 1945 年說，「時間將會證明，《財主底兒女們》
底出版是中國新文學史上一個重大的事件。」[2]

一、路翎的坎坷一生

　　路翎，1923 年出生於蘇州（一說南京），原名徐嗣興，兩歲
時父親自殺，母親改嫁，外公家是蘇州富豪。年輕時路翎做過國
府職員，南京中央大學講師。十九歲創作中篇〈飢餓的郭素娥〉，
描述一個大煙鬼的妻子與人私通，相當重口味。《財主底兒女們》
也是二十多歲寫的，受到胡風激賞。抗戰前後，魯迅推薦的是

《生死場》，青年人描寫底層生態；周揚表揚的是〈小二黑結婚〉，解放區人民走向幸福生活；胡風喜歡的是《財主底兒女們》，主觀戰鬥精神擁抱現實。但是榮也胡風，敗也胡風。1948 年，郭沫若等人在香港《大眾文藝叢刊》上批判胡風，路翎撰文回擊。理論家胡繩批評路翎，說他的作品是「小資產階級的知識分子，往往是一方面為自己心情上的複雜的矛盾而苦惱，另一方面，卻又沾沾自喜，溺愛着自己的這種『微妙』而『纖細』的心理……」[3] 胡繩此話，正中《財主底兒女們》特點（其實不一定是缺點）。1949 年以後，路翎在南京軍管會文藝處當創作組長，寫過《人民萬歲》、《祖國在前進》等作品，都未過審。中篇〈窪地上的「戰役」〉，寫志願軍士兵和朝鮮姑娘的微妙感情，殊不知志願軍有微妙感情已經犯規。後來「胡風案」從文藝論爭上升到反革命集團，舒蕪發表〈致路翎的公開信〉，路翎在 1955 年被捕，坐牢十年，從三十一、二歲到四十二歲。坐牢期間，路翎不服，在獄中吵鬧、撞牆，唱歌抗議，被指控為精神病，送至安定精神病院，接受打針、電療等治療。出獄以後還是「黑幫」，勞改掃街。直到 1980 年，他五十多歲了，法院宣佈他無罪，可是他第二天還去掃街，說還沒有人來接替我的工作，街上這麼髒，不能不掃乾淨。

　　文學家的使命是甚麼？顧城說過一句「現代漢語就像用髒了的人民幣，我要把它洗一洗」，[4] 路翎說還「沒有人來接替我的工作，街上這麼髒，不能不掃乾淨」，異曲同工，道出了二十世紀中國文人的工作性質與使命感。

　　1994 年路翎去世，已是當代文學「新時期」。《路翎全集》2014 年由復旦大學出版社出版，編委會主任陳思和是賈植芳的

學生，賈植芳當年也被劃入胡風集團。王德威認為《財主底兒女們》與胡風精神有關，「胡風的追隨者路翎以〈飢餓的郭素娥〉、《財主底兒女們》凸顯乃師所謂『在歷史事變下面的精神世界底洶湧的波瀾和它的來去根向』。」[5] 並讚揚「路翎是一位天才作家，他在十六歲到十九歲這短短的幾年內寫盡了他到今天我們都認為是現代文學裏的重要傑作，包括〈飢餓的郭素娥〉、《財主底兒女們》等等，我想我們任何做現代研究的同學都不應該錯過這位作家的一些重要作品。」[6]

二、顛覆現代小説的大家庭格局

書名上的「財主」可能引起誤會，令人聯想到鄉村、土地、地主等等，其實小說主角是一個蘇州富豪，兒女們都住在南京、上海等大城市裏。《財主底兒女們》其實寫的是《家》、《雷雨》之類大家庭的內部爭鬥，糾纏着金錢、情色、人倫，主軸還是個人與家國的關係，但比大部分同類作品顯得複雜混亂。

豆瓣上有段評論：「年輕的心沒有羈縻，初次創作長篇的筆更是不懂得節制。事與事，人與人，擁塞在一起，思想撞思想，行動碰行動，言語擠言語，《財主底兒女們》於是就有了八十萬字的浩大規模。也因了作者的年輕，這八十萬字建構正如同小說中許多人物的思維，充滿混亂，深烙痛苦，稍帶着病態與瘋狂。整體而言，它沒有一以貫之的事件、人物，乃至思想，除了作者恣意潑灑的青春與生命，除了作者追求的『光明、鬥爭的交響和青春的世界底強烈的歡樂（《財主底兒女們》題記）』。」[7]

在四十年代的時代語境下，在大家庭格局的長篇裏，《財主底兒女們》如何與眾不同？

第一個不同，是沒有直接寫階級鬥爭。小說不寫農民，不寫窮人，僅有的一個有名有姓的僕人還是忠實管家，馮家貴盡忠職守，最後在老宅窮死。曹禺寫魯貴，充滿了鄙視和批判，路翎小說裏主僕關係溫馨且不是重點。

第二個不同是也沒有貫徹進化論。長輩居然不是反派，不像高老太爺那麼專制，不似周樸園這般虛偽。財主蔣捷三和兒女們的關係有的緊張，有的溫和，有的衝突，有的隔膜。兒女們的婚姻家庭也各有幸福或不幸，但都不能簡單地歸結成老人「封建」。第二章有一節以蘇州老宅園林景色寫老人的固執孤獨。兒女大都離家，老人比兒女們更關注動亂局面，更關心中國前途。人們之前常見的那種老人腐敗專制，青年痛苦反抗的進化論格局，在路翎筆下被改寫了，甚至顛覆了。

三、混亂的劇情與歐化的文體

蔣家共有四女三子。大女兒淑珍和女婿傅蒲生，性格中庸，主要戲份在第三章淑珍三十歲生日，兄弟姐妹和父親聚集南京。二女兒淑華在生日宴會前後認識了海軍軍官汪卓倫，戀愛一拍即合，不過她看不慣家庭四分五裂，互相爭鬥，後來早早病死了。三女兒叫淑媛，女婿王定和是比較世俗講求利益的男人。小說開局時王定和看來像是蔣家正當繼承人。女婿要成為管事人，原因當然是老人與兒子們不和。

二兒子蔣少祖在小說上卷是男主角，小說開篇寫王定和妹妹王桂英到上海找蔣少祖。漂亮、性感、感情迷亂的王桂英，不管少祖已有婚姻，也忽視身旁夏陸的愛慕，孤注一擲地愛上少祖。「在不明瞭束縛着人們的實際的一切的時候，在幻想裏預嘗着這種甜美的荒唐和悲慘，她心裏有大的歡樂。這種歡樂，在目前的這個時代，是很多人都經歷到的。似乎整個的人類生活就是這樣改變了的。王桂英底赴上海，是一‧二八的光榮的、熱情的戰爭所促成的多種行為之一」。「……王桂英抗拒苦惱，浮上一個頑皮的粗野的笑容。這個笑容好久留在她底因受涼而蒼白的臉上。」[8]

這些引文，同時說明王桂英的莎菲氣質，個人與時代的複雜關係，還有路翎小說的拗巴的歐化語言。

蔣少祖是一個羅亭似的書生，想得多，做得少。十六歲到上海讀書，受過新思想影響，妻子陳景惠賢慧，但是他覺得她不理解他的事業。他的事業是甚麼？九‧一八後接近社會民主黨，又想從事政治，又看不慣投機混亂。其實還是靠蔣家家底，讓他有這份在上海從事政治社交並且自我感覺良好的奢侈。後來他發現兄弟姐妹們都在計算父親的財產，便趕回蘇州跟父親和解。

他和王桂英怎麼談戀愛？我們看原文——

「王桂英，在中國，生活是艱難的啊！」蔣少祖說，動情地笑着，倚在窗檻上。從王桂英底眼光和面容，蔣少祖覺得她已被他征服。這個勝利是他所希望的，但同時他體會到深刻的苦惱。他不能明白自己底目的究竟是甚麼。

男人喜歡女生崇拜他，有征服的勝利感，但是又苦惱，因為不知道自己要甚麼。早一兩年，張愛玲已經寫過范柳原、佟振保的類似愛情，享受征服，但缺乏目的。結果第五章，王桂英懷孕了，生了個女孩，被兄長王定和痛罵，逐出家門。王桂英先是想把小孩交給女傭，後來竟把小孩悶死，自己又打扮得十分時髦，到上海社交場合找蔣少祖。蔣少祖仍沒有甚麼表示，王桂英一氣之下就和理想主義的書生夏陸結婚了。但是夏陸太窮，婚後生活鬱悶，王桂英還是愛着少祖。整個戀愛就像作家一開始就預言的那樣「甜美的荒唐和悲慘」。少祖王桂英之戀，在小說裏這只是一個插曲。

蔣家大兒子蔚祖的故事更加「荒唐而悲慘」。

蔚祖的妻子金素痕，在整個長篇上卷中最引人注目，她美艷、性感、聰明、專橫、殘酷、任性。金素痕首先控制丈夫蔣蔚祖，老公言聽計從，女人半夜出去，天亮歸來，老公還在癡等。其次金素痕也設法控制了蔣家的很多財產。金家律師出生，和蔣捷三打官司也佔上風，老人被媳婦一步步逼死，整個蔣家眾姐妹一步步地看着受氣，無可奈何。蔚祖則逐漸走向瘋癲，一會兒被老婆鎖，一會兒被父親鎖，最後自己燒了寓所，淪為乞丐。金素痕以為他死了，馬上再婚，不想某夜蔣蔚祖又跑到素痕新房的窗下，鬼影般閃現，把新婚的金素痕嚇得魂飛魄散（之後這個大公子還是跳了長江）——神經質，是作家和這部小說幾個主要人物的共用特徵。

路翎寫張愛玲筆下的人物，但更加「不按牌理出牌」（金素痕這麼「壞」，也不受懲罰；蔚祖為甚麼自殺？王桂英怎麼可以

殺死自己嬰兒？）。從小說語言看，《財主底兒女們》又將巴金、茅盾的歐化文體發展到極致，比如王桂英初見夏陸：

> 王桂英，回答他底笑容，高聲説，並露出那種驚恐的嬌媚……這個思想令她感激，她熱情地、悽惶地笑，脱毛線外衣，站了起來。

驚恐與嬌媚，熱情與悽惶，都有些矛盾與反差，放在一起就形成了一種扭曲、曖昧的説話效果。

> 嬌小的王桂英在那種羞怯的、慎重的、自愛的微笑以後顯得特別動人。

這都是典型的路翎句式，用不同意思的排比，用複雜的句型來顯示人物微妙的心境。

四、《財主底兒女們》下卷：蔣純祖的蛻變故事

小兒子蔣純祖後來取代哥哥蔣少祖成為中心人物。上卷結尾時南京即將淪陷，全家往漢口撤退，只有他反方向要去上海。上卷蔣少祖，不像覺新般忍辱負重，較多私心；下卷蔣純祖，像覺慧一樣衝動，但更加迷惘。

下卷第一章記錄南京抗戰，但沒有正面寫戰事與屠殺，只是隨着純祖的眼光從上海撤軍，脱離部隊，在南京過江逃難碰到

幾個散兵。一個士兵搶小販的餅，另一個矮個士兵又跑去給小販一點錢（兩個士兵並無關係）。面對兩個散兵，年輕的純祖站在廢墟般的村宅中，不顧周圍形勢危急，忙於思索善惡哲理：「他想，在此刻，一切人都是可怕的，自己也是可怕的；一切善良，像一切惡意一樣，是可怕的。……眼看認識和不認識的路人在身旁死去後——一個軟弱的青年，就是這樣地明白了生活在這個世界上的自己底生命和別人底生命，就是這樣地從內心底嚴肅的活動和簡單的求生本能的交替中，在這個兇險的時代獲得了他底深刻的經驗了。」

文縐縐的文藝腔長句，慢條斯理地分析人的生死、困境、本能，好像《戰爭與和平》中彼埃爾上了俄法戰場前線。接下來純祖和幾個走散的士兵，朱谷良、石華貴、李榮光、丁興旺等一起逃難，逃難途中又害怕碰到敵軍，又碰到害怕他們的老百姓……

路翎使用抒情筆法描寫一個剛入伍的青年士兵：

　　　　那種對自己底命運的痛苦的焦灼使丁興旺走了出去。他悲傷地覺得自己是孤獨的，企圖到落雪的曠野中去尋求安慰，或更燃燒這種悲傷的渴望。落雪的曠野，對於自覺孤獨、恐懼孤獨的年青人是一種誘惑，這些年青人，是企圖把自己底孤獨推到一個更大的孤獨裏去，而獲得安慰，獲得對人世底命運的徹底的認識的。丁興旺是有着感情底才能的，習於從一些歌曲和一些柔和的玩具裏感覺、並把握這個世界；這樣的人，是有一種謙和，同時有一種奇怪的驕傲。

在痛苦的生活裏，這種感情底閃光是安慰了他，但同時，這種感情便使他從未想到去做一種正直的人生經營。……因此，這個年青人，便在這片落着雪的、迷茫的、靜悄悄的曠野上，穿着奇奇怪怪的破衣，慢慢地行走，露出孤獨者底姿態來。

這段文字雖長，還是要抄，因為這是典型的路翎風格。但這還不是主角。孤獨青年漫步曠野之後，看見一個老婦人害怕而逃。「你跑甚麼？」丁興旺憤怒地問。「他意識到，這個老女人底逃跑，是觸犯了他底尊嚴」。丁興旺叫停老女人，還搶了她一塊錢。偏巧這時有個從前線撤下來的團長帶着衛兵經過，團長此時「在精神上，他是有着無限的正義，無限的權力」，因此就把被老女人控訴的逃兵丁興旺槍斃了。

「中國不需要這種敗類……」那個團長説，奇異地笑着，顯然地是在替自己辯護……

「不過是一塊錢啊！只是一塊錢！該死，我是有兒子底人啊！」她（老女人）突然站住，小孩般哭出聲音來。

這種描寫戰爭、戰場荒誕場面的書生腔，後來的抗日文學無人（也無法）模仿。與丁興旺同行的其他散兵，朱谷良、石華貴，包括主人公純祖，他們又槍殺了那個團長。小說的敍事，依靠蔣純祖的傷感視覺而驚愕悲傷。

散兵逃到了長江北岸，在村裏石華貴強姦民女，朱谷良要

槍斃他，純祖不知為了甚麼，用自己的胸膛去擋槍保護石華貴。「我是你們底朋友……我是兄弟！我愛你們，相信我！」蔣純祖哭着大聲說——這麼浪漫的雨果式的人道主義，沒得到好報。石華貴逃生以後反而殺了朱谷良，蔣純祖最後和幾個同伴一起又炸死了石華貴。

　　這種由讀書人親眼旁觀的慘烈荒誕的戰爭場景，在二十世紀中國小說裏，之前沒有，之後也少見。蔣純祖回到武漢，再碰到哥哥姐姐一羣紳士太太，精神上已經無法溝通。小說接着繼續描寫純祖又要堅持個人自由又要投身羣體組織的艱辛過程（這不是胡風嗎？）。在武漢參加劇社，和姪女（淑珍與傅蒲生的女兒）kiss，又單戀黃杏清。表面上純祖還是書生意氣，善感多情，經常「又熱情又淒慘」地笑着，也問哥哥姐姐拿錢，但是經過南京曠野逃難，他已完全改變，和財主底其他兒女們在一起，他是一個路人。逃回武漢前，純祖在九江見了汪卓倫最後一面，汪是一個小軍艦的艦長，在長江中被日軍飛機炸傷，最後犧牲。汪的形象和上卷一樣又完美又絕望（我也學會了路翎式的語法，把兩個不同意思捆綁在一起）。

　　二哥蔣少祖這時在武漢是名人，一會兒採訪陳獨秀，一會兒獲汪精衛接見——現代小說中用真名實姓寫歷史人物的案例不多，《財主底兒女們》是一種嘗試。路翎還是一如既往地使用互相矛盾的形容詞：

　　　　汪精衛甜美而奇異地笑着說，他抱着無窮的希望。他
　　露出一種詭秘的慎重，和一種閃灼的憂鬱接着說，他相信

中國，他喜歡中國底文化和民族。他底聲音是顫抖的，低緩的。他是出奇地曖昧，他未說他對甚麼抱着無窮的希望。「曾經是，將來也是！」汪精衛甜美地說，長久地張着嘴，但無笑容。

甚麼叫甜美而奇異地說？甚麼叫閃灼的憂鬱？為甚麼長久地張着嘴？1945年的讀者回頭看汪精衛，記住的恐怕是路翎的曖昧文體。

到了四十年代，張愛玲等人已經有意識地用「某某道」舊白話矯正五四文藝腔，路翎卻朝另一個方向 ── 歐化的方向 ── 把文藝腔推向極致，不僅用來寫知識分子或女性心理，還用來寫逃難，寫兇殺，寫政治家的表情，陌生化效果非常強烈。

在某種意義上，篇幅巨大的《財主底兒女們》也是三、四十年代各種小說的一個綜合並置：逃兵劫難很像沈從文早期橋段；純祖多情，接近郁達夫或茅盾筆法；小弟反抗大家庭，這是《家》的格局（小說中直接提到《家》）。下卷後來寫純祖在鄉下做小學校長，與庸俗環境鬥爭，又是《圍城》或者《倪煥之》的故事；小說中還寫演劇社裏的政治批判會，好像提前預告了十年以後《洗澡》的開會氣氛。

《財主底兒女們》總體看上卷比下卷好，上卷線索紛繁，作家對複雜的社會矛盾試圖有自己的理解，其中蔣少祖是個現代小說中罕見的「聰明人」形象（按照魯迅關於聰明人、奴才和傻子的定義，聰明人是為權貴幫兇幫閒的知識人。）下卷純祖以覺慧式憤青個人抒情為主，預言「個人進入羣體」之歷史艱難（同

樣的「個人融入集體」的過程，巴金的《火》順利得令人難以置信）。小說直接解釋：「人們看見，蔣純祖，在這個時代生活着，一面是基督教似的理想，一面是冰冷的英雄，那些奧涅金和那些畢巧林。他所想像的那種人民底力量，並不能滿足他，因為他必須強烈地過活，用他自己底話說，有自己底一切。」

「自己的一切」包括企圖去救被母親賣掉的十六歲女生，包括跟小學附近的鄉村惡勢力爭鬥，包括糊里糊塗地愛上了淳樸鄉女萬同華，花了一年時間苦熬，最後又促成了好友孫松鶴娶萬同華的胞妹萬同菁。把奧涅金和畢巧林的符號跟鄉土的現實糅合在一起，怎麼樣？只靠男主人公的主觀精神和歐化文體？但是他的小學終於着火，而且關閉，他的朋友們終於要逃亡回重慶。

小說最後兩章處處突出純祖與蔣家眾人的不同，特別是少祖、純祖兩兄弟的不同道路。「蔣純祖抬頭，看見了盧梭底畫像；在一個短促的凝視裏，他心裏有英勇的感情，他覺得，這個被他底哥哥任意侮蔑的、偉大的盧梭，只能是他，蔣純祖底旗幟。」這時少祖在國民政府中已經頗有地位。當年女友王桂英也變身影壇明星，不過少祖仍嫌她墮落。純祖經過幾年折騰，身體大病，又因資訊不通，訂了婚的萬同華嫁了別人。重病回去時他還和女友再見了一面，「這個女人哭着說，『我已經饒了你，因為……我希望你也饒了我！』」男人臨死之前卻想着剛剛爆發的蘇德戰爭，溫柔地笑着說：「我想到中國！這個……中國！」然後就離開了。

幾十年以後，一些最出色的當代長篇，比如《古船》、《活着》、《白鹿原》、《生死疲勞》等，都在繼續書寫「財主底兒女們」

的生活和命運，不過很少有人模仿路翎的筆法。錢理羣等人的《中國現代文學三十年》稱讚路翎的心理刻畫，說「他運用錯綜的表現人物的心理深廣度的寫法，在掌握大起大落的心理節奏，處理人物之間心理感應的波瀾方面，顯現出一種杜斯妥耶夫斯基的氣質。」同時又評論說，主人公純祖「從社會層面上可以看做是在偉大的抗日民族解放鬥爭中，仍未能與人民結合，沒有找到光明出路的知識分子的典型」。[9]

巧了，或者說不巧，我們接下來真的又要碰到一個同一時代的，也「未能與人民結合」，也「沒有找到光明出路的知識分子的典型」，那就是方鴻漸。

注

1　老舍在 1944 至 1948 年寫的《四世同堂》，有九十萬字，1949 年在美國出版節譯本，全本《四世同堂》是 1982 年（老舍自殺十六年以後）才出版。

2　胡風：〈財主底兒女們〉，原載《財主底兒女們》（上）（重慶：希望社，1945 年）。轉自楊義、張環、魏麟等編：《路翎研究資料》（北京：知識產權出版社，2010 年），頁51。

3　胡繩：〈評路翎的短篇小說〉，載自《大眾文藝叢刊》第一輯《文藝的新方向》，1948年 3 月 1 日，頁 62。

4　1988 年顧城在香港參加文學活動時，回答一位英國漢學家的問題，我恰好坐在旁邊，親耳聽到，印象很深。

5　王德威：《抒情傳統與中國現代性 —— 在北大的八堂課》（北京：三聯書店，2010年），頁 43。

6　王德威：〈南京的文學現代史〉，《揚子江評論》，2012 年第四期，頁 10。

7　參見 https://book.douban.com/review/1033271/。

8　路翎：《財主底兒女們》（上）（重慶：希望社，1945 年）。引文來自路翎：《財主底兒女們》（北京：人民文學出版社，2004 年）。下同。

9　錢理羣、溫儒敏、吳福輝：《中國現代文學三十年》（北京：北京大學出版社，1998年），頁 506。

方鴻漸的意義

1938 年，抗戰正激烈，「財主底兒女們」正從南京逃到武漢，再狼狽逃到重慶，此時錢鍾書經過香港回國，到西南聯大教書。他父親錢基博時任湖南藍田國立師範學院國文系主任，來信要錢鍾書去做英文系主任。《圍城》裏一部分的故事就是以那個學校為背景。1938 到 1942 年間，錢鍾書以《談藝錄》奠定了他的學者地位。五、六十年代，錢鍾書參與翻譯《毛選》和《毛主席詩詞》。錢鍾書的代表作是《管錐編》，學術界有紅學、曹學、魯學，可是也有錢學，錢學不是研究《圍城》，而是研究《管錐編》。

一、「中國近代文學中⋯⋯最偉大的一部」？

讀過 1947 年上海晨光出版公司《圍城》初版的人很少，五十年代以後此書沒有再版，直到夏志清評論說這是「中國近代文學中最有趣、最用心經營的小說，可能是最偉大的一部」。[1]

之前人們只知錢鍾書是天才學者，What？錢鍾書還寫小說？「文革」後《圍城》一時成為城中話題。錢鍾書給夏志清的信裏說「I am almost your creation」，[2] 我幾乎是你創造的 —— 部分客氣部分事實。其實夏志清寫小說史一向熱情洋溢，毫不吝嗇使用「最」字：「茅盾無疑仍是現代中國最偉大的共產作家」，[3]《駱駝祥子》「是到那個時候為止，最佳現代中國長篇小說」，[4]「張天翼是這十年當中 (三十年代) 最富才華的短篇小說家」，[5] 還有「張愛玲的〈金鎖記〉，據我看來，這是中國從古以來最偉大的中篇小說」……[6]

現在中國內地廣告法據說禁用「最」字，筆者初讀夏志清「小說史」也是嚇一跳。後來仔細想想，他加了很多微妙的限制，比方自古以來中國沒有中篇，所以講〈金鎖記〉是最偉大的中篇，也不過分。說茅盾的偉大在於「共產作家」，張天翼的範圍是「三十年代」等等。評《圍城》也一樣，「最有趣」、「最用心經營」，都是主觀印象，而且「有趣」、「經營」並不必然是稱讚。「最偉大」當然偉大，但前面也加了一個「可能」。

以「偉大」的期待讀《圍城》，有人可能失望。主人公身處抗戰國難，其行為心理幾乎脫離時代，只陷在個人戀愛、家庭、工作的瑣事當中，兜兜轉轉，不能自拔。外面打仗，他也不關心，整天和老婆吵架，走不出圍城。方鴻漸的人生有甚麼意義呢？

但讀者如果設想自己就是方鴻漸，試試看，在他碰到的種種人生難題前，你會有怎麼不同的選擇？

二、如果你是方鴻漸，你會怎麼做？

如果你是方鴻漸，第一個面對的選擇就是在船上碰到「局部的真理」鮑小姐。之前父親替他訂婚，未過門媳婦早逝，「岳父」資助出國，都是命運安排，不是主人公選擇。回國海輪，長日／夜漫漫，女博士蘇小姐「艷如桃李，冷若冰霜」，與她同艙的葡國血統黑美人鮑小姐，倒是很性感，而且鮑小姐一句話就把方鴻漸鈎住了：「方先生，你教我想起了我的 fiancé，你相貌和他像極了！」

這話既暗示如我沒訂婚，也許考慮你，又隱含誘惑，我的 fiancé（未婚夫）不在，你或者可以享受他的權利還不必盡他的義務！接下來兩人便在夾板上借着海浪搖晃 kiss。船到越南蘇小姐上岸，鮑小姐主動提醒，「咱們倆今天都是一個人睡」，果然當晚鮑小姐主動來到了方鴻漸的船艙……

這種時候，如果是你會怎麼做 —— 本來人在旅途（第三種身分），就有點期盼艷遇，何況這樣又主動又性感的女生，可遇不可求，難道還要躲？只可惜來得快去得也快，船到香港，鮑小姐就撲向她那黑胖禿頭未婚夫。

到此為止，只是中國男人常見的感情插曲，就像佟振保的留學艷遇，或〈梅雨之夕〉的白日夢。但別小看遊輪上的 one night stand（一夜情），方鴻漸的行為看似隨機任性，在《圍城》的人生結構裏，小節可能影響全局。

第二個選擇就是棄蘇追唐。方鴻漸回到上海，忙着相親、麻將、找工作，小說輕描淡寫時局之亂，「從上海撤退到南京陷

落，歷史該如洛高（Fr. von Logau）所說，把刺刀磨尖當筆，蘸鮮血當墨水，寫在敵人的皮膚上當紙。方鴻漸失神落魄，一天看十幾種報紙，聽十幾次無線電報告，疲乏垂絕的希望披沙揀金似的要在消息罅縫裏找個蘇息處。」

2020 年，我們也常常一天看很多次報紙，看很多次的電視。也是「疲乏垂絕的希望披沙揀金似的要在消息罅縫裏找個蘇息處。」我們能比男主角多做些甚麼呢？

方鴻漸在香港曾陪蘇小姐逛街，蘇小姐愉快，方鴻漸畏懼。幾個月後在上海重新拜訪，見到了蘇的表妹唐曉芙，還有外交公署處長趙辛楣，小說前半部的主要人物一下子都登場了。方鴻漸對唐曉芙一見鍾情，《圍城》中寫人物外表一般都苛刻挑剔，唯有對唐曉芙是一個例外：「古典學者看她說笑時露出的好牙齒，會詫異為甚麼古今中外詩人，都甘心變成女人頭插的釵，腰束的帶，身體睡的席，甚至腳下踐踏的鞋，可是從沒想到化作她的牙刷。……她頭髮沒燙，眉毛不鑷，口紅也沒有擦，似乎安心遵守天生的限止，不要彌補造化的缺陷。總而言之，唐小姐是摩登文明社會裏那椿罕物 —— 一個真正的女孩子」。[7]

男主角後來再沒有對別的女人有過這麼一瞬間的好印象。小說的潛臺詞（或者也是作家的愛情觀），真正的戀愛只有一次？

唐小姐以為方鴻漸是蘇小姐的男友，趙辛楣也以為方鴻漸是情敵，蘇小姐喜歡看兩個男人在為她爭吵。次日方鴻漸又去蘇家，終於有機會向唐曉芙解釋並表白，說相信自己是愛上她了。

一見鍾情進展神速時，小說突然跳出方的視角，從旁交代

唐曉芙的想法 —— 她想「自己決不會愛方鴻漸，愛是又曲折又偉大的情感，決非那麼輕易簡單。假使這樣就會愛上一個人，那麼，愛情容易得使自己不相信，容易得使自己不心服了。」這裏有愛情戰爭的一個心理甚至生理規律 —— 男的要快，女的要慢。

之後一個月，見面七八次，寫信十幾封。方鴻漸一心想着唐小姐，以及怎麼妥善婉拒蘇小姐。

三、方鴻漸為甚麼不喜歡「女博士」？

到此為止，甚至直到小說結束，讀者都可能有個疑問：方鴻漸為甚麼不喜歡蘇小姐？蘇小姐也美麗，有才學，是真的博士，且家境富有。為甚麼方鴻漸看到她就猶豫、怯步、畏懼、害怕？

第一，方鴻漸雖然不知道後來有「人分三類：男人，女人，女博士」的政治不正確的說法，但他對女人與才學的關係確有偏見。他對唐小姐說：「你表姐是個又有頭腦又有才學的女人，可是 —— 我怎麼說呢？有頭腦有才學的女人是天生了教愚笨的男人向她顛倒的，因為他自己沒有才學，他把才學看得神秘，了不得，五體投地的愛慕，好比沒有錢的窮小姐對富翁的崇拜。」「女人有女人特別的聰明，輕盈活潑得跟她的舉動一樣。比了這種聰明，才學不過是沉澱渣滓。說女人有才學，就彷彿讚美一朵花，說它在天平上稱起來有白菜番薯的斤兩。真聰明的女人決不用功要做成才女，她只巧妙的偷懶。」

這是方鴻漸的偏見？還是作家的看法？小說裏男主人公凡

看到有才學的，比他強的女生就害怕，看到比他弱的、漂亮年輕的女生，就喜歡。楊絳後來說「《圍城》裏寫的全是捏造，……」[8]

第二，是否因為女人有錢，方鴻漸感到不舒服（可是他當年出國就靠了女家的錢）？第三，是否由於蘇小姐有心計，含蓄婉轉，又柔情操控，幫男的洗手帕，釘扣子，像妻子一樣關心，反叫男人害怕。當然最有說服力的理由是他愛上了唐曉芙。可是，早在海輪上，還沒遇見唐小姐，方鴻漸已經對有才有錢有心計的女博士表示畏懼了。怎麼解釋？也許，作家在作品中宣洩了對才女的恐懼，在現實生活中反而獲得了和諧？

小說題目「圍城」說的是城外的人想進去，城裏的人想出來。核心意象是循環。從空間地理上看，海外到香港，香港到上海，從上海又經過浙江、江西到湖南，再到香港，再到上海，劃了一個圓圈。從時間人生看，求學、戀愛，工作、結婚，瑣碎的生活，可能還要離婚，也回到原點。從感情關係看，方鴻漸喜歡唐曉芙，蘇小姐鍾意方鴻漸，趙辛楣追求蘇小姐，還有曹元朗……也是一個圓圈。

小說第三章詳細描寫一個飯局，趙辛楣、蘇小姐、方鴻漸，還有詩人曹元朗、哲學家褚慎明，外交官董斜川，五、六千字，看上去只是幾個文人在女人面前賣弄，明諷暗鬥，其實這個飯局很重要。「圍城」的典故是在這個飯局上點破。小說開始是嘲諷方鴻漸，從這個飯局起，轉為方鴻漸嘲諷其他人。

某天方鴻漸再去蘇家，在月下花園六角小亭，在蘇小姐法文命令輕吻她一下。之後逃走，寫信攤牌，「不忍糟蹋你的友誼」云云。蘇小姐大怒。當天，方鴻漸收到湖南三閭大學聘書，同時

又給唐曉芙寫了正式的求愛信。三件事情一天處理，結果怎麼樣呢？整部《圍城》充滿幽默、譏諷、調侃的氣氛，只有以下一段，驚心動魄——

　　方鴻漸等唐小姐回信，只好找上門，對方表情冷落，顯然是蘇小姐挑撥離間。唐小姐質問方鴻漸，你出國是不是靠了岳父家裏的錢？回國船上是不是看中鮑小姐？還有你那個美國的學位……？三個問題，全中要害。方鴻漸被問得兩眼是淚，「你說得對。我是個騙子，我不敢再辯，以後決不來討厭。」站起來就走。

　　這個時刻，方鴻漸看不見，作家和讀者卻都看得清楚，原來唐小姐表情冷淡，鼻子忽然酸了。「唐小姐恨不能說：『你為甚麼不辯護呢？我會相信你，』可是方只說：『那麼再會。』」外面雨很大，唐小姐也說再會，回到臥室。

　　　　女用人來告訴道：「方先生怪得很站在馬路那一面，雨裏淋着。」唐曉芙忙到窗口一望，果然鴻漸背馬路在斜對面人家的籬笆外站着，風裏的雨線像水鞭子正側橫斜地抽他漠無反應的身體。她看得心溶化成苦水，想一分鐘後他再不走，一定不顧笑話，叫用人請他回來。這一分鐘好長，她等不及了，正要吩咐女用人，鴻漸忽然回過臉來，狗抖毛似的抖擻身子，像把周圍的雨抖出去，開步走了。

　　這是決定男主人公命運的一分鐘，可惜他自己不知道。我們每個人都是方鴻漸，只是都不知道甚麼時候是我們的一分鐘。

　　唐小姐看方鴻漸雨中走開的背影，令我想到七巧趕走了季澤以後，匆匆上樓再看一下這男人的背影，一個是「抖開周圍的雨」，一個是「晴天的風」⁹，沒有關聯，都只是男人的背影。

　　唐曉芙還做了最後的挽救，一小時後到糖果店裏借打電話，可是回家後的方鴻漸火氣直冒，傭人跑來說蘇小姐電話，方鴻漸拿起話筒就說，「咱們已經斷了，斷了！聽見沒有？一次兩次來電話幹嗎？好不要臉！你搞得好鬼！我瞧你一輩子嫁不了人 ——」可是這些話還沒說下去，唐小姐就已經掛斷電話了。

　　如果是你，你會有甚麼選擇？害怕女博士強勢有錢，這是男性中心主義的偏見。假如你也喜歡唐曉芙，被人揭破軟肋，又驕傲又羞愧，只好逃走，沒有選擇。只是差了一分鐘，又沒聽清誰的電話，這是偶然，但偶然性背後有必然因素 —— 可以死追，不願跪求，是不是中國男人的傳統之一？

　　方鴻漸和唐曉芙各自將對方的信裝在盒子裏退回，沒有再嘗試補救。可能因為兩個人都很驕傲，方鴻漸還有羞愧，面對自己愛的人，人才會自卑。唐小姐也是脾氣高傲，「愛是又曲折又偉大的情感，決非那麼輕易簡單」，所以寧可忍痛，以致生病，過了幾天就隨父親去了香港、重慶。

　　要是放在今天，距離有甚麼關係？半夜發個微信，不就可能暗示轉機？但也未必，不要以為新的時代，人和人的溝通會更容易，關鍵是你不知道對方的心，你甚至不知道自己的心。驕傲與偏見是愛情的毒藥，但也是愛情之所以特別，愛情有時候就是由偏見和驕傲所構成的。

婚姻又是另外一回事，蘇小姐轉頭就接受了曹元朗的求婚，因此趙辛楣和方鴻漸同病相憐，成了好朋友。

四、方鴻漸的校園與婚姻

小說主人公的第三個重大選擇，是到三閭大學怎麼應對工作及同事。原來，大學聘書是趙辛楣調走情敵之計，他和校長高松年是世家朋友，不想卻成了方鴻漸的救命稻草。方鴻漸和趙辛楣、李梅亭、顧爾謙、孫柔嘉，一共五人一起上路去三閭大學。這段旅程是錢鍾書的真人真事，楊絳沒有去。

出發前，方鴻漸和趙辛楣有番對話，可以概括二十世紀中國作家的兩種生態及一種後果。辛楣道：「辦報是開發民智，教書也是開發民智，兩者都是『精神動員』，無分彼此。論影響的範圍，是辦報來得廣；不過，論影響的程度，是教育來得深……」一語概括現代作家兩種身分，辦報或者教書。這是現代文學的兩個輪子，傳媒或是教育。鴻漸道：「從前愚民政策是不許人民受教育，現代愚民政策是只許人民受某一種教育。不受教育的人，因為不識字，上人的當，受教育的人，因為識了字，上印刷品的當……」

說的只是舊社會。

小說寫五人從上海經過金華、鷹潭、寧都、南城、吉安，最後到達湖南三閭大學，算是中國歷史悠久的遊記文學當中的一朵現代奇葩。方鴻漸在這一章失卻主角地位，自私的李梅亭、庸俗的顧爾謙、狹義上的趙辛楣，不露聲色的孫柔嘉，都比方

鴻漸更有戲。趙辛楣一句話概括方鴻漸，「你不討厭，可是全無用處」。

同樣寫旅途苦難，路翎是哭訴，錢鍾書是笑談。坐船危險，坐車狼狽，餐廳裏女人公開餵奶，旅館過夜和臭蟲作戰。李梅亭帶鐵箱，裝滿了讀書卡片和走私藥物。鷹潭妓女介紹他們坐軍車，寡婦和傭人一路吵，吉安取錢一波三折。整個上海到湖南的旅程，是《圍城》當中最接地氣的一部分。《圍城》本以戀愛婚姻為主題，但加入了作家個人經歷的艱辛旅途與三閭大學的校園政治，增加了全書的現實主義分量。

五四以來的作家大都曾在大學教書兼課，居然極少人正面寫校園政治。而且錢鍾書寫校園政治，不是寫當時流行的黨派鬥爭和學生運動，而是英文所謂 campus politics，真的是人事鬥爭。校長高松年圓滑，歷史系主任韓學愈有假文憑卻臉不變色心不跳，且和另一系主任劉東方明爭暗鬥。嫖娼走私的李梅亭當上教務長，歷史系陸子瀟整天用政府信封裝點書桌，還有一個令人討厭的中文系汪主任……夾在這麼一種校園氣氛裏，辛楣和鴻漸成了共進退的清流，必須小心翼翼、克制忍讓。

當然在校園中，sex 總是一種不穩定、不安定的因素。辛楣對美貌的汪太太有好感，半夜談話被誤以為有姦情，只好匆忙離校，於是就留下了方鴻漸面對孫柔嘉了。這是小說的第四個選擇，方鴻漸為甚麼會選擇和孫柔嘉在一起？

小說前面敍述方鴻漸與唐曉芙戀情，敍事角度偏重方鴻漸，但時不時會跳出來交代唐曉芙的心思、想法。但是在敍述方鴻漸與孫柔嘉關係的前半段，即旅程和校園部分，作家完全不寫孫

柔嘉的心思想法，讓我們讀者和方鴻漸一樣，慢慢地去認識這個深藏不露的女主角，她的表情像百葉窗一樣 —— 裏面可以看到外面，外面卻看不到裏面。

其實早在旅途中，趙辛楣就懷疑孫柔嘉偷聽了他們對話，已警告方鴻漸，說孫是扮天真，「這女孩子刁滑得很，我帶她來，上了大當。」方鴻漸並不以為然。旅途艱辛，好幾次女生要和趙辛楣、方鴻漸合住一個房間，大家都很規矩禮貌。有一次方鴻漸半夜還注意到女生睡態動人，其實女生是在裝睡。能夠在一起克服這些飢餓、困難、艱辛，孫柔嘉似乎是一個非常堅強的女生。到了三閭大學後，方鴻漸知道自己並不愛孫柔嘉，但是有別人（陸子瀟）追她，也覺得不舒服。

為甚麼不愛？因為他感覺孫柔嘉不像唐曉芙那麼自然，相貌和行為都不那麼自然。但為甚麼別人追她，方鴻漸又不高興？說明還有些莫名其妙的責任感。趙辛楣因為桃色緋聞狼狽逃走時，孫柔嘉找方鴻漸訴說，如何討厭陸子瀟追求，並轉告很多關於他們的謠言緋聞，說已經傳到她的家裏。說話時，李梅亭、陸子瀟正好走來，孫柔嘉突然拉住方鴻漸的手臂，等於逼迫方鴻漸當眾承認他們的親密關係。方鴻漸是個驕傲的人，不願看到他討厭的男人欺負女生。尷尬之中，孫柔嘉說，「那麼咱們告訴李先生 ——」告訴甚麼？其實當時甚麼都沒發生。設身處地，在這種情況下你會不會也做一次驕傲的男子漢（而且你不知道以後會怎樣）？

方鴻漸拒絕蘇小姐，因為女博士有錢、有心計，碰到孫柔嘉，沒有學位、沒有錢，也沒有那麼漂亮，但更加「綠茶」，更

能隱形操縱。也許人的命運就是，越怕甚麼，越會碰到甚麼。

現代文學寫「女追男」，虎妞祥子和孫柔嘉方鴻漸是最著名的兩個戰例：前者粗獷熱情，後者細膩溫柔，前者平民大眾，後者知識分子，同樣都寫出了中國男作家（以及男性讀者）的恐懼想像。

孫柔嘉訂婚以前，常來看鴻漸；訂了婚，只有鴻漸去看她，她輕易不來。鴻漸最初以為她只是個女孩子，事事要請教自己；訂婚以後，他漸漸發現她不但很有主見，而且主見很牢固。訂婚一個月，鴻漸彷彿有了女主人。方鴻漸沒有下一年的聘書，女的倒有，但他們一起離開了湖南，先到桂林，再到香港。趙辛楣見到他們，一個人微笑，然後皺眉嘆氣。在老朋友面前他還是直接提醒，說孫柔嘉這個人很深心，煞費苦心。這時孫柔嘉態度果然不同，和方鴻漸在旅館裏就吵架了。擔心要懷孕，他們在香港匆忙結婚。在回上海的輪船上發現，他們從初識到現在不到一年，人生有了多麼大的變化。

從涓生、到倪煥之，再到方鴻漸（以後還有《活動變人形》），五四以來的作家都喜歡寫男性知識分子在婚後（同居後）對女人的失望。原因值得探討。

從孫柔嘉角度看，男人沒文憑沒錢又失業，女人的心計不都是「愛」嗎？可是這個階段小說幾乎完全「男性視角」，方鴻漸覺得孫柔嘉訂婚以後變了 —— 其實不是變了，而是之前沒有看清楚。如果說方鴻漸是一個興趣很廣，全無心得的人，那孫柔嘉就是全無心得，卻有打算。兩人重回上海，雙方家庭互相看不起，戰時生活又有種種困難。周圍的人，孫柔嘉的姑媽、傭人等

也摻和在夫妻不和之中，吵架多過恩愛，最後分手大概難免。小說最後部分寫上海市民生活，非常現實主義。

回首方鴻漸這一年，學業、戀愛、婚姻、工作、家庭，人生各階段全部實踐一遍。具體說在鮑小姐、蘇小姐、唐小姐、孫柔嘉面前，我們又能做出甚麼樣不同的選擇呢？好像人生就是這麼無奈，這麼無意義。

五、《圍城》在語言方面的特殊成就

在現代作家裏，錢鍾書和張愛玲的意象技巧是最令人注目的。

《圍城》寫蘇家聚會，方鴻漸坐在一個香味太濃的沈太太身邊，他看到沈太太「嘴唇塗的濃胭脂給唾沫進了嘴，把黯黃崎嶇的牙齒染道紅痕，血淋淋的像偵探小說裏謀殺案的線索。」都是以女性化妝衣物為意象，張愛玲〈色戒〉寫王佳芝進入珠寶店埋伏，「她又看了看表，一種失敗的預感，像絲襪上一道裂痕，陰涼地在腿肚子上悄悄往上爬。」不同之處是錢鍾書用虛的偵探小說線索，比喻實的女人胭脂唾沫嘴唇；張愛玲則是逆向比喻以實寫虛，用絲襪裂縫代表人的失敗的預感。

錢鍾書的象徵比喻，本體、喻體距離太遠，不加說明常常看不明白。比方說半裸的女人是「局部的真理」；女人的大眼睛像政治家講的大話，大而無當；拍馬屁跟戀愛一樣 —— 不容許第三者冷眼旁觀；開過的藥瓶像嫁過的女人 —— 失了市價（政治不正確，但文字精彩）。《圍城》中有很多比喻形容人的表情

外貌，比方說李梅亭在開車的時候說話，「李先生頭一晃，所說的話彷彿有手一把從他嘴邊奪去向半空中扔了，孫小姐側着耳朵全沒聽到。」鷹潭的妓女笑起來「滿嘴鮮紅的牙根肉，塊壘不平像俠客的胸襟」。寫侯營長「有個桔皮大鼻子，鼻子上附帶一張臉，臉上應有盡有，並未給鼻子擠去眉眼」。錢鍾書寫鼻子有點過癮，後來寫陸子瀟，也說他的鼻子「短而闊，彷彿原有筆直下來的趨勢，給人迎鼻孔打了一拳，阻止前進，這鼻子後退不迭，向兩傍橫溢。」作為學者錢鍾書是淵博，作為小說家就是刻薄。不相關的東西，他都能自然連上，「烤山薯這東西，本來像中國諺語裏的私情男女，『偷着不如偷不着』，香味比滋味好；你聞的時候，覺得非吃不可，真到嘴，也不過爾爾。」在散文〈釋文盲〉裏說得更妙，說「看文學書而不懂鑒賞，恰等於帝皇時代，看守後宮，成日價在女人堆裏廝混的偏偏是個太監，雖有機會，確無能力！」

錢鍾書寫知識分子和李伯元寫官場一樣，諷刺幽默無差別批判。後來也有人寫校園政治，其他人都愚蠢可笑，只有自己是正人君子——這樣整部作品就愚蠢可笑了。錢鍾書的成功之處，恰恰在於既讓方鴻漸諷刺眾人，也讓敘事者諷刺方鴻漸（或者說讓讀者可以自我嘲諷）。

都是四十年代亂世個人，路翎的《財主底兒女們》，有精神追求，但讀來艱難痛苦；錢鍾書的《圍城》，似乎沒寫時代旋律，但讀的過程十分享受。想深一層，能寫出一個人生的無意義，這部作品不就也有意義了嗎？

注

1　夏志清:《中國現代小說史》(臺北:傳記文學社,1979 年),頁 447。

2　「I am not only your discovery, I am almost your creation, you know.」,參見海龍:〈錢鍾書致夏志清的英文信〉,《文匯報》,2018 年 1 月 18 日。

3　同注 1,頁 185。

4　同注 1,頁 206。

5　同注 1,頁 231。

6　同注 1,頁 406。

7　錢鍾書:《圍城》(上海:上海晨光出版公司,1947 年;香港:天地圖書,1996 年),以下引文同。

8　楊絳:〈錢鍾書與《圍城》〉,《圍城》(香港:天地圖書,1996 年),頁 394。

9　「晴天的風像一羣白鴿子鑽進他的紡綢袴褂裏去,哪兒都鑽到了,飄飄拍着翅子」,〈金鎖記〉,《傳奇》(增訂本)(上海:山河圖書公司,1946 年),頁 131。

參考書目

一、1902-1916

《新中國未來記》，梁啟超

王德威：《被壓抑的現代性：晚清小說新論》（臺北：麥田出版，2003 年）。

阿英：《晚清小說史》（北京：人民文學出版社，1980 年）。

袁進：《中國近代文學編年史：以文學廣告為中心 (1872-1914)》（北京：北京大學出版社，2013 年）。

夏曉虹：《覺世與傳世——梁啟超的文學道路》（北京：中華書局，2006 年）。

夏曉虹：《追憶梁啟超》（北京：三聯書店，2009 年）。

夏曉虹：《閱讀梁啟超》（北京：三聯書店，2006 年）。

梁啟超著：李天綱編：《海上文學百家文庫 16 梁啟超卷》（上海：上海文藝出版社，2010 年）。

陳伯海、袁進主編：《上海近代文學史》（上海：上海人民出版社，1993 年）。

陳平原：《中國小說敘事模式的轉變》（北京：北京大學出版社，2003 年）。

陳平原：《左圖右史與西學東漸——晚清畫報研究》（香港：三聯書店，2008 年）。

［美］費正清編：《劍橋中國晚清史》（上／下卷）（北京：中國社會科學出版社，1985 年）。

黃子平、陳平原、錢理羣：《二十世紀中國文學三人談》（北京：人民文學出版社，1988 年）。

鄭振鐸：《文學大綱》（上海：商務印書館，1927 年）。

蔡元培、胡適、魯迅等:《中國新文學大系導論集》(上海:良友復興圖書印刷公司,
　　1940 年)。

錢穆(講述)、葉龍整理:《中國文學史》(成都:天地出版社,2018 年)。

魏泉考釋:《從「承啟之志」到「守待之心」》(濟南:山東文藝出版社,2006 年)。
　　該書為陳平原主編:《現代學者演說現場》叢書的梁啟超卷。

《官場現形記》,李伯元

方正耀:《晚清小說研究》(上海:華東師範大學出版社,1991 年)。

王德威:《被壓抑的現代性:晚清小說新論》(臺北:麥田出版社,2003 年)。

李伯元:《南亭筆記》(南京:江蘇古籍出版社,2000 年)。

李伯元:《文明小史》(上海:上海古籍出版社,1982 年)。

李伯元著、袁進編:《海上文學百家文庫 12,13 李伯元卷》(上海:上海文藝出版
　　社,2010 年)。

李伯元:《南亭筆記》(南京:江蘇古籍出版社,2000 年)。

阿英:《晚清小說史》(北京:人民文學出版社,1980 年)。

胡適:《白話文學史》(北京:北京大學出版社,2014 年)。

陳伯海、袁進主編:《上海近代文學史》(上海:上海人民出版社,1993 年)。

陳建華:《「革命」的現代性》(上海:上海古籍出版社,2000 年)。

康來新:《晚清小說理論研究》(臺北:大安出版社,1986 年)。

楊聯芬:《晚清至五四:中國文學現代性的發生》(北京:北京大學出版社,2003 年)。

魯迅:《中國小說史略》,《魯迅全集》第九卷(北京:人民文學出版社,2005 年)。

[日] 樽本照雄,陳薇監譯:《清末小說研究集稿》(濟南:齊魯書社,2006 年)。

顏健富:《從「身體」到「世界」:晚清小說的新概念地圖》(臺北:臺大出版中心,
　　2014 年)。

魏紹昌:《李伯元研究資料》(上海:上海古籍出版社,1980 年)。

David Der Wei Wang, *A New Literary History of Modern China*(The Belknap Press of
　　Harvard University Press, 2017).

《二十年目睹之怪現狀》,吳趼人

王德威:《被壓抑的現代性:晚清小說新論》(臺北:麥田出版,2003 年)。

王國偉:《吳趼人小說研究》(濟南:齊魯書社,2007 年)。

任百強:《小說名家吳趼人》(廣州:廣東人民出版社,2006 年)。

李楠:《晚清民國時期上海小報研究》(北京:人民文學出版社,2005 年)。

何宏玲:《晚清上海文藝報紙與近代文學變革》(北京:人民出版社,2016 年)。

阿英:《晚清小說史》(北京:人民文學出版社,1980 年)。

陳伯海、袁進主編:《上海近代文學史》(上海:上海人民出版社,1993 年)。

張中等:《李伯元・吳趼人》(瀋陽:春風文藝出版社,1999 年)。

張天星:《報刊與晚清文學現代化的發生》(江蘇:鳳凰出版社,2011 年)。

魏紹昌:《吳趼人研究資料》(上海:上海古籍出版社,1980 年)。

《孽海花》,曾樸

李楠:《晚清民國時期上海小報》(北京:人民文學出版社,2005 年)。

阿英:《晚清小說史》(北京:人民文學出版社,1980 年)。

冒鶴亭、陳子善:《孽海花閒話》(北京:海豚出版社,2010 年)。

時萌:《曾樸及虞山作家羣》(上海:上海文化出版社,2001 年)。

陳伯海、袁進主編:《上海近代文學史》(上海:上海人民出版社,1993 年)。

張佩綸、李鴻章等:《張佩綸家藏信札》(上海:上海人民出版社,2016 年)。

張子靜、季季:《我的姊姊張愛玲》(臺北:時報文化出版公司,1996 年)。

魯迅:《魯迅全集》(第九卷《中國小說史略》)、《漢文學史綱要》)(北京:人民文學
　　出版社,1981 年)。

燕谷老人:《續孽海花》(哈爾濱:黑龍江人民出版社,1982 年)。

魏紹昌:《孽海花資料》(上海:上海古籍出版社,1982 年)。

《老殘遊記》,劉鶚

王德威:《從劉鶚到王禎和》(臺北:時報文化出版企業有限公司,1986 年)。

李歐梵:《未完成的現代性》(北京:北京大學出版社,2005 年)。

馬幼垣:《中國小說史集稿》(臺北:時報文化出版企業有限公司,1983 年)。

陳伯海、袁進主編:《上海近代文學史》(上海:上海人民出版社,1993 年)。

[捷] 普實克:《普實克中國現代文學論文集》(長沙:湖南文藝出版社,1987 年)。

劉德隆、朱禧、劉德平:《劉鶚及老殘遊記資料》(成都:四川人民出版社,1985 年)。

劉德隆:《劉鶚別傳》(北京:中華工商聯合出版社,2018 年)。

蔣逸雪:《劉鶚年譜》(濟南:齊魯書社,1980 年)。

[日] 樽本照雄,陳薇監譯:《清末小說研究集稿》(濟南:齊魯書社,2006 年)。

Jaroslav Průšek, *Chinese History and Literature* (Berlin: Springer-Verlag , 2011) .

《玉梨魂》，徐枕亞

王德威：《被壓抑的現代性：晚清小說新論》（臺北：麥田出版，2003 年）。

王小逸：《鴛鴦蝴蝶派・禮拜六小說》（瀋陽：春風文藝出版社，1997 年）。

范伯羣：《鴛鴦蝴蝶派作品選》（北京：人民文學出版社，2011 年）。

范伯羣：《禮拜六的蝴蝶夢》（北京：人民文學出版社，1989 年）。

范煙橋、程小青著、徐俊西等編：《海上文學百家文庫 36 范煙橋／程小青卷》（上海：上海文藝出版社，2010 年）。

胡安定：《多重文化空間中的鴛鴦蝴蝶派研究》（北京：中華書局，2013 年）。

夏志清：《夏志清論中國文學》（香港：香港中文大學出版社，2017 年）。

徐枕亞：《雪鴻淚史》（臺北：文光圖書，1978 年）。

袁進：《鴛鴦蝴蝶派》（上海：上海書店出版社，1994 年）。

陳伯海、袁進主編：《上海近代文學史》（上海：上海人民出版社，1993 年）。

魯迅：《魯迅全集》（第四卷《二心集》、第九卷《中國小說史略》）（北京：人民文學出版社，1981 年）。

魏紹昌：《鴛鴦蝴蝶派研究資料（上、下）》（上海：上海文藝出版社，1984 年）。

魏紹昌：《我看鴛鴦蝴蝶派》（上海：上海書店出版社，2015 年）。

二、 1917-1948

〈狂人日記〉、〈藥〉、〈阿 Q 正傳〉，魯迅

王德威：《被壓抑的現代性：晚清小說新論》（臺北：麥田出版，2003 年）。

王瑤：《中國新文學史稿》（一卷本，上海：新文藝出版社，1953 年；上・下卷，上海：上海文藝出版社，1982 年）。

王曉明：《無法直面的人生・魯迅傳》（上海：上海文藝出版社，1993 年）。

平心：《人民文豪魯迅》（上海：上海文藝出版社，1981 年）。

石一歌：《魯迅傳》（上海：上海人民出版社，1976 年）。

［日］竹內好：《魯迅》（杭州：浙江文藝出版社，1986 年）。

［日］竹內好：《從「絕望」開始》（北京：生活・讀書・新知三聯書店，2013 年）。

朱棟霖、丁帆、朱曉進主編：《中國現代文學史：1917-1997》（北京：高等教育出版社，1999 年）。

余英時：《中國思想傳統及其現代變遷》（桂林：廣西師範大學出版社，2014 年）。

李歐梵：《中國現代作家的浪漫一代》（北京：新星出版社，2005 年）。

吳福輝：《插圖本中國現代文學發展史》（北京：北京大學出版社，2010 年）。

唐弢主編：《中國現代文學史》（北京：人民文學出版社，1979 年）。

夏志清、劉紹銘等譯：《中國現代小說史》（香港：香港中文大學出版社，2001 年）。

夏濟安：《黑暗的閘門：中國左翼文學運動研究》（香港：香港中文大學出版社，2016 年）。

陳平原：《二十世紀中國小說史》第一卷（北京：北京大學出版社，1989 年）。

許子東：《許子東現代文學課》（北京：理想國／上海：三聯書店，2018 年）。

梁啟超著、李天綱編：《海上文學百家文庫 16 梁啟超卷》，（上海：上海文藝出版社，2010 年）。

魯迅：《魯迅全集》（第一卷《吶喊》、《墳》，第五卷《南腔北調集》）（北京：人民文學出版社，1981 年）。

錢理群、溫儒敏、吳福輝：《中國現代文學三十年（修訂本）》（北京：北京大學出版社，1998 年）。

錢基博：《現代中國文學史》（上海：上海書店出版社，2007 年）。

［德］顧彬著、范勁等譯：《20 世紀中國文學史》（第七卷）（上海：華東師範大學出版社，2008 年）。

〈超人〉，冰心；〈商人婦〉、〈綴網勞蛛〉，許地山

王盛：《許地山評傳》（南京：南京出版社，1989 年）。

王炳根：《愛是一切：冰心傳》（北京：作家出版社，2016 年）。

宋益喬：《追求終極的靈魂 —— 許地山傳》（福州：海峽文藝出版社，1989 年）。

肖鳳：《冰心傳》（北京：北京十月文藝出版社，1987 年）。

吳泰昌：《我知道的冰心》（北京：三聯書店，2010 年）。

周俟松、杜汝淼：《許地山研究集》（南京：南京大學出版社，1989 年）。

范伯羣：《冰心研究資料》（北京：北京出版社，1984 年）。

夏志清著，劉紹銘等譯：《中國現代小說史》（香港：香港中文大學出版社，2001 年）。

許地山：《綴網勞蛛》（北京：人民文學出版社，1998 年）。

許地山：《玉官》（北京：京華出版社，2005 年）。

許燕吉：《我是落花生的女兒》（長沙：湖南人民出版社，2013 年）。

許子東：《許子東現代文學課》（北京／上海：北京理想國／上海三聯書店，2018 年）。

張炯、鄧紹基、樊駿：《中華文學通史》，地方（北京：華藝出版社，1997 年）。

趙家璧主編：《中國新文學大系 1917-1927》（上海：良友圖書公司，1936 年）。

鄭振鐸編：《文學大綱》（上海：商務印書館，1927年）。

鄭振偉：《鄭振鐸前期文學思想》（北京：人民文學出版社，2000年）。

錢理羣、溫儒敏、吳福輝：《中國現代文學三十年（修訂本）》（北京：北京大學出版社，1998年）。

C.T.Hsia, *A History of Modern Chinese Fiction* (New Haven and London: Yale University Press, 1971).

〈沉淪〉、〈茫茫夜〉、〈秋柳〉，郁達夫

［日］小田嶽夫、稻葉昭二著，李平、閻振宇譯：《郁達夫傳記兩種》（杭州：浙江文藝出版社，1984年）。

王德威：《被壓抑的現代性：晚清小說新論》（臺北：麥田出版社，2003年）。

王觀泉編：《達夫書簡：致王映霞》（天津：天津人民出版社，1982年）。

王自立、陳子善：《郁達夫研究資料（上、下）》（天津：天津人民出版社，1982年）。

［日］伊藤虎丸、稻葉昭二、鈴木正夫編：《郁達夫資料》（東京：東京大學東洋文化研究所附屬東洋學文獻センター刊行委員會，1969年）。

李杭春、陳建新、陳力君主編：《中外郁達夫研究文選（上下）》（杭州：浙江大學出版社，2006年）。

李歐梵：《中國現代作家的浪漫一代》（北京：新星出版社，2005年）。

郁雲：《郁達夫傳》（福州：福建人民出版社，1984年）。

許子東：《郁達夫新論》（杭州：浙江文藝出版社，1984年）。

張若英編：《中國新文學運動史資料》（上海：光明書局，1934年）。

鄒嘯編：《郁達夫論》（上海：上海書店出版社，1933年）。

曾華鵬、范伯羣：《郁達夫評傳》（天津：百花文藝出版社，1983年）。

趙景深：《文壇憶舊：中國現代文學史參考資料》（上海：上海書店出版社，1983年）。

韓邦慶：《海上花列傳》（北京：人民文學出版社，1982年）。

饒鴻競編：《創造社資料》（上、下）（福州：福建人民出版社，1985年）。

〈傷逝〉，魯迅

［日］丸尾常喜：《魯迅》（京都：集英社，1985年）。

王曉明：《無法直面的人生・魯迅傳》（上海：上海文藝出版社，1993年）。

平心：《人民文豪魯迅》（上海：上海文藝出版社，1981年）。

朱正：《魯迅傳》（香港：三聯書店，2008年）。

［日］竹內好：《魯迅》（杭州：浙江文藝出版社，1986年）。

［日］竹內好：《從「絕望」開始》（北京：生活・讀書・新知三聯書店，2013 年）。

孫鬱：《魯迅與周作人》（瀋陽：遼寧人民出版社，2007 年）。

許子東：《許子東現代文學課》（北京：北京理想國／上海三聯書店，2018 年）。

陳光中：《走讀魯迅：一代文學巨匠的十一個生命印記》（北京：中國文史出版社，2015 年）。

錢理羣：《話說周氏兄弟──北大演講錄》（濟南：山東畫報出版社，1999 年）。

錢理羣：《與魯迅相遇》（北京：三聯書店，2003 年）。

1927 年 1 月 14 日的郁達夫日記

［日］小田嶽夫、稻葉昭二著，李平、閻振宇譯：《郁達夫傳記兩種》（杭州：浙江文藝出版社，1984 年）。

王映霞：《我與郁達夫》（桂林：廣西教育出版社，1992 年）。

王映霞：《王映霞自傳》（南京：江蘇文藝出版社，1996 年）。

王觀泉編：《達夫書簡：致王映霞》（天津：天津人民出版社，1982 年）。

王自立、陳子善：《郁達夫研究資料（上、下）》（天津：天津人民出版社，1982 年）。

［日］伊藤虎丸、稻葉昭二、鈴木正夫編：《郁達夫資料》（東京：東京大學東洋文化研究所附屬東洋學文獻センター刊行委員會，1969 年）。

李杭春、陳建新、陳力君主編：《中外郁達夫研究文選（上下）》（杭州：浙江大學出版社，2006 年）。

李歐梵：《中國現代作家的浪漫一代》（北京：新星出版社，2005 年）。

郁達夫：《日記九種》（北京：北京：外文出版社，2013 年）。

郁雲：《郁達夫傳》（福州：福建人民出版社，1984 年）。

許子東：《郁達夫新論》（杭州：浙江文藝出版社，1984 年）。

張若英編：《中國新文學運動史資料》（上海：光明書局，1934 年）。

鄒嘯編：《郁達夫論》（上海：上海書店出版社，1933 年）。

曾華鵬、范伯羣：《郁達夫評傳》（天津：百花文藝出版社，1983 年）。

趙景深：《文壇憶舊：中國現代文學史參考資料》（上海：上海書店出版社，1983 年）。

饒鴻競編：《創造社資料》（上、下）（福州：福建人民出版社，1985 年）。

《倪煥之》，葉聖陶

朱泳燚：《葉聖陶的語言修改藝術》（銀川：寧夏人民出版社，1982 年）。

周龍祥、金梅編：《葉聖陶寫作生涯》（天津：百花文藝出版社，1994 年）。

金潔等：《葉聖陶：一代師表》（上海教育出版社，1999 年）。

夏志清著，劉紹銘等譯：《中國現代小說史》（香港：香港中文大學出版社，2001 年）。

商金林：《葉聖陶全傳》（北京：人民教育出版社，2014 年）。

葉至善：《父親長長的一生》（南京：江蘇教育出版社，2004 年）。

葉煒：《葉聖陶家族的文脈傳奇》（北京：人民出版社，2011 年）。

劉增人、馮光廉：《葉聖陶研究資料》（北京：北京十月文藝出版社，1988 年）。

劉增人：《葉聖陶傳》（上海：東方出版社，2009 年）。

錢理羣、溫儒敏、吳福輝：《中國現代文學三十年（修訂本）》（北京：北京大學出版社，1998 年）。

〈莎菲女士的日記〉，丁玲

丁玲：《夢珂》（上海：上海古籍出版社，1997 年）。

丁玲：《丁玲自傳》（南京：江蘇文藝出版社，1997 年）。

李向東、王增如：《丁玲傳》（北京：中國大百科全書出版社，2015 年）。

李向東、王增如：《丁玲年譜長編（上下卷）》（天津：天津人民出版社，2006 年）。

李輝：《沈從文與丁玲》（武漢：湖北人民出版社，2005 年）。

沈從文：《記丁玲、記丁玲續集》（北京：人民文學出版社，2017 年）。

孟悅、戴錦華：《浮出歷史地表》（北京：北京大學出版社，2018 年）。

［日］秋山洋子 等：《探索丁玲：日本女性研究者論集》（臺北：人間出版社，2017 年）。

袁良駿：《丁玲研究資料》（天津：天津人民出版社，1982 年）。

陳漱渝：《撲火的飛蛾：丁玲傳奇》（北京：中華書局，2017 年）。

楊桂欣：《情愛丁玲》（北京：文化藝術出版社，2006 年）。

蔣祖林、李靈源：《我的母親丁玲》（瀋陽：遼寧人民出版社，2011 年）。

蔣祖林：《丁玲傳》（北京：人民文學出版社，2016 年）。

批判魯迅 —— 為文學而革命，還是為革命而文學？

王瑤：《中國新文學史稿》（一卷本，上海：新文藝出版社，1953 年；上・下卷，上海：上海文藝出版社，1982 年）。

朱正：《魯迅傳》（北京：人民文學出版社，2013 年）。

吳福輝：《插圖本中國現代文學發展史》（北京：北京大學出版社，2010 年）。

周健強：〈夏衍談「左聯」後期〉，《新文學史料》，1991 年第四期。

胡適：《胡適來往書信選》，中國社會科學院近代史研究所編（北京：中華書局，1979 年）。

郭沫若：《斥反動文藝》，香港《大眾文藝叢刊》第一輯，1948 年 3 月。

唐弢主編：《中國現代文學史》（北京：人民文學出版社，1979 年）。

馮雪峰：〈關於李立三約魯迅談話的經過〉；參見朱正《魯迅傳》（香港：三聯書店，2008 年）。

黃修己：《中國現代文學發展史》（北京：中國青年出版社，2008 年）。

閻晶明：《陳西瀅評魯迅作品》，《齊魯晚報》，2005 年 7 月 29 日。

錢杏村：〈死去了的阿 Q 時代〉，原載《太陽月刊》，1928 年 3 月號。收入錢杏村：《現代中國文學作家》（上海：泰東圖書局，1928 年）。

錢理群、溫儒敏、吳福輝：《中國現代文學三十年（修訂本）》（北京：北京大學出版社，1998 年）。

〈創造〉、〈動搖〉，茅盾

茅盾：《我走過的道路（上中下）》（北京：人民文學出版社，1981 年）。

茅盾、韋韜：《茅盾回憶錄（上中下）》（北京：華文出版社，2013 年）。

韋韜、陳小曼：《我的父親茅盾》（瀋陽：遼寧人民出版社，2011 年）。

徐俊西、陳子善編：《海上文學百家文庫・茅盾卷（上、下）》（上海：上海文藝出版社，2010 年）。

陳建華：《革命與形式：茅盾早期小說的現代性展開》（上海：復旦大學出版社，2007 年）。

孫中田、查國華編：《中國文學史資料全編現代卷：茅盾研究資料（上下）》（北京：知識產權出版社，2010 年）。

莊鍾慶：《茅盾的創作歷程》（北京：人民出版社，1982 年）。

章驥、盛志強：《茅盾》（北京：華藝出版社，1999 年）。

楊揚：《轉折時期的文學思想——茅盾早期文藝思想研究》（上海：華東師範大學出版社，1996 年）。

鍾桂松：《茅盾傳》（上海：東方出版社，1996 年）。

〈蕭蕭〉、〈柏子〉、〈丈夫〉，沈從文

王德威：《寫實主義小說的虛構：茅盾，老舍，沈從文》（上海：復旦大學出版社，2011 年）。

朱棟霖、丁帆、朱曉進主編：《中國現代文學史：1917-1997》（北京：高等教育出版社，1999 年）。

沈從文：《沈從文自敍傳》（太原：北嶽文藝出版社，2016 年）。

邵華強編著:《中國文學史資料全編現代卷 —— 沈從文研究資料(上下)》(北京:知識產權出版社,2011 年)。

吳立昌:《人性的治療者:沈從文傳》(上海:上海文藝出版社,1993 年)。

汪曾祺:《沈從文中學生文學精讀》(香港:三聯書店(香港)有限公司,1995 年)。

[美] 金介甫:《沈從文傳》(北京:國際文化出版公司,2009 年)。

[美] 金介甫著、虞建華,邵華強譯:《沈從文筆下的中國社會與文化》(上海:華東師範大學出版社,1994 年)。

[美] 金介甫著,符家欽譯:《沈從文史詩》(臺北:幼獅文化事業公司,1996 年)。

周剛、陳思和、張新穎:《全球視野下的沈從文》(上海:上海交通大學出版社,2017 年)。

夏志清著,劉紹銘等譯:《中國現代小說史》(香港:香港中文大學出版社,2001 年)。

凌宇:《沈從文傳》(北京:北京十月文藝出版社,2004 年)。

張新穎:《沈從文與二十世紀中國》(上海:復旦大學出版社,2014 年)。

張新穎:《沈從文的後半生》(桂林:廣西師範大學出版社,2014 年)。

張新穎:《沈從文的前半生》(桂林:廣西師範大學出版社,2018 年)。

[美] 愛德格・斯諾:《活的中國》(長沙:湖南人民出版社,1983 年)。

劉洪濤:《沈從文小說新論》(北京:北京師範大學出版社,2005 年)。

劉洪濤:《沈從文研究資料(上、下)》(天津:天津人民出版社,2006 年)。

錢理羣、溫儒敏、吳福輝:《中國現代文學三十年(修訂本)》(北京:北京大學出版社,1998 年)。

《啼笑因緣》,張恨水

王小逸:《鴛鴦蝴蝶派・禮拜六小說》(瀋陽:春風文藝出版社,1997 年)。

石楠:《張恨水》(北京:作家出版社,2005 年)。

朱周斌:《懷疑中的接受:張恨水小說中的現代日常生活》(桂林:廣西師範大學出版社,2010 年)。

范伯羣編:《鴛鴦蝴蝶派作品選》(北京:人民文學出版社,2011 年)。

范伯羣:《禮拜六的蝴蝶夢》(北京:人民文學出版社,1989 年)。

胡安定:《多重文化空間中的鴛鴦蝴蝶派研究》(北京:中華書局,2013 年)。

徐迅:《張恨水家事》(北京:中國華僑出版社,2009 年)。

袁進:《張恨水評傳》(南京:南京大學出版社,2012 年)。

袁進:《小說奇才張恨水》(上海:上海書店出版社,1999 年)。

袁進:《鴛鴦蝴蝶派》(上海:上海書店出版社,1994 年)。

張恨水：《寫作生涯回憶》（南京：江蘇文藝出版社，2012 年）。

張伍：《我的父親張恨水》（瀋陽：春風文藝出版社，2002 年）。

張伍：《張恨水自述》（鄭州：河南人民出版社，2006 年）。

張明明《回憶我的父親張恨水》（天津：百花文藝出版社，1992 年）。

張占國、魏守忠編：《中國文學史資料全編・現代卷 10：張恨水研究資料》（北京：知識產權出版社，2009 年）。

解璽璋：《張恨水傳》（北京：北京十月文藝出版社，2018 年）。

溫奉橋：《現代性視野中的張恨水小說》（青島：中國海洋大學出版社，2005 年）。

趙孝萱：《世情小說傳統的承繼與轉化：張恨水小說新論》（臺北：臺灣學術書局，2002 年）。

聞濤：《張恨水傳》（北京：團結出版社，1999 年）。

魏紹昌：《鴛鴦蝴蝶派研究資料（上、下）》（上海：上海文藝出版社，1984 年）。

魏紹昌：《我看鴛鴦蝴蝶派》（上海：上海書店出版社，2015 年）。

Perry Link：*Mandarin Ducks and Butterflies: Popular Fiction in Early Twentieth-Century Chinese Cities* (Oakland, California: University of California Press, 1981).

〈遊戲〉，劉吶鷗；〈白金的女體塑像〉、〈上海的狐步舞〉，穆時英

司馬長風：《中國新文學史》（香港：昭明出版社，1975 年）。

李歐梵：《上海摩登》（北京：北京大學出版社，2001 年）。

金理：《從蘭社到〈現代〉》（上海：東方出版中心，2006 年）。

梁慕靈：《視覺、性別與權力：從劉吶鷗、穆時英到張愛玲的小說想像》（臺北：聯經出版公司，2018 年）。

國立中央大學中國文學系主編：《劉吶鷗國際研討會論文集》（臺南：國家臺灣文學館，2005 年）。

陳海英：《民國浙籍作家穆時英研究／當代浙江學術文庫》（杭州：浙江工商大學出版，2015 年）。

許秦蓁：《摩登、上海、新感覺 —— 劉吶鷗》（臺北：秀威資訊科技股份有限公司，2008 年）。

彭小妍：《海上說情慾：從張資平到劉吶鷗》（臺北：中央研究院，2001 年）。

劉吶鷗：《劉吶鷗全集：日記集》（臺南：臺南縣文化局，2001 年）。

錢理羣、溫儒敏、吳福輝：《中國現代文學三十年（修訂本）》（北京：北京大學出版社，1998 年）。

錢曉波：《中日新感覺派文學的比較研究》（上海：上海交通大學出版社，2013年）。

嚴家炎：《中國現代小說流派史》（北京：人民文學出版社，1989年）。

嚴家炎、吳福輝：《都市漩流中的海派小說》（長沙：湖南教育出版社，1995年）。

嚴家炎：《〈風雨文叢12種〉五四的誤讀》（福州：福建教育出版社，2000年）。

嚴家炎：《考辨與析疑 —— 五四文學十四講》（青島：中國海洋大學出版社，2006年）。

《家》，巴金

巴金：《我的寫作生涯》（天津：百花文藝出版社，2006年）。

丹晨：《巴金評說七十年》（北京：北京中國華僑出版社，2006年）。

[美] 司昆侖：《巴金〈家〉中的歷史》（成都：四川文藝出版社，2019年）。

田夫：《巴金的家和〈家〉》（上海：上海文化出版社，2005年）。

[日] 阪井洋史：《巴金論集》（上海：復旦大學出版社，2013年）。

艾曉明：《青年巴金及其文學視界》（上海：復旦大學出版社，2009年）。

汪致正：《巴金的兩個哥哥》（北京：人民文學出版社，2005年）。

李存光編：《中國文學史資料全編・現代卷44：巴金研究資料》（北京：知識產權出版社，2010年）。

余秋雨等著，上海巴金文學研究會編：《巴金與一個世紀》（上海：上海社科院，2005年）。

徐開壘：《巴金傳》（上海文藝出版社，1991年）。

陳丹晨：《巴金全傳》（北京：人民文學出版社，2014年）。

陳思和：《人格的發展：巴金傳》（臺北：業強出版社，1991年）。

陳思和、李輝：《巴金研究論稿》（上海：復旦大學出版社，2009年）。

陳思和、周立民：《解讀巴金》（瀋陽：春風文藝出版社，2002年）。

許子東：〈巴金的革命情懷〉，《火：抗戰三部曲》，輯於陳思和、周立民選編《解讀巴金》（瀋陽：春風文藝出版社，2002年）。

賈植芳等：《巴金作品評論集》（北京：中國文聯出版社，1985年）。

〈官官的補品〉，吳組緗

方錫德、劉勇強：《嫩黃之憶：吳組緗先生誕辰一百週年紀念文集》（北京：北京大學出版社，2012年）。

[日] 阪井洋史：《巴金論集》（上海：復旦大學出版社，2013年）。

余秋雨 等著，上海巴金文學研究會編：《巴金與一個世紀》（上海：上海社科院，
　　2005 年）。

周立民：《巴金手冊》（桂林：廣西師範大學出版社，2004 年）。

徐開壘：《巴金傳》（上海：上海文藝出版社，1991 年）。

許子東：《巴金的革命情懷》、《火：抗戰三部曲》，陳思和、周立民選編，《解讀巴金》
　　（瀋陽：春風文藝出版社，2002 年）。

黃書泉：《鄉土皖南的書寫者：吳組緗創作論》（合肥：安徽大學出版社，2011 年）。

《子夜》，茅盾

金宏達、錢振綱編：《茅盾評說八十年》（北京：文化藝術出版社，2011 年）。

金韻琴：《茅盾談話錄》（上海：上海書店出版社，1993 年）。

茅盾：《我走過的道路（上中下）》（北京：人民文學出版社，1981 年）。

茅盾、韋韜：《茅盾回憶錄（上中下）》（北京：華文出版社，2013 年）。

韋韜、陳小曼：《我的父親茅盾》（瀋陽：遼寧人民出版社，2011 年）。

孫中田、查國華 編：《中國文學史資料全編現代卷：茅盾研究資料（上下）》（北京：
　　知識產權出版社，2010 年）。

莊鐘慶：《茅盾的創作歷程》（北京：人民出版社，1982 年）。

章驤、盛志強：《茅盾》（北京：華藝出版社，1999 年）。

葉子銘：《論茅盾四十年的文學道路》（上海：上海文藝出版社，1959 年）。

鍾桂松：《茅盾傳》（上海：東方出版社，1996 年）。

〈將軍底頭〉、〈梅雨之夕〉，施蟄存

王宇平：《〈現代〉之後》（臺北：秀威資訊科技股份有限公司，2008 年）。

李歐梵：《未完成的現代性》（北京：北京大學出版社，2005 年）。

李歐梵：《現代性的追求》（北京：三聯書店，2000 年）。

李歐梵：《李歐梵論中國現代文學》（上海：上海三聯書店，2009 年）。

林祥：《世紀老人的話：施蟄存卷》（瀋陽：遼寧教育出版社，2003 年）。

張樺：《民國作家的觀念與藝術》（濟南：山東文藝出版社，2015 年）。

張芙鳴：《施蟄存：媒介中的現代主義者》（廣州：廣東教育出版社，2013 年）。

費正清主編：《劍橋中華民國史》（上卷）（北京：中國社會科學出版社，1998 年）。

楊迎平：《永遠的現代》（北京：光明日報出版社，2007 年）。

楊迎平：《現代的施蟄存》（臺北：秀威資訊科技股份有限公司，2017 年）。

鄺可怡：《黑暗的明燈：中國現代派與歐洲左翼文藝》(香港：商務印書館，2017 年)。

嚴家炎：《人生的驛站》(哈爾濱：黑龍江人民出版社，2004 年)。

〈邊城〉，沈從文

巴金、黃永玉等：《長河不盡流：懷念沈從文先生》(長沙：湖南文藝出版社，1989 年)。

王潤華：《沈從文小說新論》(上海：學林出版社，1998 年)。

朱光潛、張兆和等，荒蕪編：《我所認識的沈從文》(長沙：嶽麓書社，1986 年)。

凌宇：《從邊城走向世界：對作為文學家的沈從文的研究》(北京：三聯書店，1985 年)。

張新穎：《沈從文九講》(北京：中華書局，2015 年)。

張新穎：《沈從文與二十世紀中國》(上海：復旦大學出版社，2014 年)。

黃永玉：《沈從文與我》(長沙：湖南美術出版社，2015 年)。

《生死場》，蕭紅

〔日〕平石淑子：《蕭紅傳》(北京：中國人民大學出版社，2017 年)。

季紅真：《蕭紅傳》(北京：北京十月文藝出版社，2000 年)。

林敏潔：《生死場中的跋涉者：蕭紅女性文學研究》(北京：人民文學出版社，2011 年)。

葛浩文：《蕭紅傳》(上海：復旦大學出版社，2011 年)。

駱賓基：《蕭紅小傳》(哈爾濱：黑龍江人民出版社，1981 年)。

蕭軍詮釋：《魯迅給蕭軍蕭紅信簡注釋錄》(哈爾濱：黑龍江人民出版社，1981 年)。

蕭紅：《孤獨的生活》(南京：江蘇文藝出版社，2013 年)。

蕭紅：《蕭紅散文》(呼和浩特：內蒙古文化出版社，2006 年)。

蕭紅：《又是春天》(北京：北京理工大學出版社，2016 年)。

曉川、彭放：《蕭紅研究七十年》(全三卷) (哈爾濱：北方文藝出版社，2011 年)。

〈斷魂槍〉，老舍

老舍：《我這一輩子》(武漢：長江文藝出版社，2017 年)。

老舍：《老舍自傳》(南京：江蘇文藝出版社，1995 年)。

老舍：《我怎樣寫小說》(上海：文匯出版社，2009 年)。

老舍：《老舍生活與創作自述》（北京：人民文學出版社，1997 年）。

老舍：《老舍的北京》（北京：當代中國出版社，2004 年）。

老舍：《老舍論創作》（上海：上海文藝出版社，1980 年）。

胡金銓：《老舍和他的作品》（北京：後浪｜北京聯合出版公司，2018 年）。

崔恩卿 主編：《走進老舍》（北京：京華出版社，2002 年）。

舒乙：《老舍的平民生活》（北京：華文出版社，2006 年）。

舒乙：《老舍》（北京：人民出版社，1986 年）。

《死水微瀾》，李劼人

中國現代文學館編、孫金鏗編選：《李劼人》（北京：華夏出版社，1997 年）。

四川文藝出版社：《李劼人研究》（成都：四川文藝出版社，2019 年）。

成都市文學藝術界聯合會李劼人研究學會：《李劼人研究》（成都：巴蜀書社，2008 年）。

成都市文聯、成都市文化局：《李劼人小說的史詩追求》（成都：成都出版社，1992 年）。

成都文聯編研室：《李劼人作品的思想與藝術》（北京：中國文聯出版公司，1989 年）。

沈窮竹：《袍哥文化與四川現代小說研究：以李劼人、沙汀小說為中心》（重慶：西南師範大學出版社，2017 年）。

曹聚仁：《文壇五十年》（上海：東方出版中心有限公司，1997 年）。

《駱駝祥子》，老舍

老舍：《我這一輩子》（武漢：長江文藝出版社，2017 年）。

老舍：《老舍自傳》（南京：江蘇文藝出版社，1995 年）。

老舍：《我怎樣寫小說》（上海：文匯出版社，2009 年）。

老舍：《老舍生活與創作自述》（北京：人民文學出版社，1997 年）。

老舍：《老舍的北京》（北京：當代中國出版社，2004 年）。

老舍：《老舍論創作》（上海：上海文藝出版社，1980 年）。

胡金銓：《老舍和他的作品》（北京：後浪｜北京聯合出版公司，2018 年）。

崔恩卿主編：《走進老舍》（北京：京華出版社，2002 年）。

舒乙：《老舍的平民生活》（北京：華文出版社，2006 年）。

舒乙：《老舍》（北京：人民出版社，1986 年）。

1936 年 8 月 5 日的魯迅日記

[日] 丸尾常喜：《魯迅》（京都：集英社，1985 年）。

王曉明：《無法直面的人生・魯迅傳》（上海：上海文藝出版社，1993 年）。

平心：《人民文豪魯迅》（上海：上海文藝出版社，1981 年）。

石一歌：《魯迅傳》（上海：上海人民出版社，1976 年）。

朱正：《魯迅傳》（北京：人民文學出版社，2013 年）。

陳光中：《走讀魯迅：一代文學巨匠的十一個生命印記》（北京：中國文史出版社，
    2015 年）。

孫鬱：《魯迅與周作人》（瀋陽：遼寧人民出版社，2007 年）。

魯迅：《魯迅日記》（北京：人民文學出版社，2005 年）。

錢理群：《話說周氏兄弟——北大演講錄》（濟南：山東畫報出版社，1999 年）。

錢理群：《與魯迅相遇》（北京：三聯書店，2003 年）。

〈華威先生〉，張天翼

吳福輝、黃候興、沈承寬、張大明：《張天翼論》（長沙：湖南文藝出版社，1987 年）。

杜元明：《張天翼小說論稿》（銀川：寧夏人民出版社，1985 年）。

張天翼：《張天翼論創作》（上海：上海文藝出版社，1982 年）。

張錦貽：《張天翼評傳》（太原：希望出版社，2009 年）。

黃候興：《張天翼的文學道路》（上海：上海文藝出版社，1993 年）。

華中師範學院中文系編：《中國當代文學研究資料・張天翼專集》（武漢：華中師範
    學院，1979 年）。

〈我在霞村的時候〉，丁玲

丁言昭：《丁玲傳》（上海：復旦大學出版社，2011 年）。

王中忱、尚俠：《丁玲生活與文學的道路》（長春：吉林人民出版社，1982 年）。

王一心：《丁玲》（北京：中國青年出版社，2012 年）。

王周生：《丁玲》（上海：上海教育出版社，1999 年）。

王增如：《丁玲辦《中國》》（北京：人民文學出版社，2011 年）。

中國丁玲研究會：《二十世紀中國革命與丁玲精神史》（北京：清華大學出版社，
    2017 年）。

李向東，王增如：《丁玲傳》上、下（北京：大百科全書出版社，2015 年）。

周良沛：《丁玲傳》（北京：北京十月文藝出版社，1996 年）。

周芬娜:《丁玲與中共文學》(臺北:成文出版社,1980 年)。

郜元寶、孫潔編:《三八節有感:關於丁玲》(北京:北京廣播學院出版社,2000 年)。

孫瑞珍、王中忱編:《丁玲研究在國外》(武漢:湖北人民出版社,1985 年)。

陳明口述,查振科、李向東整理:《我與丁玲五十年:陳明回憶錄》(北京:中國大百科全書出版社,2010 年)。

莊鐘慶:《丁玲與中國當代文學》(廈門:廈門大學出版社,2012 年)。

傅光明:《丁玲小說》(杭州:浙江文藝出版社,2007 年)。

馮夏熊等:《丁玲作品評論集》(北京:中國文聯出版社,1984 年)。

塗紹鈞:《圖本丁玲傳》(長春:長春出版社,2012 年)。

楊桂欣編:《觀察丁玲》(北京:大眾文藝出版社,2001 年)。

楊桂欣:《丁玲與周揚的恩怨》(武漢:湖北人民出版社,2006 年)。

蔣祖林:《丁玲》(石家莊:河北教育出版社,2001 年)。

蘇敏逸:《女性‧啟蒙‧革命:丁玲文學與中國現代文學的對應關係》(臺北:臺灣學生書局,2012 年)。

1941 年 7 月 20 日的蕭軍日記

王德芬:《我和蕭軍五十年》(北京:中國工人出版社,2008 年)。

王科、徐塞:《蕭軍評傳》(北京:中國社會出版社,2008 年)。

艾克恩:《延安文藝運動紀盛 —— 1937 年 1 月—1948 年 3 月》(北京:文化藝術出版社,1987 年)。

杜忠明:《延安文藝座談會紀實》(北京:中央文獻出版社,2012 年)。

李西建:《延安文藝與 20 世紀馬克思主義 文藝理論中國化》(西安:陝西師範大學出版總社,2020 年)。

肖鳳:《蕭紅 蕭軍》(北京:中國青年出版社,1995 年)。

秋石:《蕭紅與蕭軍》(上海:學林出版社,1999 年)。

逄增玉:《黑土地文化與東北作家羣》(長沙:湖南教育出版社,1995 年)。

宋喜坤:《蕭軍和哈爾濱〈文化報〉》(北京:中國社會科學出版社,2015 年)。

張軍鋒:《延安文藝座談會的台前幕後》(西安:陝西師範大學出版社,2014 年)。

張毓茂:《蕭軍傳》(重慶:重慶出版社,1992 年)。

黃樾:《延安四怪 —— 王實味 塞克 蕭軍 冼星海》(北京:中國青年出版社,1998 年)。

劉忠:《〈在延安文藝座談會上的講話〉研究》(北京:人民文學出版社,2009 年)。

劉卓編:《「延安文藝」研究讀本》(上海:上海書店出版社,2018 年)。

劉建勳：《延安文藝史論稿》（西安：陝西人民出版社，1992 年）。
蕭耘、王建中：《寫給父親愛的記憶》（北京：中國書店出版社，2010 年）。
盧湘：《蕭軍蕭紅外傳》（長春：北方婦女兒童出版社，1986 年）。

〈小二黑結婚〉，趙樹理

白春香：《趙樹理小說的民間化敘事》（太原：北嶽文藝出版社，2016 年）。
白春香：《趙樹理小說敘事研究》（北京：中國社會科學出版社，2008 年）。
［日］釜屋修：《玉米地裏的作家 —— 趙樹理評傳》（太原：北嶽文藝出版社，
　　2000 年）。
郭文元：《現代性視野中的趙樹理小說》（蘭州：甘肅人民出版社，2009 年）。
陳為人：《插錯「搭子」的一張牌》（廣州：廣東人民出版社，2011 年）。
賀桂梅：《趙樹理文學與鄉土中國現代性》（太原：北嶽文藝出版社，2016 年）。
黃修己：《趙樹理研究資料》（北京：知識產權出版社，2010 年）。
復旦大學中文系《趙樹理研究資料編輯組》編：《趙樹理專集》（福州：福建人民出版
　　社，1981 年）。
楊占平、趙魁元：《新世紀趙樹理研究 —— 專欄綜述》（太原：北嶽文藝出版社，
　　2016 年）。
劉旭：《趙樹理文學的敘事模式研究》（太原：北嶽文藝出版社，2015 年）。
戴光中：《趙樹理傳》（北京：北京十月文藝出版社，1987 年）。
戴光中：《趙樹理》（北京：中國華僑出版社，1997 年）。

〈第一爐香〉、〈傾城之戀〉，張愛玲

子通、亦清：《張愛玲評說六十年》（北京：中國華僑出版社，2001 年）。
止庵、陳子善：《張愛玲的文學世界》（北京：新星出版社，2012 年）。
李歐梵：《蒼涼與世故》（香港：牛津大學出版社，2006 年）。
宋以朗、陳曉勤：《宋家客廳》（廣州：花城出版社，2015 年）。
夏志清：《張愛玲給我的信件》（武漢：長江文藝出版社，2014 年）。
夏志清、陳子善、李歐梵、劉紹銘、陳建華：《重讀張愛玲》（上海：上海書店出版
　　社，2008 年）。
高全之：《張愛玲學》（桂林：灕江出版社，2015 年）。
張愛玲、宋淇、宋鄺文美：《張愛玲私語錄》（香港：皇冠出版社，2010 年）。
張子靜、季季：《我的姊姊張愛玲》（吉林：吉林出版集團，2009 年）。

許子東：《無處安放：張愛玲文學價值重估》（西安：陝西人民出版社，2019 年）。

許子東：《張愛玲的文學史意義》（香港：中華書局，2011 年）。

陳子善：《記憶張愛玲》（濟南：山東書報出版社，2006 年）。

楊澤：《閱讀張愛玲 —— 張愛玲國際研討會論文集》（臺灣：麥田出版社，1999 年）。

劉紹銘：《到底是張愛玲》（上海：上海書店出版社，2007 年）。

〈金鎖記〉、〈紅玫瑰與白玫瑰〉，張愛玲

子通、亦清：《張愛玲評說六十年》（北京：中國華僑出版社，2001 年）。

止庵、陳子善：《張愛玲的文學世界》（北京：新星出版社，2012 年）。

李歐梵：《蒼涼與世故》（香港：牛津大學出版社，2006 年）。

李歐梵著，毛尖譯：《上海摩登》（香港：牛津大學出版社，2000 年）。。

宋以朗、陳曉勤：《宋家客廳》（廣州：花城出版社，2015 年）。

夏志清：《張愛玲給我的信件》（武漢：長江文藝出版社，2014 年）。

夏志清、陳子善、李歐梵、劉紹銘、陳建華：《重讀張愛玲》（上海：上海書店出版社，2008 年）。

高全之：《張愛玲學》（桂林：灘江出版社，2015 年）。

張愛玲、宋淇、宋鄺文美：《張愛玲私語錄》（香港：皇冠出版社，2010 年）。

張子靜、季季：《我的姊姊張愛玲》（吉林：吉林出版集團，2009 年）。

許子東：《無處安放：張愛玲文學價值重估》（西安：陝西人民出版社，2019 年）。

許子東：《張愛玲的文學史意義》（香港：中華書局，2011 年）。

許子東：《細讀張愛玲》（香港：皇冠出版社，2019 年）。

許子東：《許子東細讀張愛玲》（北京大學出版社，2020 年）。

陳子善：《記憶張愛玲》（濟南：山東書報出版社，2006 年）。

楊澤：《閱讀張愛玲 —— 張愛玲國際研討會論文集》（臺灣：麥田出版社，1999 年）。

劉紹銘：《到底是張愛玲》（上海：上海書店出版社，2007 年）。

劉紹銘、梁秉鈞、許子東主編：《再讀張愛玲》（香港：牛津大學出版社，2001 年；濟南：山東畫報出版社，2004 年）。

〈荷花淀〉，孫犁

周申明、楊振喜：《孫犁評傳》（天津：百花文藝出版社，1990 年）。

孫犁：《孫犁文集：第四卷》（天津：百花文藝出版社，1982 年）。

郭志剛、章無忌：《孫犁傳》（北京：北京十月文藝出版社，1990 年）。

孫曉玲：《布衣：我的父親孫犁》（北京：三聯書店，2011 年）。

楊聯芬：《孫犁：革命文學中的「多餘人」》（北京：中國文聯出版社，2004 年）。

熊權：《「革命人」孫犁：「優美」的歷史與意識形態》，載《文藝研究》2019 年第 2 期。

劉金鏞、房福賢：《孫犁研究專集》（江蘇：江蘇人民出版社，1983 年）。

滕雲：《孫犁十四章》（北京：人民文學出版社，2012 年）。

錢理羣、溫儒敏、吳福輝、王超冰：《現代文學三十年》（北京：北京大學出版社，1998 年）。

《財主底兒女們》，路翎

朱珩青：《路翎：未完成的天才》（濟南：山東文藝出版社，1997 年）。

周榮：《超拔與悲愴──路翎小說研究》（北京：中國社會科學出版社，2017 年）。

胡風：《致路翎書信全編》（鄭州：大象出版社，2004 年）。

張業松編：《路翎批評文集》（珠海：珠海出版社，1998 年）。

張業松：《路翎印象》（上海：學林出版社，1997 年）。

路翎：《致胡風書信全編》（鄭州：大象出版社，2004 年）。

楊義、張環、魏麟等編：《路翎研究資料》（北京：知識產權出版社，2010 年）。

劉挺生：《一個神秘的文學天才路翎》（上海：華東師範大學出版社，1997 年）。

劉挺生：《思索着雄大理想的旅行者──路翎傳》（上海：華東師範大學出版社，1999 年）。

謝慧英：《強力的掙扎與主體性突圍──路翎創作研究》（北京：中國社會科學出版社，2012 年）。

《圍城》，錢鍾書

丁偉志主編：《錢鍾書先生百年誕辰紀念文集》（北京：生活・讀書・新知三聯書店，2010 年）。

吳泰昌：《我認識的錢鍾書（增訂本）》，（北京：生活・讀書・新知三聯書店，2017 年）。

沈冰主編：《不一樣的記憶》（北京：當代世界出版社，1999 年）。

［美］胡志德、張晨譯：《錢鍾書》（北京：中國廣播電視出版社，1990 年）。

張文江：《營造巴別塔的智者・錢鍾書傳》（上海：上海文藝出版社，1993 年）。

張泉編：《錢鍾書和他的〈圍城〉》（北京：中國和平出版社，1991 年）。

湯晏：《錢鍾書》（北京：文化發展出版社，2019 年）。

楊絳:《記錢鍾書與〈圍城〉》(長沙:湖南人民出版社,1986 年)。

錢鍾書:《錢鍾書集:寫在人生邊上;邊上的邊上;石語》(北京:生活‧讀書‧新知三聯書店,2002 年)。

謝泳:《錢鍾書交遊考》(北京:九州出版社,2019 年)。

欒貴明:《小說逸語:錢鍾書〈圍城〉九段》(北京:新世界出版社,2018 年)。